Mulherzinhas

Mulherzinhas

Louisa May Alcott

Ilustrações de
JESSIE WILLCOX SMITH

Camelot
EDITORA

MATERIAL COMPLEMENTAR
ACESSE AQUI

Copyright da tradução e desta edição ©2022 por Fabio Kataoka

Título original: Little Women
Textos originais de domínio público. Reservados todos os direitos desta tradução e produção.

Direitos reservados e protegidos pela lei 9.610 de 19.2.1998.
Nenhuma parte deste livro pode ser reproduzida, arquivada em sistema de busca ou transmitida por qualquer meio, seja ele eletrônico, xérox, gravação ou outros, sem prévia autorização do detentor dos direitos, e não pode circular encadernada ou encapada de maneira distinta daquela em que foi publicada, ou sem que as mesmas condições sejam impostas aos compradores subsequentes.
1ª Impressão 2022

Presidente: Paulo Roberto Houch
MTB 0083982/SP

Coordenação Editorial: Priscilla Sipans
Coordenação de Arte: Rubens Martim
Tradução e preparação de texto: Fábio Kataoka
Diagramação: Rogério Pires
Capa: Rubens Martim
Revisão: Aline Ribeiro

Vendas: Tel.: (11) 3393-7723 (vendas@editoraonline.com.br)

Impresso no Brasil.
Foi feito o depósito legal.

Dados Internacionais de Catalogação na Publicação (CIP)
(eDOC BRASIL, Belo Horizonte/MG)

A355m   Alcott, Louisa May.
        Mulherzinhas / Louisa May Alcott. – Barueri, SP: Camelot, 2022.
        15,5 x 23 cm

        ISBN 978-65-87817-96-5

        1. Ficção brasileira. 2. Literatura brasileira – Contos. I. Título.
                                                              CDD B869.3

Elaborado por Maurício Amormino Júnior – CRB6/2422

Direitos reservados à
IBC — Instituto Brasileiro de Cultura LTDA
CNPJ 04.207.648/0001-94
Avenida Juruá, 762 — Alphaville Industrial
CEP. 06455-010 — Barueri/SP
www.editoraonline.com.br

SUMÁRIO

Introdução		7
Capítulo 1	Brincando de peregrinos	9
Capítulo 2	Um feliz Natal	17
Capítulo 3	O menino Laurence	26
Capítulo 4	Fardos	35
Capítulo 5	Boa vizinhança	45
Capítulo 6	Beth no Castelo Maravilhoso	56
Capítulo 7	Amy no vale da humilhação	62
Capítulo 8	Jo e Apollyon, o espírito do mal	68
Capítulo 9	Meg visita o mundo da vaidade	77
Capítulo 10	O C.P. e a A.P.	90
Capítulo 11	Experiências	100
Capítulo 12	O acampamento de Laurence	109
Capítulo 13	Castelos no ar	125
Capítulo 14	Segredos	133
Capítulo 15	Um telegrama	141
Capítulo 16	Cartas	148
Capítulo 17	A pequena fiel	155
Capítulo 18	Dias sombrios	162
Capítulo 19	O testamento de Amy	170
Capítulo 20	Confidências	177
Capítulo 21	Laurie prega uma peça em Meg	182
Capítulo 22	Um dia feliz	193
Capítulo 23	Tia March antecipa os acontecimentos	199

Louisa May Alcott, por volta de 1860.

INTRODUÇÃO

O clássico da literatura universal *Mulherzinhas* foi publicado em 1868. A obra foi inspirada na vida da própria escritora que sonhava ser atriz. Alcott partiu da história de sua própria família, para dar vida às personagens da família March, composta pela senhora March, as quatro irmãs Margareth, Josephine, Elizabeth e Amy, além do senhor March, o pai das meninas, ausente por estar servindo como soldado na Guerra Civil dos Estados Unidos. A Senhora March exerce um papel importante na formação da meninas, ensinando valores éticos, que não focam a felicidade no dinheiro e muito menos no casamento. Os ensinamentos da mãe são baseados em princípios bíblicos e no livro *O Peregrino*, de John Bunyan, que é usado como um guia na vida das personagens. Aqui temos o primeiro livro que narra um ano na vida das irmãs March, limite entre a infância e a adolescência. O livro ainda conta com mais três continuações para a história das irmãs, além de inúmeras adaptações para o cinema, a televisão e o teatro.

Todas se aproximaram do fogo, a mãe na poltrona com Beth a seus pés, Meg e Amy empoleiradas nos braços da cadeira e Jo recostada no encosto

CAPÍTULO 1
BRINCANDO DE PEREGRINOS

— Natal sem presentes não é Natal — lamentou Jo, deitada no tapete.

— Não é fácil ser pobre! — suspirou Meg, olhando para seu vestido velho.

— Acho injusto que algumas pessoas tenham muitas coisas bonitas e outras não — acrescentou a pequena Amy, chateada.

— Temos uma família unida! — exclamou Beth com entusiasmo.

As quatro jovens se sentiram esperançosas com as palavras de Beth, mas entristeceram novamente, quando Jo falou:

— Não temos papai e não o teremos por muito tempo.

E elas ficaram um minuto em silêncio, pensando no pai ausente; então Meg disse:

— Você sabe que a razão pela qual mamãe propôs não receber presentes neste Natal foi porque será um inverno difícil para todos; e devemos economizar, enquanto nossos homens estão sofrendo tanto na guerra. Não podemos fazer muito, mas vamos tentar fazer pequenos sacrifícios e não reclamar.

E Meg balançou a cabeça, pensando com pesar sobre todas as coisas bonitas que ela queria.

— Mas não acho que o pouco que temos ajudaria o exército. Concordo em não ganhar presentes de mamãe, mas gostaria de comprar Ondine e Sintran. Eu queria esses livros há tanto tempo — disse Jo, que era uma leitora ávida.

— Eu planejava gastar o meu dinheiro com música — disse Beth, suspirando baixinho, e ninguém ouviu.

— Vou comprar uma caixa de lápis de desenho Faber; preciso muito deles — disse Amy.

— Mamãe ainda não falou sobre o nosso dinheiro e acredito que ela não quer que abramos mão de tudo. Vamos comprar o que quiser e nos entreter um pouco; trabalhamos bastante para ganhá-lo — disse Jo.

— Eu concordo, cuidando daquelas crianças o dia todo, quando desejo me divertir em casa — falou Meg, reclamando novamente.

— Você não tem a metade da minha dificuldade — disse Jo. — Imagina ficar trancada por horas com uma velha nervosa e agitada, nunca fica satisfeita e te irrita até você ter vontade de voar pela janela ou chorar.

— Não é certo reclamar, mas acho que lavar pratos e manter tudo arrumado é o pior trabalho do mundo. Isso me deixa chateada e minhas mãos ficam tão ásperas que não consigo estudar direito.

Beth olhou para suas mãos e suspirou tão alto que qualquer uma poderia ouvir dessa vez.

— Não acredito que nenhuma de vocês sofra como eu! — exclamou Amy. — Porque não precisam ir à escola com garotas inconvenientes, que riem quando você não entende as aulas e caçoam de seus vestidos e te "insuflam" se você não tem um nariz bonito.

— Você quer dizer insultam e não insuflam, — aconselhou Jo, rindo.

— Eu sei o que quero dizer, e você não precisa ser debochada! — retrucou Amy, com dignidade.

— Não briguem meninas. Vocês não gostariam de ter o dinheiro que papai perdeu quando éramos pequenas? Meu Deus! Como seríamos felizes, se não tivéssemos preocupações! — disse Meg, que se lembrava de tempos melhores.

— Beth disse outro dia que pensava que éramos muito mais felizes do que os filhos do rei, porque eles brigavam e se preocupavam o tempo todo, apesar do dinheiro.

— É verdade, embora tenhamos de trabalhar, zombamos de nós mesmas e somos uma turma feliz, como diria Jo — disse Meg.

— Jo, usa essas gírias! — observou Amy, com um olhar de reprovação para a jovem esticada no tapete. Jo imediatamente se sentou, colocou as mãos nos bolsos e começou a assobiar.

— Pare de assobiar, Jo, isso é coisa de menino!

— É por isso que eu faço isso.

— Eu detesto garotas rudes e pouco femininas!

— Eu odeio pessoas afetadas!

— *Os pássaros em seus ninhos concordam* — cantarolou Beth, a pacificadora, com uma cara tão engraçada que as duas caíram na risada, e as implicâncias terminaram naquele momento.

— Sério, meninas, vocês duas são culpadas — disse Meg, começando a dar um sermão com seu jeito de irmã mais velha.

— Vocês têm idade suficiente para deixar de fazer coisas de menino e se comportar melhor, Josephine. Não importava tanto quando você era menor, mas agora que você está tão alta, e soltou o cabelo, você deve se lembrar que é uma jovem dama.

— Não sou! E se soltar o cabelo me torna uma, vou usá-lo preso até os vinte anos! — gritou Jo, tirando a rede do cabelo e sacudindo uma crina castanha.

— Odeio pensar que tenho que crescer, ser a srta. March e usar vestidos longos! É ruim o suficiente ser uma menina, de qualquer maneira, gosto de jogos de meninos, e não consigo superar minha decepção por não ser um menino. E agora está pior do que nunca, pois estou morrendo de vontade de ir lutar com papai. E só posso ficar em casa e tricotar, como uma velha!

— Pobre Jo! É uma pena, mas não pode ser evitado. Portanto, você deve se contentar em usar apelido de menino e brincar de ser nosso irmão — disse Beth, acariciando a cabeça da irmã delicadamente apesar da sua mão áspera.

— Quanto a você, Amy — continuou Meg. — Você é muito meticulosa e afetada. Seus ares são engraçados agora, mas você vai crescer desajeitada, se não tomar cuidado. Eu gosto de suas boas maneiras e modos refinados de falar, quando você não tenta ser elegante. Mas suas palavras absurdas são tão ruins quanto a gíria de Jo.

— Se Jo é uma moleca e Amy desajeitada, o que eu sou, por favor? — perguntou Beth, pronta para participar da conversa.

— Você é uma querida e nada mais — respondeu Meg calorosamente, e ninguém a contradisse, pois a "Ratinha" era a favorita da família.

Vamos aproveitar este momento para dar ao leitor um esboço das quatro irmãs, que estavam sentadas tricotando no crepúsculo, enquanto a neve de dezembro caía silenciosamente do lado de fora, e o fogo crepitava na lareira. Era um aposento confortável, embora o carpete estivesse desbotado e a mobília muito simples, uma ou duas fotos penduradas nas paredes, livros enchiam as prateleiras, flores de Natal nas janelas e uma atmosfera agradável de paz permeava isto. Margaret, a mais velha das quatro, tinha dezesseis anos e era muito bonita, rechonchuda e clara, olhos grandes, fartos cabelos castanhos e macios, uma boca suave e mãos brancas, das quais tinha muito orgulho. Jo, de quinze anos, era alta, magra e morena, e lembrava um potro, pois ela nunca parecia saber o que fazer com seus membros longos. Tinha uma boca delineada, um nariz pitoresco e olhos acinzentados, que pareciam ver tudo, e eram por vezes ferozes, engraçados ou pensativos. Seu cabelo comprido e espesso era sua única beleza, mas geralmente era enrolado em uma rede, para não atrapalhar. Ombros redondos, mãos e pés grandes, e um jeito desconfortável de uma garota se tornando rapidamente uma mulher e não gostava disso. Elizabeth, ou Beth, como todos a chamavam, era uma garota de treze anos, rosada, de cabelos lisos e olhos brilhantes, com modos introvertidos, voz tímida e uma expressão pacífica que raramente era perturbada. Seu pai a chamava de "Pequena Tranquilidade", e o apelido combinava perfeitamente, pois ela parecia viver em um mundo tranquilo, apenas se aventurando a sair do seu mundo para encontrar pessoas em quem confiava e amava. Amy, embora a mais jovem, era uma pessoa muito importante, pelo menos em sua opinião. Uma donzela de pele alva, olhos azuis e cabelos dourados e cacheados sobre os ombros, pálida e esguia, e sempre se comportando como uma jovem preocupada com seus modos. Quais eram os caracteres das quatro irmãs, vamos deixar para ser descoberto. O relógio bateu seis horas e, depois de varrer a lareira, Beth pôs um par de pantufas para aquecer para sua mãe. A mãe estava chegando e todos se alegraram para recebê-la. Meg parou de dar conselhos e acendeu o abajur, Amy saiu da poltrona e Jo esqueceu como estava cansada e foi segurar as pantufas mais perto do fogo.

— As pantufas estão bastante desgastadas. Mamãe precisa de um novo par.

— Pensei em comprar um para ela com meu dólar — disse Beth.

— Não, eu devo comprar! — gritou Amy.

— Eu sou a mais velha — disse Meg, mas Jo interrompeu com uma decisão:

— Eu represento o papai, agora que ele está longe, e vou providenciar as pantufas, pois ele me disse para cuidar especialmente de mamãe enquanto ele estiver fora.

— Vou lhe dizer o que faremos — disse Beth. — Vamos cada uma dar algo para ela de Natal, e não para nós.

— Isso é como você, querida! O que vamos comprar? — perguntou Jo. Todas pensaram por um minuto, então Meg anunciou, como se a ideia fosse sugerida pela visão de suas belas mãos:

— Vou dar a ela um belo par de luvas.

— Sapatos militares, são os melhores! — gritou Jo.

— Alguns lenços, todos com bainha — disse Beth.

— Vou comprar um pequeno frasco de perfume. Ela gosta e não vai custar muito, então vai sobrar um pouco de dinheiro para comprar meus lápis — acrescentou Amy.

— Como nós vamos dar os presentes? — perguntou Meg.

— Colocamos tudo na mesa, e pedimos à mamãe para abrir os pacotes. Você não se lembra como costumávamos fazer em nossos aniversários? — respondeu Jo.

— Eu costumava ficar com tanto medo quando era a minha vez de me sentar na cadeira de coroa e ver todos vocês vindo marchando para me dar os presentes, com um beijo. Gostava das coisas e dos beijos, mas era horrível quando vocês ficavam olhando para mim enquanto eu abria os pacotes — disse Beth.

— Vamos deixar mamãe pensar que os presentes são nossos, em seguida, ela terá uma surpresa. Devemos ir às compras amanhã à tarde, Meg. Há tanto a fazer para a noite de Natal — disse Jo, andando para cima e para baixo, com as mãos atrás das costas e o nariz empinado.

— Não pretendo mais atuar depois desse ano. Estou ficando velha demais para essas coisas — observou Meg, que era uma criança mais do que nunca quando se tratava de brincadeiras de "vestir-se".

— Meg você é a melhor atriz que temos, e tudo pode acabar se você desistir de atuar — disse Jo. — Devíamos ensaiar esta noite. Venha cá, Amy, e faça a cena do desmaio, pois você é mais dura do que uma pá.

— Eu não sei imitar, nunca vi ninguém desmaiar, e eu não consigo ficar toda preta e azul, caindo no chão como você faz. Se eu puder cair facilmente, eu cairei. Se eu não puder, vou cair em uma cadeira e ser graciosa. Não me importo se Hugo vier até mim com uma pistola — retrucou Amy, que não era dotada de poder dramático, mas foi escolhida porque era pequena o suficiente para ser carregada pelo vilão da peça.

— Faça assim. Aperte bem as mãos e cambaleie pela sala, gritando energeticamente, "Roderigo! Salve-me! Salve-me!" — E lá se foi Jo, com um grito melodramático emocionante. Amy a seguiu, mas ela estendeu as mãos rigidamente diante de si e caiu como uma máquina, e seu "ai!" parecia com gritos por causa de alfinetes sendo espetados nela do que de medo e angústia. Jo deu um gemido desesperado e Meg riu escancaradamente, enquanto Beth deixava seu pão queimar enquanto observava a diversão.

— Não adianta! Faça o melhor que puder quando chegar a hora, e se o público rir, não me culpe. Vamos, Meg. Tudo vai dar certo, pois D. Pedro desafiou o mundo num discurso de duas páginas sem interrupção. Hagar, a bruxa, entoou um feitiço terrível sobre sua chaleira cheia de sapos fervendo, com um gesto estranho. Roderigo rasgou as correntes de aço em pedaços virilmente, e Hugo morreu de remorso envenenado com arsênico, com um selvagem "Ha! Ha!".

— Não vejo como você pode escrever e representar coisas tão esplêndidas, Jo. Você é um belo Shakespeare! — exclamou Beth, que acreditava firmemente que suas irmãs eram dotadas de um talento maravilhoso.

— Não exatamente — respondeu Jo modestamente. — Eu acho que *A Maldição das Bruxas*, é uma tragédia operística muito boa, mas eu gostaria de tentar *Macbeth*, se nós tivéssemos um alçapão para Banquo. Eu sempre quis fazer a cena do assassinato. "É um punhal que vejo diante de mim?" - murmurou Jo, revirando os olhos e segurando o ar, como havia visto um ator de tragédia fazer.

— É o espeto da lareira, com o sapato da mamãe na ponta, em vez de um pão! Beth é encantada por teatro! — exclamou Meg, e o ensaio terminou em meio a uma explosão de gargalhadas das irmãs.

— Que bom vê-las tão alegres, minhas irmãs — disse uma voz suave na porta, e atores e plateia se viraram para receber uma senhora alta, maternal, com um aspecto doce. Ela não estava vestida com elegância, mas era uma mulher de aspecto nobre, e as meninas acharam que a capa cinza e a boina fora de moda cobriam a mãe mais encantadora do mundo.

— Como foi o dia, minhas queridas filhas? Havia tanta coisa para fazer, deixar todas as caixas prontas para amanhã, que não consegui voltar a tempo para o jantar. Alguém procurou por mim, Beth? Como está o seu resfriado, Meg? Jo, você parece cansada. Venham me dar um beijo, minhas queridas.

Enquanto fazia esse interrogatório maternal, a sra. March tirou as roupas molhadas, calçou as pantufas quentes e, sentando-se na poltrona, puxou Amy para o colo, preparando-se para desfrutar a hora mais feliz do seu dia. As meninas se apressaram, tentando deixar tudo confortável, cada uma ao seu modo. Meg arrumou a mesa para o chá, Jo trouxe lenha e colocou as cadeiras, derrubando, revirando e bagunçando tudo que tocava. Beth andava de lá para cá, entre a cozinha e a sala de estar, enquanto Amy dava instruções a todas, sentada com as mãos cruzadas. Quando se reuniram ao redor da mesa, a sra. March disse:

— Tenho uma surpresa para vocês depois do jantar.

Beth bateu palmas, apesar do biscoito que segurava, e Jo jogou o guardanapo, gritando:

— Uma carta! Uma carta! Viva o papai!

— Sim, uma bela e longa carta. Ele está bem e pensa que vai superar a estação fria melhor do que temíamos. Ele envia votos de amor para o Natal, e uma mensagem especial para vocês, meninas — disse a Sra. March, batendo em seu bolso como se tivesse um tesouro lá.

— Apresse-se e termine o chá, Amy! — gritou Jo, engasgando-se com o chá e deixando cair o pão com manteiga no tapete.

Beth não comeu mais, mas se esgueirou para sentar-se em seu canto e meditar sobre o prazer que viria, até que as outras estivessem prontas.

— Acho que foi tão corajoso da parte de meu pai ir como capelão para a guerra, pois ele já é muito velho para ser convocado e não é forte o suficiente para ser um soldado — disse Meg.

— Gostaria de poder ir como caixeira viajante, ou enfermeira, para poder ficar perto dele e ajudá-lo! — exclamou Jo.

— Deve ser muito desagradável dormir em uma barraca e comer todo tipo de coisas de gosto ruim e beber em uma caneca de lata — suspirou Amy.

— Quando ele vai voltar para casa, mamãe? — perguntou Beth, com uma voz estremecida.

— Não nos próximos meses, querida, a menos que ele esteja doente. Ele vai ficar e fazer seu trabalho fielmente enquanto puder. Agora, venham e ouçam a carta.

Todas se aproximaram do fogo, a mãe na poltrona com Beth a seus pés, Meg e Amy empoleiradas nos braços da cadeira e Jo recostada no encosto, para ninguém ver qualquer sinal de emoção.

Poucas cartas foram escritas naqueles tempos difíceis que não eram tocantes, especialmente aquelas que os pais mandavam para casa. Relatavam as adversidades suportadas, os perigos enfrentados ou as saudades de casa. A do pai era uma carta alegre e esperançosa, cheia de descrições animadas da vida no campo, marchas e notícias militares, e somente no final o coração transbordou de amor paternal e saudade das filhas. "Dê-lhes meu amor e um beijo. Diga-lhes que penso nelas de dia, oro por elas à noite e encontro conforto ao pensar nelas em todos os momentos. Um ano parece muito longo para esperar antes de vê-las, mas enquanto esperamos, podemos trabalhar, para que esses dias complicados não sejam em vão. Sei que elas irão entender tudo que eu disse, que serão filhas dedicadas e amorosas para você, cumprirão seus deveres, lutarão com seus maiores inimigos interiores, e quando eu voltar, eu possa estar mais carinhoso e orgulhoso do que nunca de minhas mulherzinhas."

Todas ficaram emocionadas quando chegou a essa parte. Jo não se envergonhou da lágrima que caiu, e Amy não se importou em desalinhar seus cachos enquanto escondia o rosto no ombro da mãe e soluçava:

— Eu sou uma garota egoísta! Mas vou tentar melhorar, para que ele não fique desapontada comigo.

— Todas nós vamos! — gritou Meg. — Eu penso muito na minha aparência e odeio trabalhar, mas não vou tentar mudar.

— Vou tentar ser como ele gosta de me chamar, "uma mulherzinha" e não ser rude e selvagem, mas cumprir o meu dever aqui em vez de querer estar em outro lugar — disse Jo, pensando que manter a calma em casa era uma tarefa muito mais difícil do que enfrentar os rebeldes no sul. Beth não disse nada, mas enxugou as lágrimas com a meia azul do exército e começou a tricotar com todas as suas forças, sem perder tempo em cumprir o seu dever, enquanto resolvia em sua pequena alma serena ser tudo o que o pai esperava. A sra. March quebrou o silêncio que se seguiu às palavras de Jo, dizendo com sua voz suave:

— Vocês se lembram de como vocês costumavam brincar de "O Peregrino" quando eram pequenas? Nada as encantava mais do que me deixar amarrar minhas mochilas em suas costas como fardos, dar chapéus, paus e rolos de papel, e deixar vocês viajarem pela casa desde o porão até o telhado, que vocês denominaram a "Cidade da Destruição", onde vocês mantinham todas as coisas adoráveis que coletavam para fazer uma "Cidade Celestial".

— Que divertido foi passar pelos leões, lutar contra Apollyon e passar pelo vale onde os duendes estavam — disse Jo.

— Gostava quando os pacotes caíam e rolavam escada abaixo — disse Meg.

— Não me lembro muito sobre isso, exceto que tinha medo da adega e da entrada escura, e sempre gostei do bolo e do leite que tínhamos lá em cima. Se eu não fosse velha demais para essas coisas, gostaria de brincar novamente — disse Amy, que começou a falar em renunciar às coisas infantis aos 12 anos de idade.

— Nunca somos muito velhas para isso, minha querida, porque é um jogo que jogamos o tempo todo de uma forma ou de outra. Nossos fardos estão aqui, nosso caminho está diante de nós, e o desejo por bondade e felicidade é o guia que nos leva através de muitos obstáculos e erros à paz que é a verdadeira "Cidade Celestial". Agora, minhas pequenas peregrinas, suponham que vocês comecem de novo, não brincando, mas trabalhando ou estudando, e vejam o quão longe vocês podem chegar antes que o pai volte para casa.

— Sério, mãe? Onde estão nossos fardos? — perguntou Amy, que era uma jovem muito prática.

— Cada uma de vocês disse qual era o seu fardo, exceto Beth. Prefiro pensar que ela não tem nenhum — disse sua mãe.

— Sim, eu tenho. O meu são pratos e espanadores, e invejo as garotas com bons pianos, e tenho medo das pessoas.

O fardo de Beth era tão engraçado que todas queriam rir, mas ninguém o fez, pois isso a magoaria muito.

— Fardo é apenas um outro nome para tentarmos ser boas, e a história pode nos ajudar, pois, embora gostaríamos de ser boas, é um trabalho árduo e muitas vezes nos esquecemos dele, deixando de dar o nosso melhor.

— Procurem embaixo do travesseiro na manhã de Natal e vocês vão encontrar o seu guia — disse a Sra. March.

Às nove, elas pararam de trabalhar e cantaram, como de costume, antes de irem para a cama. Ninguém além de Beth conseguia extrair muita música do piano antigo, mas ela tinha um jeito suave de tocar as teclas amareladas e fazer um acompanhamento agradável às canções simples que cantavam. Meg tinha uma voz como uma flauta, ela e sua mãe lideravam o pequeno coro. Amy cantou como um grilo e Jo vagou sem compromisso, mas pensativa. Elas sempre fizeram isso desde a infância. E isso se tornou um costume doméstico, pois a mãe era uma cantora nata. O primeiro som da manhã era a sua voz ao percorrer a casa cantando como uma cotovia, e o último som da noite era o mesmo som alegre.

CAPÍTULO 2

UM FELIZ NATAL

Jo foi a primeira a acordar na madrugada cinzenta da manhã de Natal. Não havia meias penduradas na lareira, e por um momento ela sentiu uma decepção tão grande como naquela vez, havia muito tempo, em que sua pequena meia caíra por estar cheia de guloseimas. Então ela se lembrou da promessa da mãe e, deslizando a mão por baixo do travesseiro, tirou um pequeno livro vermelho. Ela já o conhecia, pois era a encantadora e velha história da melhor vida já vivida, e Jo sentiu que era um verdadeiro guia para qualquer peregrino que fosse fazer uma viagem longa. Ela acordou Meg com um "Feliz Natal" e pediu que visse o que estava embaixo do seu travesseiro. Meg encontrou um livro de capa verde, com as mesmas mensagens do livro da Jo, e algumas palavras escritas por sua mãe, o que fez o presente de cada uma muito precioso. Logo Beth e Amy acordaram e encontraram seus livrinhos também, um de cor acinzentada, o outro azul, e todas se sentaram olhando e falando deles, enquanto o oriente se tornava róseo com a chegada do dia. Apesar de suas pequenas vaidades, Margaret tinha uma natureza doce e piedosa, que inconscientemente influenciava suas irmãs, especialmente Jo, que a amava e a obedecia porque seus conselhos eram sempre amáveis.

— Meninas — disse Meg, séria, olhando para a cabeça desarrumada ao seu lado e para as duas pequeninas com touca de dormir no outro quarto —, a mamãe quer que amemos e cuidemos desses livros; devemos começar a ler agora mesmo. Nós costumávamos ler com mais regularidade, mas, desde que papai foi para a guerra, a preocupação começou a nos inquietar, temos negligenciado muitas coisas. Vocês podem fazer como quiserem, mas vou deixar o meu livro aqui sobre a mesa e ler um pouco todas as manhãs, porque sei que vai me fazer bem e me ajudar a superar o dia. Então ela abriu seu novo livro e começou a ler. Jo colocou o braço em volta dela e, inclinando-se, de rosto colado, leu também, com uma expressão pacífica raramente vista em seu rosto inquieto.

— Como você é boa, Meg! Venha, Amy, vamos fazer o mesmo. Vou ajudá-la com as palavras difíceis — sussurrou Beth, muito impressionada com os livros bonitos e o exemplo de suas irmãs.

— Estou feliz que o meu livro é azul — disse Amy, e, em seguida, as irmãs ficaram muito tranquilas, enquanto as páginas eram suavemente viradas, e o sol de inverno penetrava no aposento como uma saudação de Natal.

— Onde está a mamãe? — perguntou Meg, enquanto ela e Jo corriam para agradecer-lhe pelos presentes.

— Algum pobre provavelmente passou pedindo dinheiro e a sua mãe foi direto ver o que ele precisava. Nunca vi mulher tão caridosa — falou Hannah, que morava com a família desde que Meg nascera e era considerada por todas mais uma amiga que uma criada.

— Ela vai estar de volta em breve, eu acho, então preparem os bolos e certifiquem-se de estar tudo pronto — disse Meg, olhando para os presentes que foram guardados em uma cesta e mantidos sob o sofá...

— Onde está o perfume da Amy? — ela perguntou, já que o pequeno frasco não estava ali.

— Ela pegou e levou para fora há um minuto; saiu para colocar uma fita, ou algo assim — respondeu Jo, dançando pelo quarto para amaciar das novas pantufas militares.

— Meus lenços são tão bonitos, não são? Hannah os lavou e passou para mim, e eu mesma bordei cada um deles — disse Beth, olhando com orgulho para as letras irregulares que lhe custaram tanto trabalho.

— Você escreveu "Mamãe" em vez de "Sra. March"? Que curioso! — gargalhou Jo, erguendo um dos lenços.

— Está errado? Pensei que era melhor assim, porque as iniciais da Meg são MM, e eu não quero que ninguém use esses lenços, só a mamãe — disse Beth, se sentindo incomodada.

— Está ótimo, querida, e foi uma ideia muito boa, além de sensata, pois ninguém poderá confundir. Ela vai adorar, tenho certeza — disse Meg, com uma careta para Jo e um sorriso para Beth.

— Escutem, é a mamãe! Escondam a cesta, rápido! — exclamou Jo, quando a porta bateu e ouviram passos no corredor. Amy entrou às pressas e parecia um pouco envergonhada quando viu suas irmãs todas esperando por ela.

— Onde você esteve e o que está escondendo? — perguntou Meg, surpresa ao ver, pelo capuz e pela capa, que a preguiçosa Amy saíra cedo.

— Não ria de mim, Jo! Eu não queria que ninguém soubesse até que chegasse o momento adequado. Só quis trocar o perfume pequeno por um maior, e dei todo o meu dinheiro para isso. Estou tentando não ser mais egoísta. Enquanto falava, Amy mostrou o frasco bonito que substituiu o mais barato, e parecia tão séria e sincera em seu pequeno esforço para deixar de pensar em si mesma, que Meg a abraçou, e Jo considerou o feito um milagre, enquanto Beth correu para a janela e pegou sua melhor rosa para enfeitar o perfume.

— Eu estava com vergonha do meu pequeno presente, depois de ler e falar sobre sermos boas esta manhã, então corri para a loja na esquina e o troquei; e estou muito contente, porque agora o meu é o mais bonito de todos.

Ouviram outro barulho na porta de entrada, então colocaram a cesta debaixo do sofá, e as irmãs foram para a mesa, ansiosas para o desjejum.

— Feliz Natal, mamãe! Obrigada pelos livros! Lemos um pouquinho e vamos ler todos os dias — todas exclamaram juntas.

— Feliz Natal, meus amores! Fico feliz que já começaram a ler, e espero que continuem. Mas quero dizer algo antes de nos sentarmos. Não muito longe daqui mora uma pobre mulher com um recém-nascido. Seis crianças dormem amontoadas em uma cama para não morrer de frio, pois eles não têm fogo para aquecer. Não há nada para comer lá, e o menino mais velho veio me dizer que eles estavam passando fome e frio. Minhas meninas, vocês aceitam dar a eles o nosso desjejum como presente de Natal?

Elas estavam famintas, por ter esperado quase uma hora, e por um minuto ninguém falou. Mas foi apenas um minuto, pois Jo exclamou:

— Estou muito feliz que você veio antes de começarmos!

— Posso ajudar a levar as coisas para as pobres criancinhas? — perguntou Beth, ansiosa.

— Eu levo o creme e os bolinhos — disse Amy.

Meg já estava separando o trigo e colocando o pão em uma travessa.

— Tinha certeza de que vocês aceitariam — disse a sra. March, sorrindo.

— Quando voltarmos, comeremos pão e tomaremos leite para o desjejum e depois compensamos na hora do jantar.

Ficaram prontas, e a família se pôs a caminho. Felizmente era cedo, e elas passaram por ruas secundárias, de modo que poucas pessoas as viram e ninguém riu da estranha comitiva. Era um aposento pobre, sem mobília e vidraças quebradas, sem lenha, roupas de cama esfarrapadas, uma mãe doente, um bebê em prantos e um grupo de crianças famintas e pálidas abraçadas sob uma colcha, tentando se manter aquecidas. Quando as meninas entraram as crianças arregalaram os olhos e sorriram com os lábios azulados de frio!

— Só podem ser anjos vindo nos visitar! — disse a pobre mulher, emocionada.

— Anjos um tanto quanto estranhos, usando capuzes e luvas — disse Jo, fazendo todos rirem. Em poucos minutos realmente parecia que o bom humor tomara conta do ambiente. Hannah, que carregava lenha, acendeu o fogo e tapou as vidraças quebradas com chapéus velhos e com a própria capa. A sra. March deu chá e mingau à mãe e consolou-a com promessas de ajuda, enquanto vestia o bebezinho tão ternamente como se fosse seu filho. Enquanto isso, as meninas prepararam a mesa, colocaram as crianças ao redor do fogo e lhes deram de comer, rindo, conversando e tentando entender o que elas falavam.

— Da Da Da! — exclamaram as crianças, enquanto comiam e aqueciam as mãos arroxeadas no calor agradável da chama. As meninas nunca haviam sido chamadas de anjos antes e adoraram aquilo. Foi um café da manhã muito feliz, embora elas não tivessem comido nada. E, quando se foram, deixaram em seu rastro o conforto, creio que não havia em toda a cidade quatro pessoas mais felizes do que as garotinhas famintas que haviam abdicado de seu desjejum e se contentavam com pão e leite na manhã de Natal.

— Isso é amar ao próximo mais do que a nós mesmos. — disse Meg, enquanto elas arrumavam os presentes, aproveitando que a mãe estava no andar de cima juntando roupas para os carentes. Não era um espetáculo especialmente deslumbrante, mas havia muito amor colocado em cada um dos pacotes, e o vaso de rosas vermelhas, crisântemos brancos e videiras, que estavam no meio, dava um ar elegante à mesa.

— Ela está descendo! Vamos, Beth! Abra a porta, Amy! Viva a mamãe! — gritou Jo, saltando pelo aposento, enquanto Meg deu um passo à frente para conduzir a mãe ao assento de honra.

Beth tocou sua marcha mais alegre, Amy abriu a porta e Meg escoltou a mãe com muita dignidade. A sra. March ficou comovida. Sorriu com os olhos cheios de lágrimas ao ver os presentes e ler os bilhetinhos. As pantufas foram calçadas imediatamente, o lenço novo foi para dentro do bolso, bem perfumado com a colônia de Amy, a rosa foi colocada junto ao peito e as belas luvas tiveram um ótimo caimento. Houve muitas risadas, beijos e emoções, da maneira simples e carinhosa que faz dessas festas em família momentos tão agradáveis, memórias tão ternas do passado. Em seguida, todas começaram a trabalhar. As caridades e cerimônias matinais tinham demorado tanto que o resto do dia foi dedicado aos preparativos para os festejos da noite.

Sendo ainda muito jovens para ir com frequência ao teatro, e sem dinheiro o suficiente para pagar grandes quantias por apresentações particulares, as meninas com inteligência e necessidade, faziam tudo de que precisavam. Algumas de suas invenções eram bastante interessantes. Violões de papelão, lamparinas feitas de manteigueiras cobertas com papel prateado, roupas de algodão velho, com lantejoulas feitas de tampas de latão, e armaduras cobertas com recortes de latas de conserva. O aposento era cenário para várias brincadeiras inocentes. Não se aceitavam cavalheiros, então Jo fazia os papeis masculinos, para seu deleite, e se sentia imensamente satisfeita em poder calçar um par de botas de couro vermelhas dado por uma amiga, que conhecia uma senhora que conhecia um ator. As botas, um antigo florete e um gibão cortado utilizado por um artista para pintar algum quadro eram os maiores tesouros de Jo e sempre faziam parte do figurino. Como a companhia era pequena, as duas atrizes principais eram obrigadas a interpretar vários papeis e, sem dúvida, mereciam elogios pelo esforço que era representar três ou quatro papéis distintos, trocar tantas vezes de figurino e, além disso, ocupar-se com o cenário. Era um ótimo exercício para a memória, uma diversão, e que ocupava várias horas que, em outras circunstâncias, seriam perdidas, solitárias ou passadas em uma companhia menos proveitosa.

Na noite de Natal, dez ou doze garotas se agruparam ao redor da cama, sentadas diante das cortinas de algodão azul e amarelo, em um estado de expectativa. Havia bastante barulho e cochichos atrás da cortina, um pouquinho de fumaça da lamparina e, às vezes, um sorriso disfarçado de Amy, que ficava nervosa com a empolgação do momento.

Logo em seguida, soou um sino, as cortinas se abriram e a "tragédia operística" começou. "Um bosque sombrio", mencionado no roteiro da peça, era representado por alguns arbustos em vasos, feltro verde espalhado pelo chão e uma caverna. A caverna tinha como teto um varal, como paredes as escrivaninhas, e dentro dela um pequeno forno a vapor, com um caldeirão preto sobre o qual se debruçava uma bruxa. O palco estava escuro e o brilho do forno produzia um efeito interessante, especialmente porque fumaça de verdade saiu do caldeirão quando a bruxa o destampou. Foi dado um momento para que o público se recompusesse do primeiro susto, então Hugo, o vilão, apareceu andando com arrogância e com uma espada tinindo à cintura, um chapéu desajeitado, uma barba preta, uma capa obscura e botas. Depois de andar de um lado para o outro, agitado, bateu na testa e começou a cantar uma canção selvagem e tensa sobre seu ódio por Roderigo, seu amor por Zara e sua ideia de matar um e se apoderar da outra. O tom rouco da voz de Hugo, com gritos sempre que os sentimentos o dominavam, era surpreendente, e a plateia aplaudiu assim que ele parou para tomar fôlego. Curvando-se com ares de quem está acostumado aos elogios do público, entrou na caverna e ordenou que Hagar aparecesse, dizendo:

– Oh, tu, minha serva! Preciso de ti!

E lá veio Meg, com uma crina de cavalo cinza jogada sobre o rosto, um manto vermelho e preto, um cajado e sinais sobre a capa. Hugo exigiu uma poção para que Zara o amasse e uma para matar Roderigo. Hagar, em uma bela melodia dramática, prometeu ambos, e, em seguida, pôs-se a invocar o espírito que traria a poção do amor.

Ó espíritos do ar, peço que venham aqui! Nascidos em rosas, alimentados com orvalho, feitiços e poções podem começar a trabalhar? Tragam-me aqui, rapidamente, a poção do amor. Que seja doce, veloz e forte,

Um suave toque de música soou, e então no fundo da caverna apareceu uma pequena figura, com asas brilhantes, cabelos dourados e uma guirlanda de rosas em sua cabeça. Acenando uma varinha, disse:

– Pegue o feitiço mágico e use-o bem ou seu poder desaparecerá logo!

E deixando cair uma pequena garrafa dourada aos pés da bruxa, o espírito desapareceu. Outro canto de Hagar produziu outra aparição, não uma adorável, pois com um estrondo um feio diabinho preto surgiu e, tendo dado uma resposta, jogou uma garrafa escura em Hugo e desapareceu com uma risada ameaçadora. Depois de agradecer e colocar as poções em suas botas, Hugo partiu, e Hagar informou que, como ele havia matado alguns de seus amigos no passado, ela o amaldiçoou e pretendia estragar seus planos e se vingar dele.

Então, a cortina caiu, e o público descansou e comeu doces enquanto discutia os méritos da peça. Muitos aplausos ocorreram antes que a cortina se erguesse novamente, e quando se tornou evidente a obra-prima do cenário, ninguém reclamou sobre o atraso. Era realmente excelente. Uma torre se erguia até o teto, no meio do caminho tinha uma janela com uma lâmpada acesa, e atrás da cortina branca apareceu Zara em um lindo vestido azul e prata, esperando por Roderigo. Ele veio com um boné emplumado, capa vermelha, cabelos castanhos, um violão e as botas, é claro. Ajoelhado ao pé da torre, ele cantou uma serenata emotiva. Zara respondeu e, após um diálogo musical, consentiu em voar. Então veio o grande efeito da peça. Roderigo produziu uma escada de corda, com cinco degraus até ela, ergueu uma das pontas e convidou Zara a descer. Timidamente, ela saiu da treliça, colocou a mão no ombro de Roderigo e estava prestes a pular, quando:

– Ai de mim! Ai de Zara! – esquecendo o seu cortejo.

Ele se prendeu na janela, a torre cambaleou, inclinou-se para a frente, caiu fazendo um barulho e enterrou os amantes nas ruínas.

Um grito surgiu quando as botas vermelhas apareceram freneticamente dos destroços e uma cabeça dourada emergiu, exclamando:

– Eu te disse! Eu te disse!

Com maravilhosa presença de espírito, Dom Pedro, o cruel senhor, entrou apressado, arrastou para fora a sua filha...

— Não ria! Aja como se estivesse tudo bem! — e, dando ordens a Roderigo, baniu-o do reino com ira e desprezo. Embora decididamente abalado pela queda da torre sobre ele, Roderigo desafiou o velho cavalheiro e se recusou a se mexer. Este exemplo encorajou Zara. Ela também desafiou seu senhor, e ele ordenou que ambos fossem para as masmorras mais profundas do castelo. Um pequeno e robusto soldado entrou com correntes e os levou embora, parecendo muito assustado e evidentemente esquecendo o discurso que deveria ter feito. O terceiro ato foi o salão do castelo, e aqui apareceu Hagar, vindo para libertar os amantes e acabar com Hugo. Ela o ouve chegando e se esconde, o vê colocar as poções em duas taças de vinho e diz ao servo tímido:

– Leve-as para suas celas e diga-lhes que irei em breve.

O criado chama Hugo para lhe dizer algo, e Hagar troca as taças por outras duas inofensivas. Ferdinando, o servo, as leva embora e Hagar devolve a taça que contém o veneno destinado a Roderigo. Hugo, ficando com sede depois de um longo gorjeio, bebe, perde o juízo e, depois de muito agarrar e pisar, cai e morre, enquanto Hagar lhe informa o que ela fez em uma canção de melodia primorosa. Esta foi uma cena emocionante, embora algumas pessoas possam ter pensado que a repentina queda de uma quantidade de longos cabelos ruivos prejudicou o efeito da morte do vilão. Ele foi chamado diante da cortina, e apareceu, conduzindo Hagar, cujo canto foi considerado mais maravilhoso do que todo o resto da apresentação.

O quarto ato mostrou o desespero de Roderigo que se esfaqueou, pois acreditava que Zara o abandonara. Uma canção o informou que Zara estava em perigo, e ele poderia salvá-la. Uma chave é atirada, a qual destranca a porta, e em um espasmo de êxtase ele arranca suas correntes e corre para encontrar e resgatar sua amada.

O quinto ato começou com uma cena tempestuosa entre Zara e Dom Pedro. Ele deseja que ela vá para um convento, mas ela não quer e, após um apelo, está prestes a desmaiar quando Roderigo entra correndo e exige sua mão. Dom Pedro recusa, porque Roderigo não é rico. Eles gritam e gesticulam tremendamente, mas não conseguem entrar em um acordo, e Roderigo está prestes a levar embora a exausta Zara, quando o tímido servo entra com uma carta e uma sacola de Hagar, que desapareceu misteriosamente. A carta informa que ela lega uma riqueza incalculável ao jovem casal e uma terrível desgraça a Dom Pedro, se ele não os fizer felizes. A sacola é aberta, e várias moedas de lata caem no palco... Dom Pedro então consente em dar a mão da jovem a Roderigo.

Seguiram-se aplausos ardorosos, mas aconteceu algo inesperado, pois o berço, sobre o qual foi construído o suporte para os vestidos, desmoronou. Roderigo e Dom Pedro correram para segurar e todos saíram ilesos, embora muitos estivessem sem palavras de tanto rir. A excitação mal havia diminuído quando Hannah apareceu, com "os cumprimentos da sra. March, e convidando as senhoritas a descerem para jantar". Isso foi uma surpresa até para as atrizes, e quando elas viram a mesa, se entreolharam com grande espanto. Havia sorvete, bolo, frutas e bombons franceses e no meio da mesa, quatro grandes buquês de flores. Elas ficaram sem fôlego e olharam primeiro para a mesa e depois para a mãe, que parecia estar gostando muito.

— São fadas? — perguntou Amy.

— Papai Noel — disse Beth.

— Mamãe fez isso — e Meg sorriu docemente, apesar de sua barba grisalha e sobrancelhas brancas.

— Tia March teve um ataque e mandou o jantar — gritou Jo, com uma inspiração repentina.

— O velho sr. Laurence mandou — respondeu a sra. March.

— O avô do menino Laurence! Nós não o conhecemos! — exclamou Meg.

— Hannah contou a um dos criados dele sobre café da manhã beneficente. Ele é um velho cavalheiro estranho, mas isso o agradou. Ele conheceu meu pai anos atrás e me enviou um bilhete educado esta tarde, dizendo que esperava que eu o deixasse expressar seu sentimento amigável para com minhas filhas, enviando-lhes alguns agrados em homenagem ao dia. Eu não poderia recusar, então vocês têm um banquete para compensar o café da manhã com pão e leite.

— Aquele garoto influenciou o pai, eu sei que foi ele! O menino Laurence parece simpático, e eu gostaria que pudéssemos conhecê-los. Parece que ele gostaria de nos conhecer também, mas é tímido, e Meg é tão afetada que não me deixa falar com ele — disse Jo.

— Você quer dizer o vizinho na casa grande ao lado, não é? — perguntou uma das meninas.

— Minha mãe conhece o velho sr. Laurence, mas diz que ele é muito orgulhoso e não gosta de se misturar com os vizinhos. Ele mantém o neto calado, quando ele não está cavalgando ou caminhando com seu tutor, e o faz estudar muito. Nós o convidamos para nossa festa, mas ele não veio.

— Nosso gato fugiu uma vez, e ele o trouxe de volta, e nós conversamos por cima da cerca e estávamos indo muito bem, sabe tudo sobre críquete, mas quando ele viu Meg chegando, foi embora. Eu quero conhecê-lo um dia, porque ele precisa de diversão, tenho certeza que sim — disse Jo.

— Eu gosto de suas maneiras e ele parece um pequeno cavalheiro, então não tenho objeções a que você o conheça, se uma oportunidade adequada vier. Ele trouxe as flores, e eu deveria tê-lo convidado para entrar, se tivesse certeza o que estava acontecendo no andar de cima. Ele parecia tão melancólico enquanto se afastava, ouvindo a brincadeira.

— Foi uma pena que você não fez isso, mãe! — riu Jo, olhando para suas botas.

— Mas nós encenaremos outra peça algum dia que ele possa ver. Talvez ele possa atuar. Isso não seria divertido?

— Eu nunca tive um buquê tão lindo antes! Que lindo! — E Meg examinou suas flores com grande interesse.

— Elas são adoráveis. Mas as rosas de Beth são mais belas — disse a sra. March, cheirando o ramalhete meio morto em seu cinto. Beth aninhou-se a ela e sussurrou suavemente:

— Eu gostaria de poder mandar algo para papai. Temo que ele não esteja tendo um Natal tão feliz como nós.

CAPÍTULO 3
O MENINO LAURENCE

— Jo! Jo! Onde você está? — gritou Meg ao pé da escada do sótão.

— Aqui! — respondeu uma voz rouca lá de cima. Meg encontrou a irmã comendo maçãs e chorando pelo *Herdeiro de Redclyffe*, enrolada em um edredom no velho sofá de três pernas perto da janela. Este era o refúgio favorito de Jo, e aqui ela adorava ficar com meia dúzia de maçãs e um bom livro, para desfrutar do sossego e da companhia de um rato de estimação que vivia por perto e não se importava nem um pouco com ela. Quando Meg apareceu, Scrabble entrou em seu buraco. Jo sacudiu as lágrimas do rosto e esperou para ouvir a notícia.

— Veja só! Um convite da sra. Gardiner para amanhã à noite! — exclamou Meg, agitando o precioso papel e depois começando a lê-lo:

— A sra. Gardiner ficaria feliz em ver a srta. March e a srta. Josephine em um pequeno baile na véspera de Ano Novo. Mamãe está disposta a irmos. Agora, o que devemos vestir?

— De que adianta perguntar isso, quando você sabe que devemos usar nossos vestidos de popelinas, por que não temos mais nada? — respondeu Jo.

— Se eu tivesse um vestido de seda! — suspirou Meg.

— Mamãe disse que posso ter um vestido de seda quando tiver dezoito anos, talvez, mas dois anos é uma eternidade para esperar.

— Tenho certeza de que nossos vestidos de popelinas parecem seda e são bons o suficiente para nós. O seu está como novo, mas esqueci da queimadura e do rasgo no meu. O que devo fazer?

— Você deve ficar quieta o quanto puder e manter suas costas fora de vista. A frente está boa. Tenho uma nova fita para meu cabelo, mamãe vai me emprestar seu pequeno alfinete de pérola, meus sapatos novos são lindos, e minhas luvas servem, embora não sejam tão boas quanto eu gostaria.

— As minhas estão estragadas com limonada e não consigo comprar nenhuma nova, por isso terei de ficar sem — disse Jo, que nunca se preocupava muito com roupas.

— Você precisa de luvas, ou não irei — gritou Meg decididamente. — Luvas são mais importantes do que qualquer outra coisa. Você não pode dançar sem elas, e se você não o fizer, eu ficaria muito chateada.

— Então ficarei quieta. Não ligo muito para companhia de dança. Gosto de correr e dar cambalhotas.

— Você não pode pedir à mamãe novas, elas são muito caras e você é tão descuidada. Ela disse quando você estragou as outras que não iria mais comprar para você neste inverno.

— Eu posso segurá-las amassadas na minha mão, então ninguém saberá como elas estão manchadas. Isso é tudo que posso fazer. Não! Vou te dizer como podemos fazer, cada um usa uma boa e carrega uma ruim.

— Suas mãos são maiores do que as minhas e você vai esticar minha luva terrivelmente — disse Meg.

— Agora vá e responda o convite e deixe-me terminar esta esplêndida história.

Então, Meg foi embora para confirmar a presença e conferir seu vestido, enquanto Jo terminava sua história, suas maçãs e fazia um jogo de palavras cruzadas.

Na véspera de Ano Novo, a sala estava deserta, pois as duas meninas mais novas brincavam de copeira e as duas mais velhas estavam absortas no importante negócio de "se preparar para a festa". Corria-se muito para cima e para baixo, rindo e conversando, e em certo momento um cheiro forte de cabelo queimado invadiu a casa. Meg queria alguns cachos em volta do rosto e Jo se encarregou de apertar as mechas forradas de papel com uma pinça quente.

— Elas deveriam esfumaçar assim? — perguntou Beth.

— É a umidade secando — respondeu Jo.

— Que cheiro estranho! É como penas queimadas — observou Amy, alisando seus lindos cachos.

— Pronto, agora vou tirar os papéis e você verá uma nuvem de cachos pequenos — disse Jo, largando a pinça. Ela tirou os papéis, mas nenhuma nuvem de cachos apareceu, pois o cabelo veio com os papéis, e a jovem assustada colocou uma fileira de pequenos embrulhos chamuscados na cômoda diante de sua vítima.

— O que você fez? Não posso ir! Meu cabelo, oh, meu cabelo! — lamentou Meg, olhando com desespero para o seu cabelo.

— Que sorte minha! Você não deveria ter me pedido para fazer isso. Eu sempre estrago tudo. Me desculpe, mas as pinças estavam muito quentes, então eu fiz uma bagunça — gemeu a pobre Jo.

— Não está estragado. Basta frizar e amarrar a fita para que as pontas caiam um pouco na sua testa, e vai ficar parecido com a última moda. Já vi muitas garotas fazerem isso — disse Amy tentando consolar.

— Bem-feito para mim por tentar ficar bem. Deveria de ter deixado meu cabelo em paz! — exclamou Meg.

— Seu cabelo era tão macio e bonito. Mas logo crescerá novamente — disse Beth, vindo para beijar a irmã. Depois de vários contratempos menores o cabelo de Jo foi arrumado e ela vestida. Elas ficavam muito bem em seus casacos simples, os de Meg em tons prateados desbotados, com um laço de veludo azul, babados de renda e o broche de pérola. Jo de marrom, com uma gola de linho cavalheiresca e dois crisântemos brancos como único ornamento. Cada uma colocou uma bela luva leve e carregava uma manchada, e todos acharam o efeito "muito discreto". Os sapatos de salto alto de Meg eram muito apertados e a machucavam, embora ela não admitisse, e os dezenove grampos de cabelo de Jo pareciam enfiados direto em sua cabeça, o que não era exatamente confortável, mas, como dizem, sejamos elegantes ou é melhor morrer.

— Divirtam-se, queridas! — disse a sra. March, enquanto as irmãs desciam delicadamente a calçada.

— Não jantem muito e saiam às onze horas, quando mando Hannah buscá-las.

Quando o portão se fechou, uma voz gritou de uma janela...

— Meninas, meninas! Vocês duas têm lenços de bolso?

— Sim, sim, muito bonito, e Meg colocou colônia no dela! — exclamou Jo. — Eu acredito que mamãe perguntaria isso se estivéssemos todas fugindo de um terremoto.

— É um comportamento aristocrático, e bastante apropriado, pois uma verdadeira dama é sempre conhecida por botas, luvas e lenços elegantes — respondeu Meg, que também tinha um comportamento aristocrático.

— Não se esqueça de esconder a parte estragada do vestido, Jo. — E Meg acrescentou, depois de observar-se no espelho da sra. Gardiner — Minha faixa está bem colocada e meu cabelo está bom?

— Sei que vou esquecer. Se você me vir fazer alguma coisa imprópria, avise-me piscando o olho, sim? — pediu Jo ajeitando a gola e retocando rapidamente o penteado.

— Não! piscar não é próprio de uma dama; erguerei as sobrancelhas para avisar de alguma coisa; se tudo estiver direito, farei um aceno com a cabeça. Mantenha os ombros erguidos e ande com passos curtos e discretos e não dê a mão a alguém a quem seja apresentada.

Desceram com timidez, pois raramente frequentavam reuniões e, embora aquela fosse modesta, era para elas um evento. A sra. Gardiner, idosa e corpulenta, acolheu-as delicadamente, confiando-as aos cuidados de suas seis filhas. Meg fez amizade com Sallie e sentiu-se logo à vontade; mas Jo, que não apreciava muito moças ou futilidades, ficou para trás, de pé, com as costas para a parede e com a impressão de estar deslocada. Meia dúzia de rapazes conversavam sobre patinação em outra parte da sala e o desejo dela era ir conversar com eles, pois esse esporte era um dos maiores prazeres da sua vida. Fez sinal a Meg, manifestando seu desejo, mas as sobrancelhas desta ergueram-se de modo tão alarmante que Jo não se atreveu a sair de seu lugar. Ninguém ia conversar com ela e as pessoas do grupo vizinho se afastavam uma a uma, até que Jo se viu só.

Ela não podia se distrair e andar de um para outro lado, pois a parte queimada do vestido apareceria, por isso limitou-se a olhar as pessoas presentes até começarem a dançar. Meg foi tirada e seus sapatos apertados deslizavam tão ágeis no assoalho, que ninguém percebia a dor que ela sentia. Jo viu um rapaz alto, de cabelos ruivos, dirigir-se para o seu cantinho; e, receando que ele fosse convidá-la, abriu uma cortina, foi para o interior de outro cômodo, onde pretendia ficar para se divertir e observar a sala. Infelizmente outra pessoa acanhada buscara o mesmo refúgio, pois, quando a cortina recaiu atrás, encontrou-se frente a frente com um rapaz.

— Desculpe, eu não sabia que tinha alguém aqui — disse Jo, preparando-se para sair tão depressa como entrara.

Mas o rapaz riu e disse amavelmente, embora demonstrando um pouco o susto:

— Não se incomode por minha causa.

— Não o incomodarei?

— Absolutamente! Fiquei aqui somente porque não conheço muitas pessoas.

— O mesmo me aconteceu. Tenha a bondade, não se retire, a não ser que você queira.

O rapaz sentou-se, olhando para baixo, até Jo dizer, procurando mostrar delicadeza e desembaraço:

— Suponho que já tive o prazer de vê-lo anteriormente. Mora perto de nossa casa, não é?

— Ao lado da sua casa — e ergueu o olhar, sorrindo, pois achou graça nos modos faceiros de Jo, ao lembrar-se das tagarelices de ambos a respeito do críquete, no dia em que ele encontrara o gato.

Jo ficou mais à vontade, e disse de modo afável:

— Gostamos imensamente de seu delicioso presente de Natal.

— Foi vovô quem o mandou.

— Mas foi o senhor que lhe deu essa ideia, não?

— Como passa o seu gato, srta March? — perguntou o rapaz procurando mostrar seriedade, enquanto seus olhos negros brilhavam.

— Muito bem, obrigada, sr. Laurence; mas não sou srta. March e, sim Jo, simplesmente — respondeu a jovem.

— E eu não sou sr. Laurence e, sim, Laurie, apenas.

— Laurie Laurence? Que nome singular!

— Meu primeiro nome é Theodore, mas não gosto, pois meus companheiros me chamavam de Dora; por isso, eu os obriguei a dizer Laurie.

— E eu detesto meu nome, é muito romântico! Eu gosto que me chamem de Jo, em vez de Josephine. Como fez para seus amigos não o tratarem mais de Dora?

— Bati neles.

— Eu não posso bater em tia March, por isso tenho de tolerar esse tratamento.

— Não gosta de dançar, srta. Jo? — perguntou Laurie, que parecia achar que este nome combinava bem com ela.

— Gosto muito, quando há bastante espaço para a gente se mover livremente. Em uma sala como essa, com certeza, incomodaria a todos; pisaria nos pés dos outros ou aconteceria qualquer desastre assim; por isso evito atrapalhar e deixo Meg dançar sozinha. E o sr. não dança?

— Às vezes, mas estive no estrangeiro muitos anos e ainda não me acostumei com as danças daqui.

— No estrangeiro? — perguntou Jo — Oh! fale-me a esse respeito! Aprecio imensamente descrições de viagens.

Laurie parecia não saber por onde começar, mas as perguntas ansiosas de Jo orientaram-no logo; e ele contou que estivera em um colégio em Vevey, onde os meninos nunca usavam chapéus e tinham uma esquadrilha de barcos no lago; e como divertimento nos dias de folga, faziam excursões a pé pela Suíça, com os professores.

— Como eu gostaria de conhecer outros países! — exclamou Jo — Foi a Paris?

— Passei nessa cidade o último inverno.

— Sabe falar francês?

— Em Vevey não consentiam que falássemos outra língua.

— Diga alguma coisa. Sei traduzir, mas não sei conversar nessa língua.

— *"Quel nom a cette jeune demoiselle en pantoufles jolies?"* — disse Laurie.

— Como fala bem! Deixe-me ver... o que o senhor disse foi: "Quem é aquela moça de lindos sapatinhos?", não?

— *"Oui, mademoiselle!"*

— É minha irmã Margaret, e o senhor acha ela bonita?

— Sim, lembra-me as jovens alemãs, com seu frescor e calma, e dança como uma donzela.

Jo ficou radiante ao ouvi-lo ele elogiar a irmã e decorou a frase para repeti-la a Meg. Ambos espiaram e conversaram até sentirem-se como velhos conhecidos. O acanhamento de Laurie dissipou-se, pois os modos de Jo o divertiam e o punham à vontade; quanto a ela, estava alegre outra vez; esquecera do vestido estragado e não havia ali alguém que lhe erguesse as sobrancelhas. Ela gostou do "jovem Laurence" e olhava-o bastante, para descrevê-lo bem às suas irmãs, pois não tinham irmãos e poucos eram seus primos homens, sendo os rapazes, para elas, criaturas misteriosas.

"Cabelos negros encaracolados, cor morena, grandes olhos negros, nariz comprido, belos dentes, mãos e pés pequenos, altura igual à minha; muito gentil e jovial. Que idade terá?"

Esta pergunta já se achava na ponta da língua de Jo, mas reteve-se a tempo e com raro tato procurou sabê-lo por algum rodeio.

— Vai logo para um curso superior? Pois vejo que tem estudado bastante.

Laurie respondeu:

— Nestes dois ou três anos ainda não; em todo o caso, não irei antes de ter dezessete anos.

— Tem então uns quinze anos? — inquiriu Jo olhando o rapaz, a quem dava uns dezesseis.

— Completarei dezesseis no próximo mês.

— Como eu desejaria entrar para um colégio! Não parece gostar da vida escolar.

— Detesto-a. Nos colégios é só estudar ou remar. E não gosto do modo que se fazem essas duas coisas neste país.

— Que é que preferiria?

— Morar na Itália e divertir-me da maneira que me agradasse.

Jo teve grande vontade de saber qual era essa maneira; mas as sobrancelhas de Laurie cerraram-se como que ameaçadoras, e por isso, mudando de assunto, disse-lhe, enquanto marcava o compasso com o pé:

— Deliciosa polca, não? Por que não experimenta dançá-la?

— Se quiser dançar também... — respondeu ele, com uma delicadeza à moda francesa.

— Não posso, pois eu disse a Meg que não dançaria, porque...

A este ponto Jo deteve-se, estava indecisa entre se devia falar ou rir.

— Por que o quê? — indagou Laurie, com curiosidade.

— Não contará a ninguém.

— Absolutamente não!

— Está bem, vou dizer o motivo. Tenho o mau costume de sentar-me muito perto do fogo e com isso queimei meus vestidos e estraguei este; e, apesar de bem remendado, dá para ver. Meg recomendou-me que ficasse quieta em algum lugar, para ninguém ver. Pode rir, se quiser, sei que o caso é engraçado.

Mas Laurie não riu; limitou-se a baixar o olhar por alguns momentos, ficando Jo intrigada com a expressão do seu rosto; em seguida, ele disse mansamente:

— Não se preocupe com isso; vou lhe dizer um modo de conciliar as coisas; há um vasto saguão perto daqui e nele poderemos dançar bastante, sem que alguém nos veja. Tenha a bondade de vir. Jo agradeceu-lhe e o acompanhou contente; sentiu o desejo de ter um par de luvas boas, quando viu o seu cavalheiro calçar as suas, lindas e cor de pérola. E no saguão deserto eles dançaram uma polca. Laurie dançava bem e ensinou-lhe o passo alemão, o que agradou Jo, pois era cheio de requebros e pulos.

Quando a música acabou, eles sentaram na escada para tomar fôlego e Laurie estava no meio da narração de uma festa de estudantes em Heidelberg, quando Meg foi procurar a irmã. Fez um aceno a esta, que a contragosto foi encontrar com ela em um compartimento contíguo, onde a encontrou sentada em um sofá, muito pálida e segurando um pé.

— Destronquei o tornozelo. O maldito salto alto entortou e eu torci horrivelmente o pé. Dói tanto, que mal posso ficar de pé e não sei como fazer para voltar para casa.

— Eu sabia que você ia machucar o pé com aqueles saltos. Sinto muito o que aconteceu, mas não sei como você poderá voltar, a não ser de carruagem, salvo se quiser passar aqui a noite — respondeu Jo; e, enquanto falava, esfregava delicadamente o pobre tornozelo da irmã.

— Não posso ir de carruagem porque é muito caro; além disso, quase todos que aqui estão vieram em carruagens próprias e a cocheira fica muito longe.

— Eu irei.

— Não! Já passam das dez horas e está muito escuro. Não posso ficar aqui, pois a casa está cheia de gente; vieram muitas moças pousar em companhia de Sallie. Repousarei até Hannah chegar e então farei o possível para andar.

— Vou pedir a Laurie que vá ver a carruagem; ele o fará — disse Jo, aliviada, ao ter essa ideia.

— Obrigada, não é preciso! Nada peça ou diga a ninguém. Dê-me as galochas e ponha estes sapatos junto com as nossas coisas. Não posso dançar mais; logo que terminar a ceia, aguarde a chegada de Hannah e avise-me no mesmo instante em que ela vier.

— Estão agora saindo para cear. Quanto a mim, prefiro ficar com você.

— Não, querida Jo; vá cear também e traga-me depois café, pois estou tão cansada que não posso me mover.

Assim foi que Meg se recostou no sofá, com as galochas bem escondidas, enquanto Jo se dirigia à sala de jantar, que ela encontrou depois de entrar por engano em um cômodo revestido de mosaicos de louça e de abrir a porta de outro onde estava o sr. Gardiner encontrou a cafeteira, mas, no instante em que a tomou, derramou café na roupa, tornando a frente do vestido tão pouco apresentável como a parte de trás.

— Oh, meu Deus! Que desastrada sou! — exclamou Jo, inutilizando a luva de Meg para limpar o vestido.

— Posso prestar-lhe meu auxílio? — disse uma voz amiga; era Laurie, com uma xícara cheia em uma das mãos e um prato com sorvete na outra.

— Eu vinha buscar alguma coisa para Meg, que se acha muito cansada e alguém esbarrou em mim e aqui estou em um estado complicado! — respondeu Jo, alternando olhares entre o vestido sujo e a luva cor de café.

— Foi pena! Eu procurava alguém para dar isto; posso levar para sua irmã?

— Oh, muito agradecida! Vou mostrar-lhe onde ela está. Não me ofereço para eu mesma levar, a fim de não se repetir o que sucedeu.

Jo seguiu na frente e Laurie, como se estivesse habituado a servir as damas, levou uma mesinha e foi buscar uma segunda dose de café e de sorvete para Jo; e mostrou-se tão atencioso que até a exigente Meg o proclamou "um distinto rapaz". Gostaram muito dos bombons e do sorvete e estavam conversando com duas ou três pessoas, da mesma idade, quando Hannah apareceu. Esquecendo-se do pé, Meg se levantou tão depressa que, com uma exclamação de dor, foi obrigada a agarrar-se em Jo.

— Não diga nada — cochichou a esta, e acrescentou em voz alta — Torci um pouco o pé. E, mancando, subiu a escada para buscar seus objetos.

Hannah ralhava com ela, Meg protestava e Jo já estava perdendo a paciência quando a irmã precipitou-se escada abaixo e, encontrando um criado, perguntou se ele podia buscar uma carruagem. Mas esse empregado era um servente ocasional que não conhecia as ruas das vizinhanças; e Jo procurou quem conhecesse as ruas, quando Laurie, que ouvira suas palavras, lhe ofereceu a carruagem de seu avô que acabava de chegar para buscá-lo.

— É ainda muito cedo para o senhor ir — começou Jo a dizer, satisfeita, embora hesitando ainda em aceitar.

— Durmo sempre cedo. Tenha a bondade de aceitar. Como sabe, sua casa fica no meu caminho e, além disso, está chovendo.

Jo aceitou agradecida e foi buscar as companheiras. Hannah tinha tanta aversão à chuva como um gato, por isso nada objetou; e seguiram todos na luxuosa carruagem, achando aquilo divertido e distinto. Laurie subiu na boleia, para Meg poder conservar o pé erguido; e as duas irmãs conversaram, assim, em liberdade, sobre o baile.

— Gostei imensamente do baile; e você? — perguntou Jo, empurrando o cabelo para cima e procurando ajeitar-se comodamente.

— Também, até o instante em que me machuquei. Annie Moffat, uma das amigas de Sallie, gostou muito de mim e me convidou para passar uma semana com ela, quando Sallie for. Na primavera, na reabertura da Ópera, e será magnífico se mamãe me deixar ir — disse Meg, animando-se com essa ideia.

— Vi você dançando com o moço de cabelos ruivos de quem fugi; é educado?

— Muito! Mas tem cabelos castanhos, e não ruivos. É muito educado. Dancei com ele uma deliciosa redova!

— Quando ele ensaiou um novo passo de dança, parecia um gafanhoto. Laurie e eu não pudemos conter o riso. Não ouviram?

— Não; mas isso não se faz. Onde vocês estavam escondidos todo esse tempo?

Jo narrou suas aventuras e, ao tempo em que acabava de contar, chegaram em casa. Com muitos agradecimentos, elas desejaram boa noite a Laurie e subiram a escada esperando não incomodar ninguém; mas, no instante em que a porta de seu quarto rangeu, as duas irmãs com toucas de dormir se levantaram e perguntaram:

— Como foi o baile?

Demonstrando muita falta de boas maneiras, no dizer de Meg, Jo trouxera no bolso alguns docinhos para as irmãs mais novas.

— Tenho a impressão de ser uma dama da alta sociedade, vindo de um baile em minha carruagem e estando agora sentada em meu toucador com uma camareira a servir-me — disse Meg a Jo que lhe pusera arnica no pé e que agora penteava seu cabelo.

— Não creio que as moças ricas se divertiram mais do que nós duas, apesar do seu cabelo queimado, dos nossos vestidos velhos, do par de luvas compartilhado e dos sapatos apertados que esfolaram meus tornozelos.

CAPÍTULO 4

FARDOS

— Ah, minha irmã! — suspirou Meg na manhã seguinte ao dia do baile — Como será difícil recomeçar nossas tarefas, agora! — pois a tradicional semana de festa tinha terminado.

— Eu gostaria que o Natal e o Ano Novo se prolongassem pelo ano todo, não seria melhor? — replicou Jo, bocejando.

— Nós nos divertirmos tanto esses dias. Mas, realmente, seria bom ter sempre ceias e flores, ir a bailes, ser conduzidas em carruagem, ler e descansar! Você sabe quanta inveja sempre tive das moças que têm tudo isso; sou tão amiga do luxo — disse Meg.

— Mas nós não poderemos ter essas coisas; portanto devemos carregar com paciência o nosso fardo, como faz mamãe. Sei que tia March é para mim um fardo bem pesado, mas tenho fé em que, quando souber carregá-lo resignadamente, se tornará tão leve que não o sentirei mais.

Tal ideia acalmou o espírito de Jo; Meg, porém, continuou taciturna, porque seu fardo — quatro crianças mimadas — tornava-se cada vez mais enfadonho. Deixava até de se enfeitar, como de costume, com uma fitinha azul ao pescoço e com um penteado moderno.

— Que graça tem se arrumar, se ninguém me vê, a não ser aqueles aborrecidos, e ninguém quer saber se sou bonita ou não — resmungou ela fechando a gaveta. — Tenho que trabalhar todos os dias, somente com uns intervalinhos de alegria, de quando em quando, e ficar velha, feia, rabugenta, porque sou pobre e não posso gozar a vida como as outras moças. Meg desceu de semblante sisudo e assim ficou durante todo o almoço. Cada qual parecia mais aborrecida. Beth sentiu dor de cabeça e ficou no sofá, distraindo com a gata e os seus três gatinhos; Amy sentia-se desgostosa porque não aprendera as lições e não encontrava a borracha; Jo tentava assobiar, fazendo um barulho infernal ao aprontar-se; e sra. March estava muito ocupada tentando terminar uma carta que deveria enviar imediatamente; e Hannah estava rabugenta por não ter feito sua obrigação até aquela hora.

— Nunca vi família tão ranzinza! — explodiu Jo, perdendo a paciência após entornar um tinteiro, rebentar os cordões dos sapatos e amassar o chapéu, sentando-se sobre ele.

— E você é a mais ranzinza da família! — replicou Amy, lavando o caderno, com as lágrimas que derramava, pois não conseguia entender a lição.

— Beth, se você não trancar na adega estes malditos gatos, eu os afogo — exclamava Meg, furiosa procurando livrar-se de um gatinho que estava nas suas costas. Jo ria, Meg gritava, Beth implorava e Amy chorava porque não havia meios de saber quanto era doze vezes nove.

— Meninas, meninas! Fiquem quietas um instante! Preciso enviar esta carta e vocês me distraem com suas chateações — gritava a sra. March, riscando pela terceira vez a mesma frase da carta. Durante alguns minutos reinou silêncio, interrompido logo por Hannah que entrou de repente, depondo sobre a mesa dois grandes pastéis quentes e saindo tão repentinamente como entrara. Esses pastéis eram um velho hábito da casa; as moças os chamavam de "regalos", não só porque eram como mimos, mas porque o calor dos mesmos era agradável para suas mãos gélidas. Jamais Hannah se esquecera de fazê-los, por mais ocupada ou aborrecida que estivesse, pois a caminhada era longa e penosa, as pobrezinhas não tinham outro almoço e raramente voltavam antes das três horas.

— Brinque com seus gatos e sare da dor de cabeça, Beth. Até logo, mamãe; esta manhã estávamos insuportáveis, mas voltaremos uns verdadeiros anjos. Vamos, Meg — disse Jo.

Antes de dobrar a esquina costumavam olhar para trás, pois a mãe ficava à janela sorrindo e acenando. Não passariam bem o dia sem aquele gesto; e, quando estavam aborrecidas, ver aquele rosto amoroso era como um raio de luz.

— Se mamãe nos castigasse, ao invés de nos atirar beijos, seria bem feito; jamais existiram pessoas tão ingratas como nós — exclamou Jo com de remorso quando caminhavam na rua cheia de lama, entre rajadas de vento.

— Não empregue expressões tão fortes — disse Meg.

— Gosto de termos incisivos que signifiquem alguma coisa — replicou Jo segurando o chapéu que se preparava para voar da cabeça com o vento.

— Tome para si as palavras que quiser; eu não gosto de ser chamada assim.

— Você hoje está rabugenta, porque não se pode sentar no regaço da opulência. Pobrezinha! Espere que eu faça fortuna e você passeará então em carruagens, sapatinhos de salto alto, e ramalhetes, com mocinhos de cabelos ruivos para dançar!

— Como você é engraçada, Jo! — e riu com as tolices da irmã, que a puseram de melhor humor.

— Felizmente sou engraçada para nós duas; pois se eu tomasse um ar sombrio e procurasse ser séria como você, ficaríamos rabugentas! Graças a Deus, consigo ter um pouco de alegria para levar a vida. Não resmungue mais e volte alegre para casa, pois lá existe um anjo: mamãe!

E Jo despediu-se da irmã com uma palmadinha animadora no ombro. Cada uma seguiu o seu caminho com o respectivo pastel quente e procurando ficar feliz, apesar da temperatura, do árduo trabalho e dos desejos insatisfeitos.

Quando o sr. March perdeu a fortuna por ter ajudado um amigo infeliz, as duas meninas mais velhas começaram a trabalhar para auxiliar nas despesas. Acreditando que nunca era cedo demais para aprenderem a ser diligentes, hábeis e independentes, os pais consentiram que ambas se dedicassem ao trabalho com boa vontade o que, a despeito das dificuldades, é o caminho mais seguro para a vitória.

Margaret arranjou um lugar de preceptora e sentia-se rica com seu pequenino ordenado. Costumava dizer que era "amiga da opulência" e seu aborrecimento era ser pobre. Achava mais difícil suportar esta dificuldade do que as outras, porque se recordava do tempo em que a casa era rica e a vida cheia de facilidades e prazer. Procurava não ser invejosa nem se sentir descontente, mas era natural que desejasse coisas boas como amizades, honrarias, enfim, uma vida feliz. Na casa dos King via diariamente tudo quanto desejava, pois, quando as filhas mais velhas saíam, podia contemplar os vestidos caros de baile, os buquês, ouvir falatórios sobre teatros, concertos, passeios em trenós e festas de todo gênero, e ver, desperdiçado em banalidades, um dinheiro que poderia ser tão útil para outros propósitos!

A pobre Meg raras vezes se queixava, mas essa injustiça tornava-a às vezes complicada para todas, ainda não compreendera que era rica em bênçãos divinas, únicas riquezas que tornam a vida feliz.

Jo fazia companhia a tia March, que era coxa e necessitava da ajuda de alguém. A velha senhora, sem filhos, queria adotar uma das meninas, na ocasião do desastre financeiro, e ficou ofendida por não aceitarem. Alguns amigos diziam aos March que estes haviam perdido a única oportunidade de serem contemplados no testamento da tia; mas os March, pouco apegados às coisas terrenas, replicavam com simplicidade:

— Não damos nossas filhas por uma dúzia de fortunas juntas. Ricos ou pobres, ficaremos todos juntos e seremos felizes.

A velha cortou relações com eles por algum tempo; aconteceu, porém, que, encontrando Jo na casa de uma amiga, ficou encantada com sua expressão juvenil e suas maneiras excêntricas, propondo-lhe, então, tomá-la como dama de companhia. Jo não se decidiu imediatamente; mas pensou bem e aceitou a proposta e para a surpresa de todos deu-se admiravelmente bem com sua tia. Aconteceu é certo, uma vez, uma discórdia ocasional e Jo retirou-se declarando não a suportar por mais tempo; mas como o nervosismo de tia March se abrandava, mandou chamá-la com tanta insistência, que Jo não pôde deixar de perdoar a tia.

Suspeito que a verdadeira atração era uma grande biblioteca com excelentes obras, a qual, desde a morte do tio March, estava entregue ao pó. Jo recordava-se do bom velho que costumava deixá-la construir trens de ferro e pontes com seus grandes dicionários, que lhe contava histórias sobre as figuras pitorescas de seus livros latinos e comprava doces para ela. O escuro e empoeirado gabinete, com bustos no alto das estantes, as cadeiras elegantes, os globos e, a abundância de livros que poderia ler à vontade tornava a seus olhos a biblioteca seu recanto favorito.

Assim que tia March adormecia ou se entretinha com visitas, Jo corria ao seu recanto silencioso e, afundando numa poltrona romana, devorava livros de poesias, história, viagens ou via figuras, como uma perfeita bibliófila. Como toda a felicidade, porém, esta não era longa; exatamente quando chegava ao ponto crítico de uma história, aos versos mais delicados de uma poesia ou à mais perigosa aventura do viajante, uma voz aguda gritava "Josephine! Josephine!" e tinha de deixar seu paraíso para tricotar, lavar o cãozinho ou ler as "Provações de Belsham" durante uma hora inteira.

A ambição de Jo era fazer algo de extraordinário; ela não sabia exatamente o quê, mas deixava ao tempo o encargo de lhe mostrar; nesse intervalo, via-se na maior aflição porque não podia ler, correr, passear como desejava. Um temperamento irrequieto, uma língua mordaz, um espírito vivo a colocava continuamente em apuros; sua vida era uma série de altos e baixos, de coisas cômicas e fatos patéticos. Mas a educação que recebia na casa da sua tia March era justamente a de que necessitava; e o pensamento de que estava fazendo alguma coisa para manter-se, fazia-a feliz, apesar daquele eterno "Josephine!"

Beth era tímida para ir à escola; haviam experimentado fazê-la frequentar uma; sofria, porém, tanto com isso que renunciaram à experiência e ela passou a tomar lições em casa com o pai. Mesmo quando ele partiu e sua mãe foi convidada para dedicar sua habilidade e dedicação à Sociedade de Auxílio aos Soldados, Beth continuou a ser cuidadosamente educada por ela, da melhor maneira possível. Tornou-se dona de casa mirim, auxiliando Hannah na limpeza e no conforto do lar para a mãe e as irmãs que trabalhavam, sem aspirar outra recompensa senão a estima de todos. Passava longos e silenciosos dias, sem ficar solitária nem indolente, pois seu pequeno mundo era povoado de amizades imaginárias. Tinha seis bonecas para vestir e acalentar todas as manhãs; era ainda uma criança e gostava dos brinquedos como nunca; nenhuma das bonecas estava inteira, nem era bonita; eram bonecas desprezadas que Beth ia guardando para si. Ao crescerem, suas irmãs doaram a ela, pois Amy não gostava de nada velho nem feio. Mas por esse motivo, Beth adorava-as ternamente, criando um verdadeiro hospital para bonecas doentes. Jamais enterrava alfinetes nas suas carnes de algodão, nem lhes dirigia palavras rudes ou maus tratos; alimentava-as e vestia-as, acariciando as mesmas com muito amor. Os fragmentos de uma que pertencera a Jo, e que havia levado uma vida acidentada, foram atirados no saco de retalhos, triste asilo onde Beth foi buscar para seu cantinho. Como não possuía cabeça, amarrara-lhe uma touquinha e, por não ter mais braços nem pernas, ela ocultava as deformidades físicas enrolando-a num cobertor, reservando a sua melhor cama para essa boneca inválida. Se alguém visse o cuidado que ela tinha com a essa boneca, ficaria enternecido, apesar das risadas que daria. Trazia-lhe flores, lia para ela, levava-a para fora para respirar um ar puro, agasalhava-a sob seu próprio casaquinho; adormecia-a com cantigas, sussurrando-lhe ternamente: "Deus te dê boa noite!"

Beth, como as outras, tinha suas contrariedades, não sendo um anjo, mas uma menina muito humana; várias vezes fazia uma birrinha, no dizer de Jo, por não ter professor de música e não possuir um lindo piano. Gostava tanto de música e empregava esforços sobre-humanos para aprender, exercitando-se pacientemente no seu velho piano. Cantava como uma cotovia, nunca se sentia cansada para a mãe e para as irmãs, e tinha esperanças que algum dia havia de possuir o piano de seus sonhos.

No mundo existem muitas "Beths" quietas e tímidas, sentadas aos cantos à espera de um auxílio, vivendo aparentemente alegres para todos os que não compreendem o sacrifício; até que, emudecem um dia, deixando atrás de si o silêncio e a sombra...

Se alguém tivesse perguntado a Amy o maior desgosto de sua vida, ela responderia imediatamente:

— Meu nariz.

Quando pequena, Jo deixara-a cair sobre a carvoeira e Amy afirmava que essa queda deformara para sempre o seu nariz. Não era grande nem vermelho; era apenas achatado. Ninguém notava, mas Amy sentia profundamente a necessidade de ter um nariz grego e, para se consolar, vivia desenhando lindos narizes.

"A pequena Rafael", como a chamavam, tinha gosto pelo desenho, e só se julgava verdadeiramente feliz quando copiava flores, desenhava fadas ou ilustrava histórias com originais criações de arte. Os mestres queixavam-se de que, em lugar de fazer as contas, ela desenhava figuras de animais; as páginas em branco de seu atlas eram empregadas para copiar mapas e caricaturas. Fazia as suas lições da melhor maneira possível, procurando evitar reprimendas com o seu procedimento exemplar. Era a favorita entre as colegas, sempre bem-humorada, possuindo a arte de agradar. Suas atitudes e sua graça eram muito admiradas, bem como suas habilidades; além do desenho, cantava várias modinhas, fazia crochê e lia francês, pronunciando bem muitas palavras. Tinha uma maneira tristonha de dizer, às vezes, "quando papai era rico, fazíamos isto..." que impressionava; e suas palavras eram consideradas "muito elegantes" pelas meninas.

Mimada por todos, suas vaidades e egoísmos cresciam rápido, ameaçando perdê-la. Uma coisa, entretanto, afligia-lhe a vaidade: ter de usar as roupas doadas da prima. Ora, a mãe de Florence não tinha bom gosto, e Amy sofria ao ter de usar um chapéu vermelho, em vez de um azul, uns vestidos detestáveis e uns aventais espalhafatosos... Tudo era de boa qualidade, bem feito, de pouco uso; mas os olhos artísticos de Amy afligiam-se, particularmente no inverno, quando suas roupas escolares eram vermelho-escuras, com listas amarelas e sem enfeites.

— Meu único consolo — dizia ela a Meg, com lágrimas nos olhos, — é que mamãe não encurta meus vestidos quando faço qualquer travessura, como faz a mãe de Maria Parks. Ah, querida Meg, é realmente espantoso, às vezes, quando faz travessuras, seus vestidos são encurtados até acima do joelho e ela não pode ir à escola. Quando penso nisso, sinto que devo aturar meu nariz chato e o tal vestido vermelho de listas amarelas...

Meg era a confidente e a conselheira de Amy, e, pela estranha atração das naturezas opostas, Jo era a confidente de Beth. Somente a Jo, a tímida menina confiava seus pensamentos; por sua vez, sobre a inconstante irmã, Beth exercia uma influência como ninguém na família. As duas mais velhas cuidavam das mais novas "brincando de mamãe", conforme diziam e fazendo das irmãs bonecas, com seu instinto maternal de "mulherzinhas".

— Quem tem alguma coisa para contar? Hoje foi um dia aborrecido e estou ávida por uma distração — disse Meg ao sentar para costurar naquela noite.

— Hoje tive com a tia March um interessante incidente que vou contar a vocês — começou Jo, sempre pronta para contar histórias. — Eu estava lendo aquele eterno Belsham, com a minha costumada entoação entediante. Com isso tia March adormece logo e eu tomo um belo livro e leio, até que ela acorde. Ultimamente, porém, costumo adormecer também; e hoje, antes que ela começasse a cochilar, dei tal bocejo que titia me perguntou por que abria tão desmesurada boca, capaz de engolir o livro.

— Se pudesse, eu engolia imediatamente — repliquei, em tom de brincadeira. E ela me deu uma longa bronca falando dos meus defeitos, ordenando-me que refletisse sobre eles enquanto ia repousar por uns instantes.

Ela nunca está de bom humor; quando sua touca começou a mover-se, tirei do bolso o *Vigário de Wakefield* e comecei a ler, com um olho no livro e outro na velha. Ao chegar ao trecho em que houve a queda na água, não resisti e soltei uma gargalhada.

Tia March acordou e sentindo-se de bom-humor com a soneca, pediu-me que lesse um trecho para ela, dizendo-me em seguida que eu preferia uma obra frívola ao digno e instrutivo Belsham. Obedeci e ela gostou do livro, e me pediu:

— Não compreendo bem o enredo; comece de novo, menina.

Voltei atrás, tornando a leitura o mais agradável possível. Por maldade, parava nos trechos mais emocionantes, dizendo-lhe com meiguice:

— Receio que esteja aborrendo a senhora; devo parar agora?

Ela lançava um olhar através dos óculos e respondia:

— Leia o capítulo e não seja inconveniente, menina.

— Então confessou que estava gostando? — perguntou Meg.

— Absolutamente não! Mas deixou em paz o velho Belsham e, quando voltei à sala para buscar as minhas luvas, estava tão entretida com o "Vigário", que não me ouviu rir, e então chegara a hora abençoada de ir embora. Que vida agradável ela poderia ter se quisesse! Não a invejo, apesar do dinheiro, pois creio que, por fim de contas, os ricos têm tantos aborrecimentos como os pobres — acrescentou Jo.

— Isto me lembrou que também tenho algo que contar — disse Meg. — Não é tão interessante como o caso da Jo. Achei todos na casa dos King muito agitados hoje. Uma das crianças contou-me que o irmão mais velho havia feito uma coisa terrível e que o pai o expulsara de casa. Ouvi o sr. King gritar e a sra. King falar muito alto, Grace e Ellen viraram o rosto ao passar por mim, para que eu não visse a vermelhidão dos olhos delas. Nada perguntei, mas fiquei muito triste por eles, e ao mesmo tempo alegre por não ter irmãos que pratiquem más ações e desmoralizem a família.

— Penso que ser castigada na escola é a pior coisa que pode acontecer para uma menina — disse Amy abanando a cabeça, como se tivesse grande experiência da vida — Susie Perkins chegou hoje na escola com um lindo anel de turmalina. Fiquei louca por este e desejei que fosse meu. Bem, ela desenhou uma caricatura do sr. Davis, com um nariz monstruoso e uma corcunda, fazendo sair da boca estas palavras: "Meninas, estou de olho em vocês!"

Estávamos rindo do desenho, quando de repente os tais olhos cravaram-se em nós e ele disse a Susie que lhe mostrasse o caderno. Ela ficou paralisada de medo, mas foi; vocês sabem o que ele fez? Pegou-a pela orelha, imaginem que horror! e a levou para o canto da sala, pondo-a ali meia hora de pé, com o caderno erguido, para todos verem a caricatura.

— E as meninas não deram boas gargalhadas? — perguntou Jo.

— Ninguém riu; ficaram todas sentadas, quietinhas, e Susie chorou muito. Não a invejei então, pois sinto que milhões de anéis de turmalina não me fariam feliz, depois desse momento. Nunca teria suportado uma ocorrência tão vexatória.

E Amy continuou o seu trabalho, com a satisfação de quem tem consciência de sua própria dignidade e de quem conseguiu pronunciar bem, de um só fôlego, duas palavras compridas.

— Assisti esta manhã a uma cena que me agradou, e queria contá-la a vocês — disse Beth, pondo em ordem, enquanto falava, a cesta de costura de Jo. — Fui comprar ostras para Hannah, e o sr. Laurence estava na peixaria, mas não me viu, porque me ocultei atrás de uma barrica e ele estava muito entretido conversando com o sr. Cutter, o peixeiro. Chegou uma pobre mulher com um balde e um esfregão, perguntando ao sr. Cutter se ele a deixava fazer a limpeza a troco de um pedaço de peixe, pois não tinha comida para os filhos e perdera o dia de trabalho. O sr. Cutter estava atarefado e deu-lhe um áspero "não"; ela ia retirar-se, triste e faminta, quando o sr. Laurence fisgou um grande peixe com a ponta da bengala, estendendo-o à mulher. Esta ficou tão alegre e surpresa que apertou o peixe nos braços, agradecendo muitas vezes. Ele disse-lhe que fosse cozinhá-lo e a mulher se foi, tão feliz! Não foi bonito o que ele fez? A coitada parecia tão satisfeita segurando o peixe, escorregadio, e certa de que o lugar do sr. Laurence já estava preparado no céu...

Depois de rirem-se do caso de Beth, pediram à mãe que lhes contasse algo, também. Após refletir um instante, ela começou:

— Eu estava sentada hoje, cortando paletós de flanela azul, muito apreensiva com a sorte de seu pai, pensando como ficaríamos abandonadas e desesperadas, se alguma infelicidade lhe sucedesse. Como não eram pensamentos alegres, fiquei calada e aborrecida, quando entrou um senhor de idade, com uma requisição para algumas coisas. Sentou-se perto de mim e comecei a conversar com ele, porque parecia pobre e abatido.

— Tem filhos no exército? — perguntei, pois a requisição que ele trouxera não era para mim.

— Sim, senhora; tinha quatro; dois morreram, um ficou prisioneiro e eu vou ver o outro que está muito doente em um hospital de Washington — respondeu, em tom triste.

— Muito tem feito pela Pátria, senhor — repliquei, sentindo então respeito por aquele homem em lugar de piedade.

— Nada mais do que devo, minha senhora. Iria eu próprio se ainda servisse; como para mais nada presto, dou os filhos e com toda a boa vontade.

Falava tão mansamente. Parecia tão sincero e tão satisfeito por dá-los todos, que fiquei envergonhada de mim mesma. Eu dera um soldado e julgava ser muito, ao passo que ele dera quatro filhos sem reclamar; eu tenho minhas filhas para me confortarem em casa e ele tem um filho a esperá-lo a muitas milhas de distância, talvez para lhe dizer o último adeus. Senti-me tão rica, tão feliz, pensando nessa diferença, que lhe dei um embrulho bem sortido, e algum dinheiro; e agradeci a lição que me ensinou.

— Conte outro caso, mamãe, com um fundo moral como este. Gosto de refletir depois, quando são coisas reais — disse Jo depois de alguns instantes de silêncio.

A sra. March sorriu e prosseguiu imediatamente, pois poderia divertir assim sempre em seu pequeno auditório e conhecia o segredo de agradar as filhas:

— Havia certa vez quatro meninas que tinham bastante de comer, de beber, de vestir, muito conforto e muitos prazeres; amigos bondosos e pais que as amavam: apesar de tudo, não viviam satisfeitas. Essas meninas desejavam com empenho ser boas e tomavam excelentes resoluções, mas muitas vezes não as punham em prática, dizendo, "Se nós tivéssemos isto" ou "Se pudéssemos fazer aquilo", esquecendo-se completamente do que possuíam e de quantas coisas prazerosas poderiam fazer; um dia perguntaram a uma velha que talismã deveriam usar para se tornarem felizes e a velha respondeu:

— Quando estiverem descontentes, pensem nas fortunas que têm sido dispensadas e sejam gratas ao Céu. Meninas inteligentes, decidiram seguir esse conselho e ficaram logo surpreendidas ao ver como tudo corria bem. Uma descobriu que o dinheiro não afastava das casas dos ricos a vergonha e os desgostos; outra, pobre, era muito mais feliz com sua mocidade, saúde e disposição, do que certa velha inconveniente e fraca que não podia gozar o conforto que seus bens proporcionavam; a terceira descobriu que, embora fosse desagradável ajudar a fazer o jantar, era ainda mais triste ter de pedir o que comer; e a quarta finalmente, que os anéis de turmalina não são tão valiosos como o bom comportamento. Por isso, resolveram não se queixar mais, gozar os benefícios recebidos e procurar merecê-los, de medo que desaparecessem completamente ao invés de aumentarem; e acredito que, seguindo o conselho da velha, jamais terão contrariedades ou tristezas.

— Mamãezinha, a senhora é muito hábil para transformar nossas próprias histórias em exemplos para nós mesmas, dando-nos um sermão em vez de um conto — disse Meg.

— Gosto desta espécie de sermões; era assim que papai fazia — disse Beth pensativa, espetando com cuidado as agulhas na almofada de Jo.

— Eu não me queixo; quero ser mais aplicada, pois aprendi à custa do "desastre" de Susie — disse Amy.

— Precisávamos dessa lição e não a esqueceremos. Se esquecermos, mamãe fará como Chloe, na Cabana do Pai Tomás: "Pensem nas venturas que gozam, crianças, pensem nas suas venturas!" — acrescentou Jo que não poderia deixar de fazer a sua brincadeira com a reprimenda, embora a levasse mais a sério que qualquer das irmãs.

CAPÍTULO 5

BOA VIZINHANÇA

— Que vai fazer agora, Jo? — perguntou Meg numa tarde de neve, à irmã, que atravessava devagar o vestíbulo, de sapatos de borracha, com um velho vestido e touca, tendo uma vassoura em uma das mãos e uma pá na outra.

— Vou me exercitar — respondeu Jo com um brilho no olhar.

— Julgo que são suficientes os dois longos passeios da manhã. Está frio e sombrio, lá fora; aconselho a ficar perto do fogo, como eu, em lugar quente e enxuto — disse Meg.

— Não gosto de conselhos; não posso ficar quieta o dia inteiro e, como não sou gato, não me agrada ficar dormindo ao pé do fogão. Gosto de aventuras e vou procurá-las.

Meg virou as costas para aquecer os pés e ler "Ivanhoe", e Jo começou a cavar o caminho, com energia. A neve estava macia e, com a vassoura, conseguiu logo varrer uma faixa em toda a volta do jardim para Beth passear quando o sol despontasse e as bonecas inválidas fossem tomar ar. O jardim separava a casa dos March da do sr. Laurence; estavam situadas num subúrbio da cidade, quase no campo, rodeadas de bosques, grandes jardins e ruas silenciosas. Uma pequena sebe dividia as duas propriedades. De um lado, havia uma velha casa acinzentada, com aparência humilde, revestida de videiras, que no verão cobriam as paredes, e de flores que então a circundavam. Do outro lado, via-se uma imponente casa de pedra, indicando claramente toda a espécie de luxo, desde a grande cocheira e pátios bem cuidados, até a estufa, podendo se vislumbrar ricos adornos por entre as luxuosas cortinas. No entanto parecia uma casa extremamente solitária e sem vida, pois não se avistavam crianças brincando no quintal, nem sorriam rostos maternos às janelas, entrando e saindo pouca gente, apenas o velho dono e seu neto.

Para a viva fantasia de Jo, essa linda mansão parecia uma espécie de palácio encantado, cheio de esplendores e delícias que ninguém gozava. Desejava muito contemplar essas belezas ocultas e relacionar-se com "o jovem Laurence", que parecia desejar também, mas não sabia como. Desde o baile, ela tornara-se ainda mais impaciente, planejando mil maneiras de conseguir engajar amizade com o rapaz; este, contudo, não era visto ultimamente, e Jo começou a acreditar que ele tinha ido embora, quando avistou certo dia um rosto numa das janelas superiores, espiando o seu jardim, onde Beth e Amy brincavam de jogar bolinhas de neve uma na outra. "Aquele rapaz parecia ávido por divertimentos e amizades", disse ela consigo mesma. "Seu avô deixa-o completamente só por não saber do que precisa. Ele precisa da companhia de pessoas alegres ou de alguém cheio de mocidade e de vida. Tenho vontade de ir lá e dizer tudo isto ao velho."

Tal ideia agradava a Jo, que apreciava as ações ousadas e vivia escandalizando Meg com suas loucuras. O seu ousado projeto não foi mais esquecido; e, ao chegar a tarde de neve, Jo resolveu iniciar a execução. Viu o sr. Laurence sair e foi então cavar o caminho, junto à sebe, onde parou, inspecionando os arredores. Tudo calmo; as cortinas descidas nas janelas do andar térreo; não se viam criados nem ser humano algum, exceto uma cabeça com cabelos negros encaracolados apoiada na delicada mão, na janela de cima.

"Lá está ele" — pensou Jo — "Pobre rapaz! Tão só e tão aborrecido, numa tarde assim triste! Vou atirar uma bola de neve para chamar a sua atenção e dizer uma palavra amiga."

E lançou para cima uma mão cheia de neve; a cabeça virou-se imediatamente, com um brilho nos grandes olhos e um sorriso nos lábios. Jo acenou com a cabeça, sorrindo e sacudindo a vassoura, enquanto perguntava:

— Como vai? Está doente?

Laurie abriu a janela e resmungou rouco, como um corvo:

— Estou melhor, muito obrigado. Tive um resfriado terrível e passei trancado a semana toda.

— Sinto muito. E com que se distrai?

— Com coisa alguma; aqui em cima é triste como um túmulo.

— Não costuma ler?

— Pouco. Proibiram-me a leitura.

— Ninguém lê para você?

— Às vezes o vovô; mas meus livros não o interessam e eu não gosto de pedir a Brooke que leia toda a hora para mim.

— Então chame alguém para junto de você.

— Os rapazes são muito barulhentos e minha cabeça está fraca.

— E não haverá uma linda menina que possa ler para você? As meninas são quietinhas e gostam de servir de enfermeiras.

— Não conheço nenhuma.

— Mas me conhece — disse Jo, rindo e calando-se.

— Teria a bondade de vir? — perguntou Laurie.

— Eu não sou quieta nem linda; mas poderei ir, se mamãe deixar. Feche a janela como um menino de juízo e espere até eu chegar aí.

E, com isto, Jo pôs a vassoura ao ombro e entrou em casa, imaginando o que todos iriam dizer. Laurie ficou animado com a ideia de ter uma companhia, pois, como dizia a sra. March ele era um "pequeno cavalheiro"; desejava fazer as honras da casa, pondo uma camisa nova e arrumando o quarto, o qual, a despeito de meia dúzia de criados, estava sempre pouco limpo. Nesse momento soou uma campainha, ouvindo-se uma voz firme perguntando pelo "sr. Laurie"; um criado espantado correu para anunciar uma moça.

— Muito bem, diga-lhe que suba: é a srta Jo — disse Laurie, dirigindo-se à porta de seu pequeno gabinete para receber Jo, que apareceu, rosada e contente, muito à vontade, trazendo numa das mãos uma travessa coberta e na outra os três gatinhos de Beth.

— Aqui estou, com malas e bagagens — disse com vivacidade. — Mamãe manda-lhe lembranças, ficando muito satisfeita se eu puder fazer alguma coisa por você. Meg pediu para eu trazer um prato de pudim que ela faz muito bem; e Beth julgou que os gatinhos o poderão distrair. Achei que você poderia não gostar, mas não pude dizer que não, pois ela estava com muita vontade de fazer alguma coisa para diverti-lo.

A lembrança de Beth, porém, foi a que mais lhe serviu, porque, brincando com os gatinhos, Laurie esqueceu logo o acanhamento e tornou-se sociável.

— Parece que está ótimo — disse, sorrindo satisfeito, quando viu o pudim.

— Não é nada, mas todas tinham boa vontade a seu respeito e quiseram demonstrá-la. Diga à criada que guarde para a hora do chá; você poderá comê-lo, pois é muito leve e macio; não irritará sua garganta inflamada. Como é agradável este quarto!

— Poderia ser, se fosse bem tratado; mas as criadas são preguiçosas.

— Vou arrumá-lo em dois minutos; é preciso somente varrer a lareira, assim..., e pôr os objetos aqui em cima da lareira, assim... e colocar os livros aqui, os vidros de remédio aqui, e o seu sofá virado para a janela, e levantar um pouco os travesseiros. Agora você está melhor acomodado.

E realmente assim era porque, enquanto conversava e ria, Jo havia espanado e arrumado tudo, dando um ar diferente ao quarto. Laurie a observava silencioso; e, quando Jo o chamou para o sofá, ele sentou-se, satisfeito, dizendo em tom agradecido:

— Como você é gentil! Era o que eu precisava. Agora sente-se naquela cadeira, que vou fazer alguma coisa para distraí-la.

— Não, eu é que vim para distraí-lo. Posso ler em voz alta? — e Jo olhava para alguns livros convidativos que se achavam a seu lado.

— Não é preciso, obrigado; já li todos esses livros e, se não a incomoda, prefiro conversar — respondeu Laurie.

— Não me incomoda nada e até posso conversar o dia inteiro, se deixar. Beth diz que eu não sei nunca a hora em que devo parar de falar.

— Beth é aquela mocinha corada que fica muito em casa, saindo às vezes com um cesto? — perguntou Laurie com interesse.

— É sim; está sob meus cuidados e é muito boazinha.

— Aquela bonita é Meg, e a de cabelos cacheados é Amy, não?

— Como sabe tudo isso?

Laurie corou, respondendo, porém, com sinceridade:

— Porque eu ouço muitas vezes vocês chamarem-se umas às outras, e quando estou só aqui em cima não posso deixar de olhar para sua casa, pois parece que vocês passam horas agradáveis. Peço-lhe perdão por ser tão pouco delicado, mas vocês, às vezes, se esquecem de descer as cortinas da janela e, quando acendem as luzes, parece que contemplo um quadro ao ver a lareira e vocês todas ao redor da mesa com sua mãe; o rosto de sua mãe fica mesmo em frente e aparece tão meigo, que não posso deixar de admirá-lo. Não conheci minha mãe, você sabe... — e Laurie atiçou o fogo, para esconder uma leve contração dos lábios que não pôde dominar. O olhar de uma amarga solidão que Laurie exprimiu feriu o coração de Jo.

Ela havia sido criada com tanta simplicidade que não alimentava fantasias, sendo aos quinze anos tão inocente e sincera como uma criança. Laurie estava doente e só; e, sentindo-se riquíssima com sua felicidade doméstica e afeição da família, ela gostaria de compartilhar com ele essa felicidade. Seu rosto moreno era encantador e sua voz suavizou-se ao pronunciar estas palavras:

— Nunca mais desceremos aquela cortina e dou-lhe licença para olhar quantas vezes quiser. Contudo, achava melhor que, em lugar de espiar, você fosse visitar-nos. Mamãe é muito gentil, ela o cercará de atenções e, se eu lhe pedir, Beth cantará para você ouvir e Amy dançará; Meg e eu o faremos rir bastante com nossas representações teatrais; passaremos, enfim, horas agradáveis. Seu avô permitiria?

— Penso que sim, se sua mãe lhe pedir. Ele é muito bom, embora não pareça; deixa-me fazer tudo o quero, mas receia sempre que eu importune os estranhos — respondeu Laurie, cada vez mais satisfeito.

— Não somos estranhos e, sim, vizinhos; e não será um importuno. Nós gostaríamos de fazer amizade com você, e eu me esforço para isso há muito.

Sabe que não vivemos aqui há muito tempo, mas já nos relacionamos com todos, menos os desta casa?

— Vovô vive no meio de seus livros, pouco se incomodando com o que se passa fora. O sr. Brooke, meu preceptor, como sabe, não mora aqui e não tenho ninguém para sair comigo; por isso fico em casa o tempo todo.

— Isso é ruim; você devia passear, visitar a todos os que o convidam; então teria muitos amigos, lugares agradáveis aonde ir. Não se importe por ser acanhado; isso desaparecerá quando começar a sair.

Laurie corou de novo, mas não se ofendeu pela referência a sua timidez; porque havia tanta boa vontade em Jo, que era impossível não acolher bem suas observações bondosas.

— Você gosta da escola? — perguntou o rapaz, mudando de assunto.

— Eu não vou à escola; sou um homem de negócios... quero dizer, uma moça empregada. Sou dama de companhia de minha tia, uma boa alma, porém rabugenta — respondeu Jo.

Laurie abriu a boca para fazer outra pergunta; mas lembrando-se a tempo de que não era bonito indagar muito dos negócios dos outros, fechou-a de novo. Jo, que era educada, não zombando da tia March, fez-lhe uma descrição viva da inquieta velhota, de seu cãozinho gordo, do papagaio que falava espanhol, e da biblioteca onde ela se deliciava. Laurie ficou muito alegre com essa conversa; e quando ela falou sobre o velho afetado que foi uma vez cortejar a tia March, ao qual, no meio de uma bela declaração, o velho ajeitou a peruca, Laurie riu a ponto de lágrimas rolarem pelas faces e de uma criada ir espreitar o que acontecera.

— Como é engraçado! Continue, por favor — dizia ele tirando o rosto rubro e brilhante de alegria, da almofada do sofá.

Orgulhosa por esse sucesso, Jo continuou, conversando sobre seus brinquedos e planos, suas esperanças e temores pelo pai, e sobre os mais interessantes acontecimentos ocorridos no pequeno mundo em que as irmãs viviam. Começaram depois a falar sobre livros; e, para alegria de Jo, Laurie gostava de ler, tanto quanto ela, já havendo lido, mesmo, muito mais.

— Se gosta tanto de livros, assim, vamos lá embaixo ver os nossos. Vovô saiu, não precisa ficar com receio — disse Laurie.

— Não tenho receio de nada — replicou Jo, levantando a cabeça.

— Penso mesmo que não tem! — exclamou o rapaz fitando-a com admiração, embora pensasse que ela teria razão de recear um pouco o velho avô, caso o encontrasse em um de seus repentes de ira.

Como reinasse em toda a casa uma temperatura agradável, Laurie passava de cômodo em cômodo, deixando que Jo parasse para examinar tudo o que lhe chamasse a atenção; chegaram, finalmente, à biblioteca, onde ela bateu palmas e pulou, como fazia sempre que se sentia encantada. Era repleta de livros, quadros e estátuas, com pequenas estantes cheias de moedas e curiosidades, confortáveis poltronas para descanso, mesas e bronzes; além de tudo, uma grande e espaçosa lareira, revestida de mosaicos originais.

— Que riqueza! — suspirou Jo, mergulhando em uma poltrona forrada de veludo e olhando em torno com um ar de grande satisfação.

— Theodore Laurence, você deve ser o rapaz mais feliz do mundo — disse ela, entusiasmada.

— Ninguém vive só de livros — retrucou Laurie, abanando a cabeça e inclinando-se sobre uma mesa.

Mas antes que pudesse dizer mais alguma coisa, soou uma campainha e Jo levantou-se apressada dizendo, assustada:

— Meu Deus! É seu avô!

— Que tem isso? Você não tem medo de nada, como bem disse — replicou Laurie.

— Acho que receio um pouco seu avô, mas não sei por quê. Mamãe consentiu na minha vinda e creio que você não piorou com ela — disse Jo compondo-se, com os olhos fixos na porta.

— Pelo contrário; melhorei até muito, o que lhe agradeço sinceramente. Somente tenho receio de que você já esteja cansada de conversar comigo — disse Laurie.

— Está aí o doutor para vê-lo, senhor — disse a criada.

— Dá-me licença de deixá-la por um instante? — indagou Laurie.

— Não se incomode comigo. Fico muito satisfeita aqui — respondeu Jo.

Laurie saiu e sua visitante ficou à vontade. Parou para contemplar o belo retrato de um idoso cavalheiro, quando a porta se abriu de novo; sem mesmo se virar ela exclamou:

— Tenho agora certeza de que ele não me meterá medo, pois tem uns olhos bondosos, embora a expressão da boca seja ameaçadora e seu aspecto seja o de um homem de vontade própria. Não é tão bonito como o meu avô, mas simpatizo com ele.

— Muito obrigado, senhorinha — disse uma voz rouca atrás dela; e, com grande espanto, deu de cara com o sr. Laurence.

A pobre Jo corou e seu coração pôs-se a bater aceleradamente, enquanto pensava no que havia dito. Naquele instante sentiu vontade de fugir; seria, porém, uma covardia e as irmãs iriam rir dela; assim, resolveu ficar. Encarou o sr. Laurence e percebeu seus olhos muito vivos, sob as espessas sobrancelhas grisalhas, e ele tinha um aspecto mais bondoso que o do retrato; e havia nele um brilho zombeteiro que fez diminuir um pouco o temor que sentia. A voz rouca, porém, tornara-se ainda mais rude, ao dizer abruptamente, após uma pausa:

— Então, a senhorita não tem medo de mim, hein?

— Não tenho muito, não, senhor.

— E não acha que eu seja tão bonito como o seu avô?
— Não tanto, senhor.
— Pareço ter uma vontade própria, não é?
— Eu disse somente que julgava...
— Mas, a despeito de tudo, a senhorita simpatiza comigo, não?
— Sim, senhor, simpatizo...

Esta resposta agradou ao velho; provocou uma risadinha, apertou-lhe a mão, e, colocando o dedo sob o queixo dela, levantou-lhe o rosto, examinou-o e deixou-o por fim, dizendo, com um aceno da cabeça:

— Você herdou o espírito de seu avô, senão o próprio rosto. Era um belo homem, querida menina; mas, o que é mais importante, era um homem bom e honesto, do qual me orgulho de ter sido amigo.

— Muito obrigada... — e Jo sentiu-se muito satisfeita com essas palavras.

— Que estavam fazendo você e Laurie?

— Procurei ser boa vizinha, senhor Laurence — disse-lhe Jo. E contou-lhe como passaram o tempo.

— Acha que ele precisa distrair-se, não?

— Sim, senhor, parece viver muito só, e talvez lhe fizesse bem a companhia de alguns jovens. Nós somos todas mulheres, porém ficaríamos muito satisfeitas se pudéssemos fazer alguma coisa por ele, pois não nos esquecemos do presente de Natal que o senhor nos enviou — disse Jo.

— Não fale nisso! Aquilo foi arranjo do rapaz. Como está a pobre mulher?

— Vai passando muito bem, senhor Laurence. E Jo prosseguiu com desembaraço, falando sobre os Hummels.

— É tal qual o pai, para fazer o bem. Irei visitar sua mãe qualquer dia. Diga-lhe isto. A campainha está chamando para o chá. Venha, e continue sendo uma boa vizinha.

— Se o senhor o permitir...

— Se eu não quisesse, não lhe falaria em tal — e o sr. Laurence ofereceu-lhe o braço gentilmente.

"Que diria Meg sobre isto?" — pensava Jo, ao caminhar, enquanto que os olhos brilhavam de alegria, imaginando que ia contar tudo em casa.

— Oh! Que aconteceu com esse rapaz? — indagou o velho observando o pulo de surpresa de Laurie ao espetáculo de Jo de braço dado com o avô.

— Eu não sabia que o senhor havia chegado — disse, percebendo o olhar triunfante de Jo.

— Eu percebi, pela maneira com que descia a escada. Venha para o chá, e comporte-se como um cavalheiro — e, puxando-lhe os cabelos, como uma carícia, o sr. Laurence continuou a andar, enquanto Laurie o seguia com uma série de gestos cômicos, o que quase provocou uma explosão de gargalhadas da parte de Jo.

O idoso senhor nada falou enquanto bebia as suas quatro xícaras de chá, mas observava os dois jovens que tagarelavam como velhos amigos, não lhe escapando a mudança ocorrida em seu neto. Havia cor, brilho e vida em seu rosto, vivacidade nas maneiras e genuína alegria no seu riso.

"Ela tem razão; o rapaz vive muito isolado. Veremos o que estas meninas podem fazer por ele"— pensava o sr. Laurence, enquanto observava e ouvia os dois. — "Parece que os modos excêntricos e ingênuos de Jo lhe agradam; e ela parece compreendê-lo."

Se os Laurence fossem, como Jo costumava dizer, "enfatuados e mesquinhos", ela não se sentiria bem ali, pois tais pessoas a tornavam embaraçada e tímida; achando-os, porém expansivos e informais, tornara-se absolutamente senhora de si, causando com isso ótima impressão. Ao se levantarem, mostrou desejo de retirar-se, porém, Laurie disse-lhe que ainda tinha alguma coisa para mostrar; levou-a à estufa que havia sido iluminada por sua causa. Jo sentiu-se deslumbrada, impressionada com a variedade de flores, com a luz branda, com a umidade, com a fragrância do ar e com as belas videiras e ramos de árvores sobre sua cabeça — ao passo que seu novo amigo colhia lindas flores; e, formando um ramalhete, disse:

— Faça o favor de dá-lo a sua mãe, dizendo que gostei muito do remédio que ela me mandou.

Encontraram o sr. Laurence sentado diante da lareira da grande sala de visitas. A atenção de Jo foi inteiramente absorvida por um belo piano.

— Você toca? — perguntou voltando-se para Laurie com expressão curiosa.

— Um pouco — respondeu com modéstia.

— Pois toque alguma coisa agora, por favor; preciso ouvi-lo para contar à Beth.

— E por que não toca você primeiro?

— Não sei, apesar de gostar muito de música.

E Laurie tocou para Jo. Seu respeito e sua atenção pelo jovem Laurence haviam aumentado de modo extraordinário, pois ele tocava muito bem. Desejaria que Beth o ouvisse, mas nada disse; somente o elogiou a ponto de ele se sentir envergonhado, tendo que vir o avô em seu socorro:

— Chega, chega, menina: elogios em excesso não lhe fazem bem. Não toca mal, mas tenho fé em que se esforçará para aperfeiçoar-se em coisas mais importantes. Já vai? Bem, fico-lhe muito grato e espero que volte. Meus respeitos a sua mamãe; tenha uma boa noite, doutora Jo! Apertou-lhe a mão, mas parecia que alguma coisa lhe desagradara. Ao chegarem ao corredor, Jo perguntou a Laurie se ela havia dito alguma inconveniência; Laurie, porém, abanou a cabeça.

— Não; foi comigo; ele não gosta de me ouvir tocar.

— Por quê?
— Eu te conto um dia. Brooke irá levá-la, pois eu não posso.
— Não é necessário. Cuide-se, ouviu?
— Sim, mas você volta, não é? Posso esperar?
— Se prometer vir nos visitar logo que sare.
— Prometo.
— Boa noite, Laurie!
— Boa noite, Jo!

Após a narração de todas as últimas aventuras com Laurie, a família sentia-se inclinada a visitá-los, pois cada qual achava alguma coisa interessante na mansão. A sra. March esperava conversar sobre o pai com o velho que não o esquecera; Meg gostaria de passear na estufa; Beth suspirava pelo grande piano; e Amy estava ansiosa por ver os lindos quadros e estátuas.

— Mamãe, por que será que o sr. Laurence não gosta de que Laurie toque? — perguntou Jo.

— Não sei bem, mas penso que é porque o filho, o pai de Laurie, se casou com uma senhora italiana, musicista, o que desgostou o velho que era muito orgulhoso. A moça era bondosa, simpática e educada, porém ele não gostava dela, e jamais viu o filho após o casamento. Faleceram ambos quando Laurie era ainda pequeno, e o avô levou-o para casa. Julgo que o rapaz, que nasceu na Itália, não é muito saudável e o velho receia perdê-lo, o que o torna cuidadoso. Laurie herdou naturalmente o amor pela música, e eu acredito que o avô teme que ele venha a ser músico; de qualquer forma, aquele piano recorda-lhe a nora de quem não gostava, e por isso ficou aborrecido.

— Parece uma aventura romanesca! — exclamou Meg.

— Como é tolo! — emendou Jo. — Deixe o moço ser músico, se ele o quiser, e não lhe sacrifique o futuro, mandando-o para um colégio, se tal coisa o aborrecer.

— Com certeza é por isso que ele tem uns olhos negros tão lindos e elegantes maneiras; os italianos são sempre bonitos — disse Meg.

— Que sabe você sobre seus olhos e maneiras? Nunca falou, sequer, com ele — replicou Jo.

— Eu o vi no baile, e pelo que você diz imagino quais sejam suas maneiras. Foi uma linda frase, a dele, sobre o remédio que mamãe lhe mandou.

— Creio que ele se referia ao pudim.

— Como você é tola, menina! O remédio a que se referia era você!

— Eu? — e Jo arregalou os olhos, como se tal coisa jamais lhe ocorresse.

— Nunca vi uma moça assim! Você não compreende quando estão te elogiando — disse Meg, com o ar de uma senhora experiente.

— Acho que isso tudo é absurdo, e peço-lhe que não seja tola e não estrague esse meu prazer. Laurie é um bom rapaz, gosto dele, mas não tenho ideias sentimentais sobre elogios e bobagens. Todas nós devemos ser delicadas com ele, pois não tem mãe; Laurie pode vir ver-nos não é, mamãe?

— Sim, Jo, o seu amiguinho será bem-vindo aqui; e espero que Meg se recordará de que as crianças devem ser crianças enquanto puderem ser.

— Eu não me considero uma criança, embora não tenha ainda doze anos — observou Amy. — Que acha, Beth?

— Eu estava pensando no livro "O Peregrino" — respondeu Beth, que não ouvira uma só palavra. — Dizia-me que nos livramos do Lamaçal e transpusemos o Portão, resolvendo ser boas e subimos penosamente a encosta escarpada. Talvez essa casa da colina, cheia de coisas esplêndidas, venha a ser nosso Castelo Maravilhoso.

— Teremos, porém, primeiro de passar por leões — disse Jo.

Beth cantou muito naquela noite, chegou a acordar Amy, de noite, tocando piano.

CAPÍTULO 6
BETH NO CASTELO MARAVILHOSO

A mansão era realmente um Castelo Maravilhoso. O velho sr. Laurence parecia um leão; mas depois de alguns gracejos e palavras atenciosas ditas a cada uma das moças, e de compartilhar algumas recordações dos antigos tempos com a mãe, ninguém mais o temia, exceto a tímida Beth. O outro leão era o fato de serem pobres e Laurie rico, pois era complicado receber favores que não podiam retribuir. Após algum tempo, contudo, elas compreenderam que o velho as considerava como benfeitoras, não sabendo como demonstrar sua gratidão pela bondade da sra. March, pela companhia jovial e conforto que encontrava naquela humilde casa; por isso, esqueceram-se logo de seu orgulho, trocando gentilezas sem se deter a pensar em quais eram as maiores.

A nova amizade florescia como grama na primavera. Todas gostavam de Laurie e este, falava ao preceptor que "as March eram meninas encantadoras". As meninas, entusiasmadas, acolheram o jovem solitário.

Não havendo convivido com a mãe, estava feliz em sentir a influência de mulheres em sua vida; e a vida diligente e atarefada que levavam, vexava-o de sua própria ociosidade. Sentia-se farto de livros e achava o mundo mais interessante, e o sr. Brooke era obrigado a fazer relatórios desfavoráveis a seu respeito, pois Laurie estava sempre faltando às aulas e fugindo para a casa dos March.

— Não faz mal, dê-lhe um feriado, e procure recuperar depois o tempo perdido — dizia o velho ao ter conhecimento dessas fugas. — A menina da casa vizinha diz que ele está estudando demais e precisa de companhia e divertimentos. Acredito que ela tem razão e que o trago preso demais. Deixem-no fazer o que lhe convém; nada lhe pode suceder de mal naquele convento, e a sra. March está fazendo por ele mais do que, a nós, seria possível.

    Na verdade, que dias felizes tiveram! Jogos, passeios de trenó e proezas de patinação, serões divertidos na sala dos March e, reuniões prazerosas na mansão dos Laurence. Meg podia passear quanto quisesse na estufa, extasiando-se com as flores; Jo frequentava a biblioteca, surpreendendo o velho com suas críticas; Amy copiava os quadros e deliciava-se com a beleza de tudo, sentindo-se plenamente feliz; e Laurie, do modo mais encantador, assumia o papel de senhor do feudo. Beth, porém, ansiosa pelo grande piano, não conseguia criar coragem para ir à "casa da bem-aventurança", como a chamava Meg. Fora uma vez com Jo, porém os olhos do velho, que não conhecia a paixão, encararam-na tão fixamente sob suas espessas sobrancelhas, pronunciando um "hein!" tão alto, que a assustou a ponto de estremecer os pés no assoalho, conforme disse à mãe; e ela fugiu, declarando que nunca mais voltaria àquela casa, nem mesmo por causa do piano. Beth não superou o temor, até que, por algum meio desconhecido, o fato chegou aos ouvidos do sr. Laurence, o qual procurou reparar o mal. Durante uma de suas breves visitas conduziu a conversa para a música, falou sobre grandes compositores, contou anedotas tão interessantes, que Beth achou impossível se encender no seu cantinho; foi-se aproximando mais e mais, fascinada. E parou atrás da cadeira do velho, para escutar, com os grandes olhos bem abertos e com as faces coradas pelo interesse que sentia. Não lhe dando muita atenção, o sr. Laurence referiu-se às lições e aos mestres de Laurie; como se na ocasião lhe houvesse ocorrido essa ideia, disse à sra. March:

    — O rapaz anda esquecendo da música, o que me alegra, pois estava se apaixonando muito por ela. O piano, porém, ressente-se da falta de uso; nenhuma de suas meninas gostaria de ir lá estudar, ocasionalmente, para afiná-lo?

    Beth deu um passo à frente, apertando as mãos com violência para não bater palmas, tão irresistível era a tentação; e o pensamento de estudar naquele magnífico piano prendia-lhe a respiração. Antes que a sra. March respondesse, o sr. Laurence disse, com um aceno e um sorriso:

    — Elas não verão nem falarão com ninguém, podendo entrar na sala a qualquer hora, pois costumo trancar-me em meu escritório, na outra ala. Laurie passa fora de casa muito tempo, e os criados nunca estão por perto da sala depois das nove horas — e levantou-se para se retirar, enquanto Beth fazia menção de falar, pois daquele modo, a proposta era irrecusável. — Queira transmitir às meninas o que eu disse, mas se elas não quiserem ir estudar, não faz mal. Uma pequena mão puxou-o, e Beth fitou-o com um olhar cheio de gratidão dizendo numa voz tímida:

    — Oh, senhor Laurence! Elas desejam muito, muitíssimo.

    — Ah, você é a pianista? — perguntou ele, sem nenhum "hein" assustador e com ar sereno.

— Chamo-me Beth; sou louca por piano e irei estudar, se o senhor me garantir que ninguém ouvirá... para não ficarem entediados — disse ela, receando ser incoveniente.

— Ninguém, cara menina! A casa fica vazia durante metade do dia.

— Como o senhor é bondoso!

Beth corou como uma rosa ante seu olhar afetuoso e não se sentiu mais temerosa; apertou a mão do velho, por não ter palavras para lhe agradecer o grande prazer que lhe dera. O velho acariciou com meiguice os cabelos da menina e, curvando-se, beijou-a, dizendo-lhe num tom que poucas pessoas ouviram:

— Tive também uma filhinha com uns olhos como estes. Deus a abençoe, querida menina! Adeus, minha senhora! — e retirou-se.

Ficando a sós com a mãe, Beth pôde comemorar à vontade; e, como as irmãs não estavam em casa, subiu correndo a escada, para participar a gloriosa notícia à sua família de inválidos. Cantou muito naquela noite, chegou a acordar Amy, de noite, tocando piano, em sonhos, no rosto da irmã.

No dia seguinte, quando o velho e o moço saíram, Beth, após duas ou três tentativas, passou suavemente pela porta lateral, fazendo o percurso tão sem ruído como se fosse uma mosca, até a sala de visitas onde estava o piano. Por acaso jaziam no piano algumas composições lindas e fáceis, e, com os dedos trêmulos e paradas frequentes para ver se via ou ouvia alguém, Beth afinal pôs-se a tocar de tudo o que é música. Tocou até que Hannah fosse chamá-la para jantar; ela, porém, não sentia fome; pôde unicamente sentar-se e sorrir para todas, num estado de absoluta alegria.

Depois disso, o vulto de cabelos pretos esgueirava-se através da sebe quase todos os dias, e a sala era visitada por um espírito gracioso que entrava e saía sem ser visto. Jamais soube que, muitas vezes, o sr. Laurence abria a porta de seu gabinete para ouvir as árias antigas de que gostava; jamais soube que Laurie afastava os criados, nunca suspeitou que os métodos e músicas novas que achava na estante eram colocados ali exclusivamente para ela; e quando, em sua casa, o velho conversava com ela sobre música, Beth pensava somente na sua bondade, que o fazia dizer coisas que a auxiliavam tanto. Assim, ela se divertia, achando, o que não acontece sempre, que se realizara completamente seu desejo.

— Mamãe, vou fazer para o sr. Laurence um par de pantufas. Ele é tão bom para mim que preciso mostrar-me grata e não tenho outro meio de fazê-lo. Posso? — perguntou Beth.

— Pode, meu bem; isso lhe agradará muito, e será um bom meio de lhe agradecer. As meninas a ajudarão e depois eu mandarei completar o trabalho — respondeu a sra. March que tinha particular prazer em satisfazer aos pedidos de Beth, que raras vezes pedia alguma coisa. Depois de algumas discussões sérias com Meg e Jo, escolheram um modelo, compraram o material, iniciando a feitura das pantufas. Acharam adequado e bonito um ramo de amores-perfeitos, desenho sério e, apesar disso, muito bonito, sobre um fundo de cor purpúrea. Beth trabalhava cedo e de tarde, com o auxílio ocasional das irmãs nas partes mais difíceis. Era uma ágil bordadeira, e terminou o trabalho antes de sentir-se fatigada. Escreveu então um cartãozinho simples, com poucas palavras e, com a ajuda de Laurie, pôs as pantufas na mesa do gabinete, durante a manhã, antes que o velho se levantasse.

Conseguido isto, Beth esperou para ver o que sucederia. Passou aquele dia e parte do seguinte sem que tivesse a menor notícia do caso, e ela começava a recear que o sr. Laurence tivesse ficado ofendido. Na tarde do segundo dia, ela saiu com uma incumbência da mãe, aproveitando ao mesmo tempo o ensejo para levar Joana, uma boneca aleijada para passear. Quando subia a rua, de volta, viu três... não, quatro cabeças aparecendo e desaparecendo nas janelas da sala; assim que a viram perto, várias mãos agitaram-se e diversas vozes alegres exclamaram:

— Aqui está uma carta do velho; vem depressa lê-la.

— Oh, Beth! Ele mandou para você... — disse Amy, gesticulando exageradamente; porém, nada mais pôde dizer, pois as outras a puxaram, fechando a janela.

Beth precipitou-se, curiosa, para a porta; as irmãs agarraram-na, conduzindo-a à sala, todas apontando e gritando ao mesmo tempo:

— Está aqui! — Beth olhou, e empalideceu de surpresa, pois no centro da sala viu um piano pequeno, com uma carta sobre a tampa, endereçada à "Senhorita Elizabeth March".

— Para mim? — perguntou Beth cambaleando, encostando-se em Jo, sentindo como que uma vertigem, pela acumulação de tantas emoções.

— Tudo para você, minha irmã! Não foi uma ato maravilhoso? Não acha que ele é o melhor velho do mundo? Aqui está a chave, na carta; não a abrimos, mas estamos ansiosas por saber o que ele diz — exclamou Jo, abraçando a irmã e apresentando-lhe a carta.

— Eu não consigo ler. Oh, como é bonito! — e Beth escondeu o rosto no avental de Jo, completamente aturdida pelo presente.

Jo abriu a carta e começou logo a rir, pois as primeiras palavras que vira foram estas:

"Srta. March:

Minha prezada jovem."

— Como soa bem! Eu queria que alguém me escrevesse assim! — disse Amy, que julgava muito elegante o estilo à moda antiga.

"Tive várias pantufas durante a minha vida, mas nunca me serviram tão bem como as que me enviou — continuou Jo — O amor-perfeito é minha flor favorita e o bordado fará eu me recordar eternamente da gentil ofertante. Gosto de pagar minhas dívidas, e assim sei que permitirá ao "velho" enviar-lhe uma coisa que pertenceu à netinha que ele perdeu. Com cordiais agradecimentos e os melhores votos, sou, seu grato amigo e humilde servo James Laurence."

— Beth, é uma honra da qual você deve ficar orgulhosa! Laurie contou-me como o sr. Laurence gostava da criança que morreu e a maneira carinhosa com que guarda os seus pequeninos objetos. E proveio de você ter grandes olhos azuis e pendor para a música — disse Jo, procurando tranquilizar Beth que tremia, parecendo ainda mais assustada do que antes.

— Veja os lindos castiçais e o belo pano de seda verde, com uma rosa dourada no centro e a estante e o mocho... Tudo completo — disse Meg. E, abrindo a tampa, mostrou as belezas do teclado.

— "Seu humilde servo, James Laurence"; pense somente que ele escreveu isto! — disse Amy, muito impressionada pela carta.

— Experimente-o, meu anjo; deixe-nos ouvir o som do pianinho — disse Hannah, que não deixava de compartilhar das alegrias e tristezas da família.

E Beth experimentou-o, sendo todas de opinião que era o melhor piano que já tinham ouvido. Evidentemente, havia sido afinado e completamente reformado; embora perfeito, seu maior encanto era dar alegria a quem tocava e ouvia, quando Beth adoravelmente premia as lindas teclas pretas e brancas e apertava os pedais brilhantes.

— Você precisa ir agradecer — disse Jo.

— Sim é preciso; e acho que devo ir agora, antes de sentir medo ao pensar nisso. — E, com grande admiração da família, Beth saiu para o jardim, atravessou a sebe e entrou na porta da mansão dos Laurence.

— Que eu morra neste momento se já assisti a um fato mais original que este! O pianinho virou a cabeça dela; ela nunca teria ido, em seu juízo perfeito! — exclamava Hannah, olhando-a assombrada ir, ao passo que o fato deixava as moças sem voz.

E ainda ficariam mais espantadas depois. Ela bateu à porta do gabinete, antes de ter tempo de refletir. E ouviu uma voz ríspida ordenar: "entre!" Entrou, dirigiu-se ao sr. Laurence, que parecia surpreso, e pegou-lhe na mão, dizendo com uma voz estremecida:

— Vim agradecer-lhe, senhor Laurence, porque... — mas não pôde continuar, pois a expressão dele era tão bondosa que ela esqueceu o discurso; lembrou-se apenas de que perdera a netinha que amava... Em espontâneo impulso pôs os braços em volta do pescoço dele e o beijou.

Se o teto da casa desabasse, o velho não se sentiria mais atônito; gostou do seu impulso — seu impulso, e ficou tão comovido e satisfeito com aquele beijo, que todo o sua austeridade desapareceu; sentou-a nos joelhos, encostando o rosto na rosada face de Beth, com a ilusão de ter recuperado a netinha. Desde aquele instante, Beth não teve mais medo dele e ali ficou tagarelando com ele tão familiarmente como se o conhecesse toda a sua vida, pois o amor desarma o receio, e a gratidão pode dominar o orgulho.

Quando ela se retirou, o velho levou-a até o portão da casa dos March, apertou-lhe a mão, e tirou o chapéu ao voltar, como um garboso e nobre senhor que era.

Ao verem as moças esse espetáculo, Jo começou a dançar uma giga, exprimindo assim sua satisfação; Amy, quase caiu da janela, tal a surpresa, e Meg exclamou, de mãos erguidas:

— É o fim do mundo!

CAPÍTULO 7
AMY NO VALE DA HUMILHAÇÃO

— Aquele rapaz é um perfeito ciclope, não acha? — disse Amy um dia, quando Laurie, a cavalo, passava por elas estalando o chicote no ar.

— Como ousa dizer isso, ele possui dois olhos? E muito bonitos, aliás — replicou Jo, que se ressentia com a mais leve censura feita ao seu amigo.

— Eu não queria falar dos olhos e não sei por que se irritou, quando me referia ao seu modo de montar!

— Oh, meu Deus! Essa maluquinha queria dizer um centauro, e chamou ele de ciclope! — exclamou Jo, rindo às gargalhadas.

— Não seja tão grosseira; foi um pequeno "lapso de linguagem", como diz o sr. Davis — replicou Amy, pondo ponto-final aos comentários de Jo. — Desejaria ter um pouco do dinheiro que Laurie gasta com aquele cavalo — acrescentou, como falando consigo, embora disse ele modo que as irmãs ouvissem.

— Para quê? — perguntou Meg, pois Jo havia dado outra gargalhada com o novo despropósito de Amy.

— Preciso muito de dinheiro, acho-me endividada.

— Endividada, Amy? Que quer dizer? — e Meg tornou-se séria.

— Sim, devo uma dúzia de doce de lima e não posso pagar enquanto não tiver dinheiro, pois mamãe me proibiu de fazer conta na loja.

— Conte-me essa história. O doce de lima está na moda agora. — Meg procurava conter o riso, vendo a seriedade de Amy. — Ele parece feito de bolas de borracha rasgadas.

— Sim, as meninas estão sempre comprando e, a menos que você queira ser chamada de sovina, precisa comprar também e oferecer às amigas. Todas gostam de comê-lo nas carteiras, nas horas de aula, trocam-no por lápis, anéis de vidro, bonecas de papel e tudo o mais. Se uma menina gosta de outra, dá-lhe um doce de lima; se "está de mal", vai comer um doce de lima na sua cara, sem lhe oferecer sequer um pedacinho. As ofertas são recíprocas; e eu já tive muitas, mas não pude ainda retribuí-las, pois sabe que isso é uma dívida de honra.

— Quanto precisa para pagar, restaurando assim o seu crédito? — perguntou Meg, pegando a bolsa.

— É suficiente um quarto de dólar e mais alguns centésimos para sobrar alguns para você. Não gosta de doce de limas?

— Muito pouco; pode ficar com a minha parte. Aqui está o dinheiro; poupe o mais possível, porque bem sabe que não somos ricas.

— Oh, muito obrigada! Fico satisfeita com isso. Vou ter um banquete, pois não provei um doce de lima esta semana. Sentia-me vexada de aceitar os que me davam, embora o desejasse, por não poder pagar na mesma moeda.

No dia seguinte, Amy chegou um pouco tarde à escola; mas não pôde resistir à tentação de ostentar um embrulho úmido de papel pardo, antes de o colocar no lugar mais escondido da sua carteira. Daí a minutos circulou por toda a classe o boato de que Amy March trouxera vinte e quatro deliciosos doces de lima, e ia distribuí-los; as bajulações das amigas chegaram a ser comoventes; Katy Brown convidou-a para a próxima partida de malha; Mary Kingsley fez questão de lhe emprestar o relógio, até o recreio; e Jenny Snow, uma menina que havia caçoado de Amy pela sua pobreza dos doces de lima, resolveu prontamente voltar às boas, oferecendo-se para fazer para ela algumas lições difíceis. Amy, porém, não se esquecera das ofensas da senhorinha Snow sobre "algumas pessoas cujos narizes, apesar de chatos, cheirava as limas dos outros" e sobre "os que não tinham vergonha de pedir", e, por isso, acabou com todas as esperanças da tal Snow com este recado incisivo:

— Não precisa tornar-se delicada repentinamente, pois não ganhará nenhum doce.

Aconteceu que uma pessoa importante foi visitar a escola naquela manhã, e belos trabalhos cartográficos de Amy receberam muitos elogios. Estes deixaram a senhorinha Snow irritada. No entanto, o orgulho de Amy logo foi humilhado, pois a vingativa Snow conseguiu mudar a situação com uma calamitosa vitória. Assim que o visitante, após os costumados cumprimentos se retirou, Jenny Snow, sob o pretexto de fazer uma pergunta importante, informou ao mestre, o sr. Davis que Amy March tinha doce de lima na carteira. Ora, o sr. Davis declarara que os doces eram proibidos na aula, tendo jurado solenemente aplicar um castigo na primeira pessoa que infringisse essa proibição. Aquele homem rigoroso, depois de uma acirrada campanha, banira das aulas o hábito de mascar goma, fizera uma fogueira de romances e jornais confiscados, havia suprimido o correio secreto, proibira as caretas, os apelidos, as caricaturas. Fizera tudo, enfim, que se possa empreender para disciplinar as meninas rebeldes. Os rapazes cansam a paciência, mas as meninas, infinitamente mais, com especialidade a dos homens nervosos, de temperamento tirânico e sem maior talento para ensinar como o sr. Davis. Este sabia grego, latim, álgebra e todas as ciências terminadas em logia, era considerado um grande mestre; não considerava, porém, de grande importância os modos, os costumes, os sentimentos e os exemplos. E aquele momento fora o melhor para denunciar Amy, e Jenny Snow sabia disso. O sr. Davis havia tomado um café muito forte pela manhã; soprava também um ventinho leste, que lhe dava nevralgia, e as alunas não lhe mostravam a consideração que ele julgava merecer; para empregar a linguagem expressiva, embora deselegante, das alunas, "estava tão frenético como uma bruxa e tão furioso como um urso". A palavra "limas" foi o mesmo que fogo num rastilho de pólvora; o rosto amarelado tornou-se vermelho e ele deu um soco na mesa que Jenny seguiu para o seu lugar rapidamente.

— Meninas, atenção, façam favor!

A esta severa ordem, o burburinho cessou e cinquenta pares de olhos, pretos, pardos, castanhos, olharam para aquele rosto terrível.

— Srta. March, venha aqui.

Amy ia levantar para obedecer; um receio, porém, a oprimia, pois os doces pesavam na consciência.

— Traga os doces de lima que estão na sua carteira — e esta ordem inesperada a paralisou um momento antes de levantar-se.

— Não leve todos, — sussurrou a vizinha, uma menina de grande presença de espírito.

Amy separou meia dúzia, e levou os restantes ao sr. Davis, achando que qualquer homem com um coração humano se enterneceria, ao sentir aquele delicioso perfume. Por infelicidade, o sr. Davis detestava o cheiro cítrico, o que o tornou mais irritado ainda.

— Estão todos?

— Não, senhor — respondeu Amy.

— Traga o resto, imediatamente.

Ela obedeceu, lançando um olhar de desespero ao seu sortimento de doces.

— Tem certeza de não haver mais algum?

— Não costumo mentir, sr. Davis.

— É o que noto. Agora pegue nessas coisas enjoativas e atire-as, duas a duas, pela janela.

Ouviu-se um suspiro simultâneo, ao perderem a esperança daquele doce regalo; e a guloseima foi arrancada das boquinhas gulosas. Vermelha de raiva e de vergonha, Amy executou os doze gestos mortais – tão gostosos! – que, quando caía de suas mãos de suas mãos trêmulas, vinha da rua um som que lhe fez ficar transtornada, pois disseram que o seu banquete estava sendo aproveitado por um bando de pequeninos irlandeses, seus inimigos implacáveis. Isto era demais!

Todas as meninas lançaram olhares indignados para o inexorável Davis, tendo mesmo provocado choro em uma delas, adoradora apaixonada de limas. Ao voltar Amy da última ida à janela o sr. Davis emitiu um majestoso "Hum!" e disse do modo mais impressionante possível:

— Meninas, lembrem-se do que eu disse há uma semana. Sinto que isto tenha sucedido; mas não permito que se infrinjam as regras, pois faltaria à minha palavra. Srta. March, estenda a mão.

Amy estremeceu, colocando as mãos atrás das costas, e lançou um olhar de súplica que tinha mais significado do que as palavras que não conseguia pronunciar. Ela fora a aluna favorita do "velho Davis", nome pelo qual era conhecido, e acredito que ele haveria faltado à sua palavra, se a menina, na sua indignação de aluna irrepreensível, não tivesse dado um estalido de propósito. Aquele estalido o irritara, contudo, o irascível homem, decidindo o destino da culpada.

— Sua mão, srta. March! — resposta que houve ao seu mudo apelo. Muito orgulhosa para gritar ou implorar misericórdia, Amy cerrou os dentes, levantou a cabeça e suportou vários golpes estalados na pequenina palma. Não foram muitos nem muito fortes, mas para ela era o mesmo. Pela primeira vez em sua vida fora castigada; e a desonra era tão profunda a seus olhos, como se ele lhe tivesse batido até fazê-la cair.

— Agora, ficará na plataforma até a saída — disse o sr. Davis, resolvido a completar a obra, já que a começara.

Isso era horrível. Teria sido suficiente ir para o seu lugar, vendo os rostos compassivos das amigas, ou os rostos satisfeitos de suas poucas inimigas; ficar, porém, de frente para a classe inteira, após a vergonha recente, parecia-lhe intolerável e por um segundo sentiu que iria deixar-se cair ao chão, em lágrimas. Todavia, um amargo sentimento de culpa e a lembrança de Jenny Snow ajudaram-na a suportar o novo castigo; e, indo para o lugar de ignomínia, fixou os olhos em cima, na chaminé da lareira, o que parecia como um mar de rostos com os olhares fixos nela, e ali ficou tão pálida e imóvel, que as meninas acharam difícil estudar com aquela triste figura diante dos olhos.

Durante os cinquenta minutos que se seguiram, a orgulhosa e sensível menina sofreu uma vergonha que jamais esqueceu. Para outros, seria trivial, mas para ela significou uma dura provação; nos doze anos de sua vida, fora governada pela afeição, sem receber um castigo corporal como aquele. A dor da mão e a dor da alma eram sufocadas pela dor muito mais pungente desta reflexão:

— Terei de contar tudo em casa e vão ficar chateadas comigo!

Os cinquenta minutos pareceram-lhe uma hora; chegaram ao fim, no entanto, e a palavra "recreio" nunca lhe soou tão agradavelmente como daquela vez.

— Pode sair, srta. March — disse o sr. Davis, que parecia constrangido.

Por muito tempo ele não pôde esquecer o olhar que Amy lhe lançou ao sair, sem uma palavra, para a antessala, onde pegou seus objetos a fim de retirar-se "para sempre", conforme declarou firmemente a si própria. Em triste estado entrou em casa; e quando as irmãs mais velhas chegaram, algum tempo depois, mostraram-se indignadas. A sra. March nada dizia, mas parecia contrariada, confortando a filhinha, do modo mais terno possível. Meg banhava a mãozinha inchada com glicerina e com lágrimas; Beth achava que nem os seus queridos gatinhos poderiam servir de consolo; e Jo, propunha a prisão imediata do sr. Davis, enquanto Hannah acenava de mão fechada para o "bandido" e esmagava as batatas para o jantar pensando que eram o sr. Davis.

Ninguém notou a fuga de Amy, exceto suas companheiras; mas as meninas espertas observaram que o sr. Davis esteve mais benevolente e menos nervoso durante a tarde. Pouco antes de acabar a aula, apareceu Jo, com uma expressão terrível, e dirigiu-se à mesa para entregar uma carta de sua mãe; recolheu todos os objetos de Amy e saiu, esfregando fortemente os pés no capacho da porta para limpá-los de toda a poeira daquele lugar.

— Sim, você vai ter umas férias escolares, mas é preciso que estude um pouco, todos os dias, com Beth — disse a sra. March — Não concordo com os castigos corporais, nem aprovo o método de ensino do sr. Davis, nem acho útil a convivência com essas alunas dessa escola, por isso pedirei a opinião de seu pai antes de mandá-la para outra escola.

— Ótimo! Queria que todas as meninas saíssem daquela velha escola. Fico quase louca ao pensar nas limas — suspirou Amy com ares de mártir.

— Não me importa que você as tenha perdido, pois infringiu a proibição e merecia um castigo pela desobediência. — Isso a desapontou, pois esperava palavras confortadoras.

— Quer dizer que ficou satisfeita por eu ter sido humilhada perante toda a classe? — indagou Amy.

— Eu não escolheria essa maneira de corrigir uma falta — replicou a mãe; — não sei, porém, se isso seria melhor que uma correção mais branda; você está se tornando muito vaidosa, minha filha, e é tempo de corrigir. São muitos os seus dotes e virtudes, mas não há necessidade de ostentá-los, pois a vaidade destrói as mais belas índoles. Não existe perigo de que o verdadeiro talento ou a verdadeira bondade sejam esquecidos; mesmo que sim, a consciência de possuí-los seria suficiente, pois a modéstia é o que confere algum predicado ao seu maior encanto.

— Tem razão — exclamou Laurie que jogava xadrez com Jo. — Conheci uma moça que possuía verdadeiro talento musical e não sabia, nem calculava como eram lindas as pequeninas músicas que compunha quando estava só e nem mesmo teria acreditado se alguém lhe dissesse.

— Gostaria de conhecer essa bela moça; talvez me auxiliasse; sou limitada para aprender — disse Beth, que, ao lado do rapaz, ouvia com atenção suas palavras.

— Você conhece, e ela a auxilia mais que qualquer outra pessoa poderia fazer — respondeu Laurie, fitando-lhe com olhar tão significativo com seus joviais olhos negros, que Beth se tornou subitamente corada e escondeu o rosto na almofada do sofá, toda confusa pela inesperada descoberta.

Jo deixou que Laurie ganhasse a partida, retribuindo aquele elogio à sua Beth, a qual não conseguiam persuadir a tocar para todos ouvirem após tal cumprimento. Por isso Laurie fez o que pôde para agradar-lhes, cantando com disposição o mais jovial possível, pois raras vezes manifestava às March o aspecto melancólico do seu caráter. Quando ele saiu, Amy que estivera pensativa todo o tempo, disse subitamente:

— Laurie é um moço educado, não?

— Sim; tem uma excelente educação e muito talento; será um distinto cavalheiro, se não for muito mimado — respondeu a mãe.

— E não é orgulhoso? — perguntou Amy.

— De modo algum; eis porque é tão simpático, e porque gostamos tanto dele.

— Assim o vejo; é bonito ter talento e ser elegante, sem o demonstrar ou vangloriar-se disso — comentou Amy.

— Tais predicados são sempre observados e sentidos nas maneiras e conversas de uma pessoa, quando associados à modéstia; não é necessário, porém, exibi-los — observou a sra. March.

— Exibi-los seria o mesmo que você usar todos os seus chapéus, vestidos e enfeites de uma só vez, para os outros verem que os possui — acrescentou Jo; e a noite terminou com boas gargalhadas.

CAPÍTULO 8
JO E APOLLYON, O ESPÍRITO DO MAL

— Aonde vão vocês? — perguntou Amy ao entrar no quarto no sábado à tarde, encontrando as irmãs mais velhas se arrumando para sair, tudo em segredo que excitou a sua curiosidade.

— As crianças não devem fazer perguntas — replicou Jo.

Se existe algo mortificante quando somos crianças é ouvir isso. Amy ficou intrigada e resolveu descobrir qual era o segredo. Voltando-se para Meg, que jamais lhe recusara alguma coisa, disse:

— Conte o que é! Você não terá a coragem de me deixar aqui. Beth está brincando com as suas bonecas e eu não tenho nada para fazer. Estou tão sozinha!

— Não é possível, queridinha, pois você não foi convidada — adiantou Meg; Jo, porém, interrompeu-a:

— Ora, Meg, cale-se, senão vai estragar tudo. Você não pode ir, Amy; e não comece a choramingar como um bebê.

— Vocês vão com Laurie a algum lugar, eu sei; vi vocês cochichando e rindo, todos os três, no sofá ontem à noite, e pararam quando eu cheguei.

— Vamos, sim; agora, fique quieta e pare de nos aborrecer.

Amy ficou em silêncio, mas observou que Meg colocou um leque no bolso.

— Já sei! Vão ao teatro assistir ao "Sete Castelos"! — exclamou ela; e acrescentou:

— E eu irei, mamãe disse que eu podia ir; tenho dinheiro para a entrada, por isso não é educado não me convidarem.

— Escute-me um instante e seja uma boa menina — disse Meg. — Mamãe não quer que você vá esta semana, porque seus olhos ainda não estão completamente bons para suportar a luz dessa peça. Na outra semana, você irá com Beth e Hannah.

— Prefiro ir com vocês e Laurie. Deixe-me, por favor; tenho estado trancada com este resfriado há tanto tempo. Deixe, Meg! Eu serei boazinha — insistia Amy, do modo mais patético que lhe era possível.

— E se nós a levarmos? Creio que mamãe não se incomodaria se a agasalhássemos bem — começou Meg.

— Pois se ela for, eu não vou! E se eu não for, Laurie não ficará satisfeito; ele ficará bem aborrecido, se levarmos Amy conosco. Sabia que ela ia aborrecer-nos, metendo-se onde não é chamada — disse Jo, mal-humorada, pois quando queria se divertir, não gostava de vigiar meninas travessas.

Seu modo e seu tom de voz exasperavam Amy que começou a calçar os sapatos dizendo do modo mais irritante:

— Pois eu irei; Meg diz que posso ir; e desde que eu pague minha entrada, Laurie nada tem que ver com isso.

— Você não pode ficar junto de nós, pois os nossos lugares são reservados e não pode sentar sozinha; Laurie terá de ceder o seu lugar e isso acabará com nosso prazer; ou então ele terá que comprar outra cadeira para você e isso não fica bem, pois não foi convidada; você não deve ir — disse Jo mais zangada ainda.

Sentada no chão, só com um dos pés calçado, Amy começou a chorar e Meg procurava convencê-la, quando Laurie as chamou. E as duas saíram às pressas, deixando a irmã em prantos, pois, muitas vezes, ela se esquecia de seus modos educados e procedia como uma criança birrenta.

Quando os três iam sair, Amy foi até o patamar de onde exclamou num tom ameaçador:

— Você vai ver comigo, Jo March! Vai ver.

— Tolice! — replicou Jo, puxando a porta, com força.

Divertiram-se muito, pois o "Sete Castelos do Lago dos Diamantes" era uma peça maravilhosa. Mas, a despeito dos divertidos diabinhos vermelhos, das fadas cintilantes e dos príncipes e princesas luxuosamente vestidos, o prazer de Jo continha uma gotinha de fel; as lindas rainhas de cachos dourados recordavam Amy; e, nos intervalos, ficava pensando no que queria dizer com aquele "Vai ver comigo!" Ela e Amy já tiveram muitas briguinhas, pois ambas eram de temperamento arrebatado. Amy atormentava Jo, e Jo irritava Amy, ocorrendo desavenças, das quais ambas depois se envergonhavam. Sendo mais velha, Jo tinha menos domínio sobre si própria, sentindo grande dificuldade em refrear o temperamento impetuoso, o que sempre lhe causava desgostos. Suas raivas, não perduravam muito tempo e, depois de confessar humildemente a falta, arrependia-se com sinceridade, procurando tornar-se melhor.

As irmãs costumavam dizer que gostavam de enfurecer Jo, pois ela se tornava depois um anjo. E a pobre Jo procurava desesperadamente tornar-se boa, mas seu inimigo interior estava sempre inflamando, anulando as boas intenções e foram precisos anos de pacientes esforços para conseguir subjugá-lo.

Ao regressarem a casa, encontraram Amy lendo na sala; ela mostrava um ar de ressentimento quando as viu; não levantou os olhos do livro nem fez perguntas. Talvez a curiosidade excedesse o ressentimento, se Beth não estivesse ali para perguntar pela peça e ouvir uma entusiasmada descrição.

Subindo, com a finalidade de tirar o chapéu, o melhor que tinha, o primeiro olhar dede Jo foi para a cômoda, pois, na sua recente raiva, Amy desabafara-se puxando a gaveta de Jo e atirando-a no assoalho. Tudo estava em seu lugar porém, e, após uma rápida vista de olhos nas suas caixinhas e bolsas, Jo chegou à conclusão de que Amy havia esquecido e perdoado a sua má ação.

Estava, no entanto, muito enganada, porque no dia seguinte fez uma descoberta que originou uma tempestade. Meg, Beth e Amy estavam sentadas juntas, à tardinha, quando Jo entrou de supetão na sala, muito exaltada, perguntando, quase sem poder falar:

— Alguma de vocês pegou o livro de contos que eu estava escrevendo?

Meg e Beth responderam juntas negativamente, parecendo surpresas; Amy atiçava o fogo e nada disse. Jo viu a vermelhidão do seu rosto e aproximou-se dela no mesmo instante.

— Você escondeu, Amy?

— Eu, não!

— Sabe então onde ele está?

— Não!

— Mentirosa! — gritou Jo, pegando-a pelos ombros e fitando-a com um aspecto feroz capaz de amedrontar qualquer criança.

— Não o tirei, nem me importa saber onde está.

— Você sabe alguma coisa e é melhor dizer de uma vez — e Jo deu-lhe um leve empurrão.

— Grite quanto quiser, você nunca mais verá o livrinho de seus contos sem graça! — exclamou Amy.

— Por quê?

— Porque eu o queimei.

— Quê! Meu livro de que eu tanto gostava, que escrevia com tanto trabalho, e que eu queria terminar antes que papai chegasse. Você queimou mesmo? — indagou Jo empalidecendo, com os olhos relampejando e esfregando as mãos nervosamente, agarrando Amy.

— Sim, queimei! Eu avisei de que me havia de pagar a grosseria de ontem e por isso... — Amy não pôde terminar a frase, pois o gênio impulsivo de Jo apossou-se dela, e sacudiu a irmã, gritando, com dor e ódio:

— Malvada, menina malvada! Nunca mais poderei escrevê-lo de novo, e nunca lhe perdoarei.

Meg precipitou-se em socorro de Amy e Beth procurando acalmar Jo, mas esta achava-se completamente fora de si; e com um murro de despedida no ouvido da irmã atirou-se para a para o velho sofá, esperando que acabasse seu acesso de raiva.

A tempestade passou. Depois a sra. March chegou e, tomou conhecimento do caso, fez Amy compreender quão mal havia procedido para com sua irmã. O livro de Jo era o orgulho de seu coração e considerado pela família como um embrião literário que dava muitas esperanças. Era meia dúzia de pequenas histórias de fadas, porém Jo as tinha escrito com toda a paciência, dedicando ao trabalho todo o seu esforço e toda a sua alma, na esperança de fazer uma coisa digna de ser impressa. Havia passado a limpo com grande carinho, rasgando o rascunho e o fogo de Amy destruíra seu trabalho paciente de vários meses. Seria uma pequena perda para os outros; mas para Jo significava uma infelicidade terrível, pois jamais supusera que lhe fizessem tal coisa.

Beth chorava como se lhe tivessem furtado um dos gatinhos e Meg não queria tomar as dores por sua irmã predileta; e a sra. March assumira um ar grave e consternado e Amy compreendeu que nenhuma a estimaria mais, se não pedisse perdão pela ação que agora, mais que todas, lamentava ter praticado.

Quando soou a campainha para o chá, Jo apareceu com um aspecto tão feroz e inacessível, que Amy mal teve coragem para lhe dizer:

— Perdoe-me; estou triste, muito triste com o que fiz, Jo.

— Jamais poderei perdoar você — foi a resposta de Jo; e desde aquele instante não quis mais saber de Amy. Ninguém tocou novamente neste assunto, nem mesmo a sra. March, pois todas sabiam por experiência que, quando Jo estava daquele jeito, todas as palavras eram inúteis, sendo bem mais sensato esperar que algum acontecimento, ou a própria natureza bondosa da moça, acalmasse o ressentimento, cicatrizando a ferida. Não foi um serão feliz; embora cosessem como de costume, enquanto a mãe lia alto trechos de Bremer, Scott ou Edgeworth, faltava alguma coisa e a paz doméstica estava perturbada. Sentiram-no ainda mais quando chegou a hora do canto e Amy se retirou.

Por isso, Meg e a mãe cantaram sozinhas. Mas, apesar dos esforços empregados para se tornarem tão alegres como as cotovias, suas vozes não estavam harmoniosas como sempre e o coro parecia desafinado.

Ao dar o beijo de boa-noite, a sra. March falou meigamente a Jo:

— Meu bem, não deixe que o sol ao nascer a encontre com raiva; perdoem-se mutuamente, ajudem uma à outra, e comecem vida nova amanhã.

Jo teve que receber, humildemente, aquele conselho materno, prestes a chorar para aliviar a dor e a ira; as lágrimas, porém, eram uma fraqueza e ela sentia-se tão profundamente ferida que não poderia esquecer ainda. Por isso, pestanejando nervosamente, levantou a cabeça e disse:

— Foi uma ação abominável, ela não merece perdão.

E foi para o quarto deitar-se. Naquela noite não houve confidencias e tagarelices.

Amy sentia-se ofendida por ter sido rejeitada sua proposta de reconciliação e arrependida de ter sido humilhada, assumiu um ar de superioridade. Jo parecia uma nuvem carregada de eletricidade; e nada correu bem no dia seguinte. Fez um frio cortante pela manhã, ela deixou cair na sarjeta sua preciosa merenda, tia March teve um acesso de rabugice, Beth mostrou-se triste e pensativa quando voltou para casa e Amy fazia observações sobre certas pessoas que sempre falavam em tornarem-se boas e nunca se esforçavam para isso, embora fossem apontadas como modelos de perfeição.

"Todas estão tão aborrecidas que vou convidar Laurie para irmos patinar. Ele é sempre bom e jovial, por isso sua companhia me fará bem" — pensou Jo.

Amy ouviu o ruído dos patins e olhou para fora com uma exclamação impaciente:

— Sim, senhor! Prometeu-me que me levaria na próxima vez, e hoje é o último dia em que se patinará este ano.

— Não fale assim — disse Meg; — e você foi muito má, e é difícil a Jo esquecer a perda de seu precioso livrinho; penso que ela já esqueceu e que a levaria se você tivesse pedido. Vá atrás deles; não diga nada até que Jo se mostre de bom-humor com Laurie, e então a beije ou faça alguma coisa que lhe agrade, e eu estou certa de que serão novamente amigas, de todo o coração.

— Vou tentar — replicou Amy, pois o conselho lhe agradava; e, depois de se aprontar às pressas, correu atrás deles, que iam desaparecendo além da colina.

Não era distante o rio, porém estavam preparados para patinar antes que Amy os alcançasse. Jo viu Amy aproximar-se e voltou para o outro lado; Laurie não a viu, pois estava patinando com cuidado na margem, sondando a resistência do gelo, porque fizera algum calor naquele dia.

— Vou até a primeira curva do rio, e ver se tudo está direito, antes de começarmos a patinar.

Jo ouviu atrás o resfolegar de Amy e ela bater com os pés assoprando os dedos, procurando amarrar os patins, mas não se virou para vê-la e foi ziguezagueando até o rio, sentindo uma espécie de amarga satisfação com o desapontamento da irmã; havia alimentado o ódio, deixando-o crescer e apoderar-se dela, como acontece sempre com os maus pensamentos e os maus desejos, a menos que sejam eliminados de uma vez.

Ao dobrar a curva, Laurie gritou:

— Patine junto à margem; no meio está perigoso.

Jo ouviu; porém Amy, que estava às voltas com os patins, não escutou uma palavra. Jo olhou-a, pelas costas, mas o pequeno demônio que se alojara nela segredou-lhe ao ouvido:

" Pouco importa que ela ouvisse ou não; cada um cuida de si."

Laurie desaparecera na curva da margem; Jo ia segui-lo, e Amy, bem atrás, patinou para o meio do rio, onde o gelo estava menos compacto. Por um instante, Jo permaneceu silenciosa, com um estranho pressentimento; resolveu continuar a corrida, mas algo a retinha, fazendo-a virar-se justamente a tempo de ver Amy levantar os braços e cair entre um súbito ruído de gelo tendido, ouvindo a seguir o baque de um corpo na água e um grito que gelou o seu coração. Esforçou-se por chamar Laurie, mas a voz não saía; procurou ir socorrer, mas os pés não tinham forças; e, durante um segundo, ficou sem movimento, pasmada, com um terror estampado no rosto, vendo a pequenina touca azul à flor da água escura. Alguém passou velozmente por ela, enquanto ouvia a voz de Laurie:

— Traga uma madeira, depressa!

Obedecendo Laurie, daí a um instante ela esforçava-se como louca para arrancar uma madeira da cerca, e levou para Laurie que, deitado sobre o gelo, segurava Amy pelo braço. Laurie então conseguiu tirar a menina do rio.

— Agora, precisamos levá-la para casa o mais rápido possível; vista ela com os nossos agasalhos, enquanto eu tiro os patins — ordenava Laurie, enrolando o seu casaco em Amy e arrebentando as presilhas dos patins que nunca pareceram tão difíceis de desamarrar.

Carregaram Amy até a casa, e após esfregar o corpo dela para aquecê-la, ela adormeceu, enrolada em cobertores. Durante o atropelo, Jo mal falara, correndo para todos os lados, pálida e transtornada, com o vestido rasgado, as mãos dilaceradas pelo gelo, pela madeira da cerca e pelas fivelas dos patins. Quando Amy estava dormindo confortada e as meninas se acalmaram, a sra. March, sentada à beira do leito, chamou Jo para junto de si, curando as mãos feridas.

— Tem certeza que ela está salva? — sussurrou Jo, fitando cheia de remorso a loura cabecinha que podia ter desaparecido de sua vista para sempre, sob o gelo traiçoeiro.

— Completamente fora de perigo, minha filha; não se feriu e nem sequer se resfriou, foi bom vocês terem tido o cuidado de embrulhá-la e trazê-la imediatamente para casa — disse a mãe ternamente.

— Foi Laurie quem fez tudo; o que fiz foi deixá-la ir para o meio do rio. Se ela morresse, mamãe, a culpa seria minha — e Jo atirou-se na cama, derramando lágrimas de arrependimento, contando tudo o que acontecera, recriminando-se pela dureza de seu coração e chorando por ter sido poupada do terrível castigo que poderia ter recebido. — Foi o meu maldito gênio! Procuro modificá-lo, mas quando penso que o dominei, ele irrompe ainda pior. Oh, mamãe, que devo fazer?

— Faça uma oração, minha filha; não se canse nunca de tentar, nem julgue nunca impossível reparar sua falta — disse a sra. March, beijando-lhe a face úmida com tanta ternura que Jo chorou mais convulsivamente ainda.

— A senhora não sabe! Não pode calcular como é ruim o meu gênio! Parece que sou capaz de todas as loucuras, quando estou assim; torno-me feroz, sou capaz de ferir alguém e alegrar-me com isso. Tenho medo de fazer alguma ação terrível, qualquer dia, tornando-me infeliz para sempre e fazendo com que todos me odeiem. Oh, mamãe, me ajude, me ajude!

— Sim, minha filha, vou te ajudar. Não chore assim, lembre-se deste dia e tente, com toda a sinceridade, nunca mais praticar uma ação semelhante. Jo, minha querida filha, todos nós temos as nossas fraquezas, às vezes bem maiores que as suas, e não raras vezes gastamos a vida inteira para dominá-las. Você julga o seu gênio o pior do mundo, mas o meu era exatamente igual!

— O seu, mamãe? A senhora jamais se zanga! — e por um instante Jo, surpresa, esqueceu os remorsos.

— Tenho procurado dominá-lo, há quarenta anos, mas consegui amenizá-lo. Fico encolerizada quase todos os dias, Jo; aprendi a não demonstrar, e tenho esperanças de ainda conseguir aprender a não sentir esse impulso, talvez leve outros quarenta anos.

A paciência e a humildade que se estampavam naquele rosto tão amado era uma lição mais sábia do que um sermão ou a mais severa repreensão. Sentia-se confortada pela confiança que a mãe lhe demonstrava; a certeza de que tinha também as suas fraquezas, tornava mais suportável sua própria culpa, encorajando a regenerar-se, embora quarenta anos parecessem muito tempo para velar e orar.

— Mamãe, a senhora está zangada quando aperta fortemente os lábios e quando sai às pressas da sala, se tia March está rabugenta ou alguém a aborrece? — perguntou Jo, sentindo-se cada vez mais íntima da mãe.

— Sim; aprendi a conter as palavras impensadas; e, receando que elas possam ser proferidas contra minha vontade, saio por um minuto, recriminando-me por ser tão fraca — respondeu a sra. March, com um suspiro e um sorriso, enquanto alisava e prendia os cabelos revoltos da filha.

— Como aprendeu a ficar calma? É isso o que acho difícil, pois as palavras ferinas brotam espontaneamente, antes que eu saiba o que estou dizendo; e, quanto mais falo, pior fico, até que se torna um prazer ofender os sentimentos alheios e dizer coisas terríveis. Diga-me como conseguiu aprender a dominar esses sentimentos.

— Minha boa mãe ajudava-me...

— Como a senhora está fazendo — interrompeu Jo com um beijo de gratidão.

— Eu perdi minha mãe quando era muito mais nova que você, e durante muitos anos tive de lutar sozinha, porque era bastante orgulhosa para confessar minha fraqueza a alguém. Foi uma luta, Jo, e derramei muitas lágrimas pelos meus defeitos, pois, apesar de meus esforços, parecia que jamais os venceria. Apareceu então seu pai e eu me senti tão feliz que achei que seria mais fácil. Em nossa pobreza, me vi cercada de quatro criancinhas, novamente começaram os ímpetos antigos, porque não sou paciente por natureza e era para mim um sofrimento ver minhas filhas passarem necessidades.

— Pobre mamãezinha! E quem a auxiliou, então?

— Seu pai, Jo. Jamais perdeu a paciência, nunca teve dúvidas nem queixas — sempre esperanças, esforços e alegria, que sentiria vexame quem procedesse de outra maneira diante dele. Auxiliava-me, confortava-me, mostrando-me que eu devia procurar praticar todas as virtudes que eu desejava que minhas filhas possuíssem, pois seria o exemplo para elas. Foi mais fácil esforçar-me por amor a vocês que por mim mesma; um olhar espantado ou atemorizado de uma de vocês, quando eu falava com aspereza, repreendia-me mais fortemente que todas as censuras que pudesse ouvir; e o amor, o respeito e a confiança de minhas filhas eram a mais importante recompensa que poderia desejar para meus esforços.

— Oh, mamãe! Se eu conseguisse metade da sua bondade, ficaria satisfeita. — disse Jo, comovida.

— Espero que seja muito mais bondosa que eu, querida filha; precisa, porém, atentar para o seu "inimigo interior", como chama seu pai, para que ele não amargure ou mesmo não destrua sua existência. Você teve agora um aviso; lembre-se dele e procure de alma e corpo dominar esse gênio impulsivo, antes que ele lhe proporcione maior tristeza e aborrecimento do que os que você vivenciou hoje.

— Vou tentar, mamãe. Desejo-o de todo o coração. Mas a senhora precisa me ajudar, me fazer lembrar desse aviso e não me deixar sair do bom caminho. Via, às vezes, papai pôr o dedo sobre os lábios, fitando-a com um semblante afetuoso, embora sério; e a senhora franzia fortemente os lábios ou retirava-se. Era uma advertência, mamãe? — perguntou meigamente Jo.

— Eu pedia que ele me auxiliasse desse modo, e ele nunca se esqueceu de meu pedido, evitando que eu dissesse muitas palavras ríspidas com aquele gesto simples e aquela expressão bondosa.

Jo via que os olhos da mãe se marejavam de lágrimas e que os lábios tremiam ao falar e, receando ter perguntado mais do que devia, sussurrou:

— Faz mal interrogá-la assim, e tocar nesse assunto? Não quero ser grosseira, mas sinto-me tão confortada ao dizer-lhe tudo o que sinto, e fico tão feliz e tão confiante ao seu lado.

— Minha Jo, você pode dizer tudo quanto quiser a sua mãe, pois é minha maior felicidade e orgulho ver que minhas filhinhas confiam em mim e compreendem quanto as amo.

— Julguei que a tivesse afligido.

— Não, meu bem; mas ao falar sobre seu pai, refleti na falta que ele me faz, no que lhe devo e quão fielmente eu deveria zelar pela segurança de suas filhas.

— No entanto, a senhora mandou-o ir para a guerra, mamãe, e não chorou quando ele partiu nem jamais se queixou, parece que nunca precisou de consolo — disse Jo admirada.

— Dei o que tinha de melhor para a Pátria, e reservo as lágrimas para o caso de ele morrer. Para que lastimar-me, quando nós estamos cumprindo o nosso dever. Se pareço não precisar nunca de consolo, é porque tenho um amigo maior ainda que seu pai para me confortar e amparar. Minhas filhas, os trabalhos e as tentações da sua vida estão ainda em princípio e podem ser muitos; poderão superá-los e vencê-los, se aprenderem a sentir o poder e a ternura do Pai Celestial, assim como reconhecem os de seu pai da terra. Quanto mais o amarem e confiarem nele, mais próximas estarão dele e menos dependerão do poder e da sabedoria dos homens. O amor e o carinho de Deus nunca fatigam, nunca mudam, e sim poderão tornar-se a fonte de uma paz prolongada na vida, fonte de felicidade e de valor. Acredite nisto, e recorra a Deus com todos os seus pequenos cuidados e esperanças, pecados e tristezas tão livremente e com tanta confiança como se fosse se dirigir a sua mãe.

A única resposta de Jo foi apertar fortemente a mãe nos braços e, no silêncio que se seguiu, fez, sem palavras, a mais veemente súplica que jamais formulara o seu coração, pois, naquela hora, havia conhecido não somente o remorso e o desespero, como também a suavidade do desprendimento e do domínio próprio; e, guiada pela mão materna, havia sido conduzida para junto do Amigo que acolhe todas as crianças com um amor mais potente que o de um pai e mais terno ainda que o de todas as mães terrenas.

Amy agitou-se, suspirando, no seu sono leve; e, na ansiedade de começar desde logo a reparar sua falta, Jo olhou-a com expressão que jamais se vira em seu rosto.

— O sol ao nascer me encontrou ainda zangada; não quis perdoar e hoje, não fosse Laurie, poderia ter sido tão tarde! Como pude ser tão má? — disse Jo, em tom meio alto, inclinando-se sobre a irmã para acariciar seus cabelos.

Amy abriu os olhos, dando-lhe os braços e sorrindo. Não pronunciaram uma única palavra, e todas as mágoas foram esquecidas num beijo afetuoso.

CAPÍTULO 9

MEG VISITA O MUNDO DA VAIDADE

— Penso que foi muito conveniente aquelas crianças terem sarampo agora — disse Meg, em um dia de abril, enquanto arrumava a mala de viagem no quarto, cercada pelas irmãs.

— Foi tão gentil a Annie Moffat não ter se esquecido da sua promessa! Uma quinzena inteira de divertimentos é uma coisa deliciosa — disse Jo entusiasmada.

— E com um clima tão agradável; estou tão feliz! — acrescentou Beth, guardando com cuidado as fitas para o cabelo em sua caixinha.

— Tenho esperança de algum dia poder usar todas estas bonitas coisas — dizia Amy, com a boca cheia de alfinetes que ia espetando na almofada da irmã.

— Gostaria que todas vocês fossem; mas, como não é possível, contarei minhas aventuras quando voltar. É o que posso fazer de melhor para retribuir a bondade de todas, emprestando-me as suas coisas e me ajudando com as malas — disse Meg.

— O que a mamãe lhe deu das suas preciosidades? — perguntou Amy que não estivera presente na hora da abertura da arca de cedro, na qual a sra. March guardava algumas relíquias, destinadas às filhas na ocasião própria.

— Um par de meias de seda, aquele lindo leque com relevos e um belo cinto azul. Eu preferia o vestido de seda violeta; mas não é ocasião para pedi-lo, portanto, devo contentar-me com o meu velho de algodão.

— As meias combinam com minha saia de musselina, e o cinto também. Pena que eu quebrei o meu bracelete de coral, senão você poderia levá-lo —

disse Jo, que gostava de dar e de emprestar, mas suas coisas estavam frequentemente estragados devido ao uso.

— Há na caixa uma linda pérola antiga, mas a mamãe acha que as flores naturais são mais adequadas para uma moça e Laurie prometeu mandar-me todas as de que eu necessitasse — disse Meg.

— Agora, vejamos: aqui está o meu vestido de passeio... Enrole a pena de meu chapéu, Beth... O de popelina é para os domingos e para reuniões íntimas... Parece um tanto pesado para a primavera, não acham? O de seda violeta ficaria tão bem...

— Não pense nele; leve o de algodão para as grandes reuniões; de branco você parece um anjo — disse Amy, pensando na pequena coleção de objetos luxuosos que deliciavam a sua alma.

— Não é decotado, nem bastante comprido, mas não faz mal. Meu vestido azul ficou tão bonito depois de virado pelo avesso e enfeitado de novo, que parece um vestido novo. Meu manto de seda não está muito na moda e meu chapéu não é bonito como o de Sallie; não gosto de reclamar a ninguém, mas estou muito desapontada com a minha sombrinha. Pedi à mamãe uma sombrinha preta com cabo branco, porém ela comprou uma verde com um cabo amarelado e feio. É uma sombrinha forte e elegante, portanto não devo me queixar, mas sei que vou me envergonhar ao compará-la com a de Annie, que é de seda e de ponteira dourada — suspirou Meg, olhando para a sombrinha com grande desdém.

— Pois troque-a — aconselhou Jo.

— Não farei isso; iria magoar mamãe que faz grande sacrifício para me dar as coisas. É uma ideia tola de minha parte. Tenho para me consolar as minhas meias de seda e dois pares de lindas luvas. Você foi muito delicada em emprestar-me as suas, Jo. Sinto-me rica, elegante.

— Annie Moffat usa laços azuis e cor-de-rosa em suas toucas de dormir; devo pôr alguns nas minhas? — perguntou a Beth que trazia uma pilha de toucas de musselina, brancas como a neve.

— Não, eu não colocaria; as toucas muito enfeitadas não combinam com as roupas simples e sem enfeites. As pessoas pobres não devem se enfeitar muito — disse Jo.

— Gostaria de saber se não poderei usar rendas nas minhas roupas ou um laço nas toucas — disse Meg.

— Você disse há dias que, ficaria muito feliz se ao menos pudesse ir à casa de Annie Moffat — observou Beth, com seu modo sereno.

— Estou feliz, mas quanto mais se alcança mais se deseja, não é verdade? Bem, está tudo pronto, com exceção do meu vestido de baile, que vou deixar para mamãe — disse Meg, olhando para a mala quase cheia e para o seu vestido branco de algodão remendado, ao qual, ela chamava o seu "vestido de baile".

O dia amanheceu lindo e Meg partiu para curtir quinze dias de novidades e prazer.

A sra. March consentira no passeio, a princípio com certa relutância, receando que Margaret voltasse menos contente do que fora. Ela pedira a Sallie para ter muito cuidado com ela, e parecia tão delicioso um passeio após um longo inverno de tão duro labor, que a mãe consentiu. As Moffat eram pessoas amigas do luxo, de maneira que a ingênua Meg ficou desde a chegada intimidada com a opulência da casa e a elegância dos seus moradores. Eram, bondosos, apesar da vida fútil que levavam, fazendo logo com que a hóspede se sentisse à vontade. Meg notou que os donos da casa não eram pessoas cultas e inteligentes, e que toda aquela douração não poderia disfarçar o material ordinário de que eram feitos. Era sem dúvida agradável viver na opulência, passear em lindas carruagens, usar diariamente seus melhores vestidos, nada fazendo que não fosse entreter-se. Essa vida era exatamente a que lhe convinha; começou logo a imitar as maneiras e o modo de falar dos moradores, a ter certas atitudes, empregar frases francesas, frisar os cabelos, vestir-se bem, conversar sobre modas, da melhor maneira que podia. Quanto mais via as belas coisas de Annie Moffat, mais a invejava e desejava ser rica. Quando pensava na casa de sua mãe, pobre e modesta, o trabalho parecia cada vez mais penoso, ela se sentia uma menina prejudicada, apesar das luvas e das meias de seda novas.

Não tinha tempo de sobra para desgostos, pois as três moças estavam muito ocupadas em se divertir. Faziam compras, passeavam a pé ou a cavalo, faziam visitas; iam a teatros ou distraíam-se em casa, aos serões. As irmãs mais velhas eram muito bonitas; uma delas já estava noiva, o que, Meg achava extremamente interessante e romântico. O sr. Moffat era um senhor de idade, gordo e jovial, que conhecia o pai dela; e a sra. Moffat, também idosa, gorda e jovial, simpatizara com Meg tanto como sua filha. Todos a adulavam e a "Margaridinha", com a apelidaram, estava quase perdendo a cabeça.

Ao aproximar-se a noite da pequena festa, ela achou que o seu vestido de popelina não servia, em absoluto, pois as outras moças estavam usando vestidos de tecidos leves, que na verdade eram muito mais elegantes; por isso teve de recorrer ao de algodão, mais velho, mais desajeitado, mais feio que nunca, ao lado do vestido novo de Sallie. Meg viu os olhares que as meninas lançavam ao seu vestido, fitando-se depois umas às outras, significativamente, e sua face ficou corada, pois, apesar de toda a sua delicadeza, era bastante orgulhosa. Ninguém disse uma palavra, porém Sallie ofereceu-se para pentear seu cabelo o cabelo, Annie para apertar-lhe o cinto e Belle, a irmã que era noiva, elogiou a brancura dos seus braços; e nessas atitudes bondosas, Meg enxergava a compaixão pela sua pobreza; e sentia o coração oprimido enquanto via as outras rir e tagarelar.

Aquele sentimento de amargura aumentava, mas em certo momento a criada entrou com uma caixa de flores. Antes que ela pudesse dizer alguma coisa, Annie abriu a caixa, aparecendo, para a surpresa de todas, lindas rosas, urzes e samambaias.

— O portador disse que são para srta. March. Aqui está um cartão — acrescentou a criada, entregando-o a Meg.

— Que graça! De quem são? Não sabíamos que você tem namorado! — exclamavam as moças, rodeando Meg com curiosidade e surpresa.

— O cartão é de mamãe e as flores de Laurie — disse Meg simplesmente, embora satisfeitíssima por não ter sido esquecida por ele.

— Oh, é verdade! — disse Annie com um olhar cômico, ao ver que Meg guardava o cartão no bolso, como um talismã contra a inveja, a vaidade e o falso orgulho, pois aquelas poucas palavras tinham-lhe feito bem e as flores agradavam-lhe pela beleza.

Sentindo-se quase que feliz de novo, separou algumas samambaias e rosas, desmanchando o resto em ramalhetes delicados para o peito, cabelos ou para suas amigas, oferecendo-lhes tão graciosamente que Clara, a irmã mais velha, falou que era a coisa mais delicada e linda que já vira, ficando muito encantada com esse agrado. De certo modo, esse ato de delicadeza acabou com seu desapontamento; e, ao irem todas mostrar à sra. Moffat, ela viu no espelho um rosto de expressão feliz, quando colocava as samambaias nos cabelos ondulados e prendia as rosas no vestido, que não parecia agora tão feio.

Divertiu-se muito naquela noite, pois dançara à vontade; todos eram atenciosos e recebeu três elogios. Annie pediu para ela cantar cantar, alguém comentou que ela tinha uma voz notavelmente bela; o major Lincoln perguntou quem era "aquela moça de olhos lindos"; e o sr. Moffat fez questão de dançar com Meg, dizendo que ela não perdia tempo, pois era incansável. Assim, tivera uma deliciosa noite, até que ouviu um pedaço de conversa que a perturbou. Estava sentada no centro da estufa, esperando o seu par que fora buscar um sorvete, quando uma voz perguntou, do outro lado da parede:

— Que idade ela tem?

— Dezesseis ou dezessete anos, creio eu — respondeu outra voz.

— Seria um achado para aquelas meninas, não? Sallie diz que eles agora são íntimos, e o velho as aprecia extraordinariamente.

— A sra. M. tem seus planos, creio eu, e jogará a sua cartada, assim que for possível. A menina evidentemente não pensa ainda nisso — disse a sra. Moffat.

— Ela falou aquela mentira sobre o cartão, como se soubesse dos tais planos e corou muito quando recebeu as flores. Seria tão bonita se estivesse bem vestida! Acha que se ofenderá se lhe oferecermos um vestido para quinta-feira? — perguntou outra voz.

— É orgulhosa, mas creio que aceitará, pois só tem aquele desajeitado vestido de algodão. Podia rasgá-lo esta noite, seria uma boa desculpa para lhe arranjarmos um mais decente.

— Vou convidar o tal Laurence, para podermos apreciar os dois.

Naquele momento, o par de Meg apareceu, encontrando-a muito corada e agitada. Ela era orgulhosa, e o orgulho foi útil então, pois a auxiliou a disfarçar a ira e o desgosto, causados pelo que ouvira — pois, apesar de inocente e confiante, não pudera deixar de compreender a conversa de seus amigos. Procurava esquecer, mas não conseguia, repetindo a toda a hora para sim mesma: "A sra. M. tem seus planos", "Ela falou aquela mentira sobre o cartão", "Aquele desajeitado vestido de algodão". Sentiu vontade de chorar, de correr para a sua casa e expor sua confusão e pedir conselhos.

Como isso era impossível, empregou todos os esforços para parecer feliz; e, embora nervosa, conseguiu dominar-se tão bem que ninguém poderia avaliar o esforço que fazia. E ficou muito satisfeita quando o baile acabou e se viu tranquila em seu leito, onde pôde refletir e indignar-se ao ponto de doer-lhe a cabeça, e de chorar. Aquelas palavras absurdas, mas bem intencionadas, haviam desvendado um novo mundo para Meg, perturbando a serenidade da outra Meg que até então vivera feliz como uma criança. Sua amizade inocente com Laurie fora maculada pelas tolices que ouvira sem querer. Sua confiança na mãe ficara um tanto abalada pela suspeita dos planos que lhe atribuíra a sra. Moffat, acostumada a julgar os outros e a resolução de se contentar com um vestido simples, próprio da filha de um pobre, foi enfraquecida pela compaixão das moças que julgavam que um vestido velho era uma das maiores calamidades que poderiam existir.

A pobre Meg teve uma noite de insônia, levantando-se com olheiras, indignada com as amigas e meio envergonhada de si própria por não usar de franqueza, pondo as coisas nos seus lugares. Nada fizeram naquela manhã, e só após o meio-dia foi que as moças sentiram um pouco de disposição para fazer alguma coisa. Havia algo nos modos das amigas que atraiu atenção de Meg; tratavam-na com mais atenções, ouviam com interesse maior o que ela dizia, olhando-a com uns olhos que revelavam curiosidade. Tudo isto a surpreendia e lisonjeava, embora não entendesse o motivo, até que srta. Belle, levantando os olhos do que estava escrevendo, disse:

— Margaridinha, mandei um convite ao seu conhecido, o sr. Laurence, para a festa de quinta-feira. Desejamos conhecê-lo e o convite é todo em atenção a você.

Meg enrubesceu, e disse.

— É grande bondade sua, mas creio que ele não virá.

— Por que, querida? — perguntou srta. Belle.

— É muito velho.

— Menina, o que quer dizer com isso? Qual a idade dele, pode-me dizer? — exclamou srta. Clara.

— Perto de setenta anos, creio — respondeu Meg, olhando para o vestido tentando esconder o brilho zombeteiro de seus olhos.

— Estamos nos referindo ao moço! — exclamou srta. Belle, rindo.

— Não há moço nenhum; Laurie é um menino — e Meg riu, por sua vez, ao ver o olhar surpreso que as irmãs trocaram, quando ela disse isto.

— Da sua idade, mais ou menos? — perguntou Nan.

— Quase da idade de minha irmã; eu faço dezessete, em agosto — replicou Meg, erguendo a cabeça.

— Foi uma gentileza da parte dele mandar-lhe flores, não? — disse Annie, para sondá-la melhor.

— Sim, mas Laurie nos manda sempre; na casa dele há muitas e nós as apreciamos bastante. Minha amãe e o sr. Laurence são conhecidos; é, pois, natural que brinquemos juntos — e Meg esperou ter encerrado a questão, dessa maneira.

— É evidente que a Margaridinha ainda não compreendeu a situação — sussurrou srta. Clara a Belle.

— É inocência — observou srta. Belle, encolhendo os ombros.

— Vou sair para fazer compras; precisam de alguma coisa, meninas? — perguntou a sra. Moffat, chegando com seu andar lento, toda coberta de sedas e de rendas.

— Não, senhora, muito obrigada — respondeu Sallie; já comprei meu vestido de seda cor-de-rosa para quinta-feira e de nada mais preciso.

— Nem eu... — ia dizer Meg; não continuou, porém, porque lhe ocorreu que precisava de várias coisas que não podia obter.

— Que vestido vai você usar? — perguntou Sallie.

— O meu velho vestido branco novamente, se conseguir consertá-lo, rasgou-se infelizmente — disse Meg, procurando falar naturalmente, mas se sentindo perturbada.

— Por que não manda buscar outro em sua casa? — perguntou Sallie, que não era muito perspicaz.

— Não tenho outro. — responde Meg, porém, Sallie não percebeu, perguntando num tom de surpresa:

— Só tem aquele? Que graça... — não terminou, contudo, a frase, porque Belle fez um sinal com a cabeça, intervindo:

— Não é preciso absolutamente mandar a sua casa, Margaridinha, mesmo que tenha uma dúzia de vestidos, pois possuo um lindo, azul, de seda, que não uso por não me servir mais. Você poderá vesti-lo, o que me dará muito prazer; você aceita?

— Você é muito boa, mas prefiro pôr o meu vestido velho, se não contrariar vocês; serve muito bem para uma moça da minha idade — disse Meg.

— Dê-me o prazer de vesti-la à moda. Posso fazer uns ligeiros retoques, e você vai ficar uma belezinha. Não deixarei que ninguém a veja antes de estar pronta. Então entraremos de repente como a Borralheira e a madrinha no dia do baile — acrescentou Belle tentando convencer a menina. Meg não poderia recusar uma oferta tão gentil e o desejo de ver se ficaria mesmo "uma belezinha".

Na tarde de quinta-feira, Belle trancou-se com ela e com uma criada, transformando Meg em linda dama. Frisaram-lhe o cabelo, pulverizando o colo e os braços com pó de arroz perfumado, passaram-lhe nos lábios uma pomada cor de coral para avermelhá-los mais, e Hortense teria posto ainda um tanto de ruge se Meg não protestasse.

E trouxeram o vestido azul-celeste que era tão apertado que a moça mal podia respirar e tão decotado que ela enrubesceu ao ver-se no espelho. Acrescentaram adereços de prata, braceletes, colar, broche e até brincos, que Hortense prendeu com um fio de seda. Um ramalhete de botões de rosa e chá no peitilho de rendas fizeram Meg conformar-se com a exibição de seus ombros, e ainda um par de sapatinhos de seda azul e salto alto satisfazia o seu maior desejo. Por fim, um lenço bordado, um leque de plumas e um buquê, e a srta. Belle contemplou-a com a satisfação de uma criança ao ver sua boneca com um vestido novo.

— "*Mademoiselle est très jolie*", não é? — gritou Hortense, batendo palmas.

— Venha para que as meninas te vejam — disse srta. Belle, dirigindo-se para o quarto onde as outras estavam esperando, ansiosas.

Com cauda de sedas arrastando, com os cachos de cabelos a esvoaçarem, o coração palpitando, sentia-se como no início de uma vida de aventuras, pois sabia que estava mesmo "uma belezinha". As amigas repetiam a frase e, por alguns instantes, ela ficou parada como a gralha da fábula, olhando para as penas emprestadas, ao passo que as outras tagarelavam.

— Enquanto me visto, ensine como segurar a saia, Fan, e como pisar com os sapatos de salto alto, senão ela poderá tropeçar. Coloque a sua borboleta de prata no meio do peitilho de rendas e levante aquele cacho comprido do lado esquerdo do rosto, Clara, e não vão desmanchar o lindo trabalho que fiz — disse Belle.

— Estou com vergonha de descer, penso que me acharão esquisita — disse Meg a Sallie, ao ouvirem a campainha e o recado da sra. Moffat para que as moças descessem logo.

— Você nada se parece com o que é, mas está muito bonita. Belle tem bom gosto; você parece uma verdadeira parisiense, posso garantir. Deixe pender as flores; não se incomode com elas; e tenha cuidado para não tropeçar no vestido — replicou Sallie, sem se importar que Meg estivesse muito mais bonita que ela própria.

Obedecendo com cuidado a essa recomendação, Meg desceu sem dificuldade, entrando na sala, onde estavam reunidos os Moffat e alguns convidados que já haviam chegado. Logo descobriu que existe um encanto nos vestidos ricos o qual fascina certas pessoas, atraindo as suas atenções. Várias moças, que não haviam antes reparado nela, tornaram-se muito íntimas e diversos moços, que se limitaram a olhá-la na última festa, agora, além de a fitarem, pediam que os apresentassem a ela, e várias senhoras, sentadas nos sofás que criticavam tudo e todos, perguntavam com interesse quem era aquela moça. Ouviu a sra. Moffat dizer a uma delas:

— É Margaret March, filha de um coronel do exército, de uma das mais distintas famílias, mas que perdeu a fortuna; são íntimos amigos dos Laurence; é uma menina adorável, meu Ned está louco por ela.

— Verdade? — indagou a velha dama, erguendo a cabeça para observar a moça a qual, escandalizada com as mentiras da sra. Moffat, procurava fingir não ter ouvido. A impressão de "estar esquisita" não se dissipava, porém ela dizia consigo que estava representando o papel de dama de sociedade e tudo correria muito bem, se não fossem o vestido apertado que lhe causava uma dor e a cauda que se intrometia pelos pés, além de estar preocupada com o receio de deixar cair os brincos. Agitava o leque, rindo dos gracejos de uma jovem que se esforçava para agradar; mas, de repente, parou de rir confusa, pois viu Laurie. Ele fitava-a com surpresa e com desaprovação; embora tentasse sorrir, havia algo em seus olhares que a fazia corar, lamentando não estar com seu vestido velho. Para completar a confusão, viu que Belle acenava para Annie e que as duas olhavam para ela e para Laurie.

Este parecia mais menino e mais tímido que habitualmente, e essa observação deu prazer a Meg.

"São criaturas tolas, procurando incutir-me na cabeça tais coisas! Não me incomodo, isso não mudará o que penso" — refletiu Meg; e atravessou a sala para apertar a mão de seu amigo.

— Estou muito alegre por você ter vindo, pois receava não o ver aqui — disse Meg.

— Jo pediu-me que viesse para contar-lhe como você está — respondeu Laurie sem a fitar.

— E o que você vai dizer a ela? — perguntou Meg, curiosa por saber a opinião dele a seu respeito, embora se sentisse, nos primeiros instantes, pouco à vontade.

— Vou dizer que não a reconheci, e que estava muito mais crescida e diferente. Sinto até certo medo de você — acrescentou ele brincando com o botão da luva.

— Que absurdo! As moças vestiram-me por brincadeira, e eu consenti. Acha que Jo se espantaria se me visse? — perguntou Meg, procurando fazê-lo dizer se achava que ela ficava mais bonita ou não com os novos trajes.

— Creio que sim — respondeu Laurie.

— Não gosta de me ver assim? — perguntou Meg.

— Absolutamente não.

— Por quê? — inquiriu Meg.

Ele olhou para os cabelos frisados, para os ombros nus, para o vestido excentricamente enfeitado, com uma expressão que a envergonhou mais que sua resposta, na qual não havia a sua delicadeza habitual:

— Porque não gosto de exageros.

— Você é o menino mais grosseiro que eu já conheci.

Muito chateada, dirigiu-se para uma janela com a finalidade de refrescar o rosto, pois o vestido apertado fazia subir o sangue ao rosto. Ouviu o major Lincoln dizer à mãe, ao passarem perto deles:

— Estão virando a cabeça daquela menina; queria que a senhora a visse, transformaram-na completamente; esta noite, nada mais é que uma boneca.

— Eu deveria ter tido juízo, usando o que é meu; não teria desagradado aos outros desta maneira, nem me envergonhado. Apoiou a cabeça na vidraça e ali ficou, escondida pelas cortinas, sem se importar com sua valsa favorita que começava, até que alguém lhe tocou no braço; voltando-se viu Laurie arrependido, estendendo a mão:

— Queira perdoar-me a grosseria e vamos dançar.

— Receio que isso lhe desagrade — replicou Meg, procurando mostrar-se ofendida.

— Absolutamente não. Desejo-o muito. Venha, serei educado. Não gosto dos seus trajes, mas concordo em que está divina — e acompanhou as palavras com gestos, como para melhor exprimir sua admiração.

Meg sorriu e disse, quando iam começar a dançar:

— Cuidado para não tropeçar em minha cauda; ela é o meu tormento, fui uma verdadeira tola em pôr um vestido assim.

— Prenda-a com alfinetes ao redor do pescoço — aconselhou Laurie, olhando os sapatinhos azuis com visível admiração.

E começaram a dançar, ágeis e graciosos, pois, havendo praticado em casa, formavam um lindo par que valia a pena ver, incansáveis e alegres, mais íntimos ainda após a briguinha passageira.

— Laurie, você vai fazer-me um favor, sim? — indagou Meg.

— Por que não?

— Não conte em casa sobre meus trajes de hoje. Não compreenderiam a brincadeira e isso iria entristecer mamãe.

— Então por que fez isso?

— Eu vou contar para elas, confessando a mamãe minha tolice.

— Dou-lhe minha palavra de que nada direi a esse respeito; mas que devo contar, quando me perguntarem?

— Diga-lhes que eu estava muito bonita e que me diverti muito.

— Quanto à primeira parte, posso afirmá-lo de todo o meu coração; mas quanto à segunda... Não parece que se está divertindo — e Laurie olhou para ela com uma expressão que a obrigou a responder num sussurro:

— Não, agora não. Não pense que estou satisfeita; meu desejo era divertir-me um pouco, mas esta espécie de distração não me agrada; já estou cansada disso.

— Aí vem Ned Moffat; que desejará ele? — perguntou Laurie, franzindo as negras sobrancelhas.

— Ele inscreveu seu nome para dançar três vezes e suponho que vem para reclamar a primeira. Que chatice! — replicou Meg, com um ar desanimado que divertiu Laurie.

Laurie não tornou a vê-la até a hora da ceia, quando a viu beber champanha com Ned e seu amigo Fisher, Laurie se sentia no direito de vigiar as March, pronto a fazer advertências, se preciso fosse.

— Você amanhã estará com uma terrível dor de cabeça, se continuar beber assim, Meg. Sua mãe não ficaria satisfeita se soubesse — sussurrou-lhe ele, inclinando-se sobre a sua cadeira enquanto Ned se virava para lhe encher novamente o copo e Fisher se abaixava para lhe apanhar o leque.

— Esta noite eu não sou Meg e, sim, "uma boneca" que faz toda a espécie de loucuras. Amanhã acabarei com os exageros tornando-me ajuizada novamente — replicou ela, com uma risada afetada.

— Gostaria muito de estar amanhã aqui, então — murmurou Laurie, afastando-se descontente com a mudança que notava.

Meg dançou e flertou, tagarelou e riu, tolamente, como faziam todas as outras moças. Após a ceia, tentou dançar passos alemães mas atrapalhava-se e quase derrubou seu par com a longa cauda do vestido, e seus modos escandalizavam Laurie.

Observando-a, pensava em um sermão severo. Não teve ensejo de lhe pregar, pois Meg evitou a sua companhia até a hora de despedir-se.

— Lembre-se do que me prometeu — disse ela, procurando sorrir, porque a dor de cabeça profetizada já havia começado.

— Guardarei silêncio — replicou Laurie, ao retirar-se.

Este diálogo à parte excitou a curiosidade de Annie; Meg, porém, estava muito cansada para tagarelices e foi para a cama, exausta, como se tivesse estado em um baile de máscaras, sem se divertir tanto quanto previra. Ficou doente durante todo o dia seguinte e voltou para casa no sábado, cansada dos divertimentos daquela quinzena e sentindo que havia estado no regaço do luxo por muito tempo.

— É bem agradável estar tranquila, sem ter que se preocupar com as boas maneiras. Nossa casa é um lugar aprazível, embora não seja luxuosa — disse Meg, com uma expressão de tranquilidade, sentada junto à mãe e à irmã, na tarde de domingo.

— Fico muito alegre por ouvi-la dizer isso, querida filha. Sentia receios de que você achasse a casa muito triste e pobre, depois de passar dias na opulência — replicou a mãe, que a fitara durante o dia inteiro com ansiedade, pois aos olhos maternos é sempre fácil descobrir qualquer mudança pela expressão dos rostos dos filhos.

Meg descrevia com detalhes as suas encantadoras férias; alguma coisa, todavia, parecia pesar-lhe na consciência e, quando as irmãs mais moças foram deitar-se, sentou-se junto ao fogão, pensativa, sem falar e com um ar aborrecido. Quando deu nove horas e Jo propôs irem-se deitar, Meg recostou a cabeça nos joelhos da mãe, dizendo:

— Mamãezinha, preciso confessar-me.

— Já sabia, minha filha.

— Devo retirar-me? — perguntou Jo discretamente.

— Absolutamente! Não costumo te contar sempre tudo? Fiquei com vergonha de falar diante das crianças, mas é preciso que a senhora saiba de todas as coisas terríveis que eu fiz, na casa dos Moffat.

— Estamos preparadas para ouvir — disse a sra. March.

— Contei que as moças me vestiram, mas não revelei que me empoaram, espartilharam e frisaram. Enfim, puseram-me como se eu fosse uma boneca, puseram-me como se eu fosse uma boneca. Laurie achou-me inadequadamente trajada; um homem chamou-me de boneca. Reconheci que fora tola, porém elas lisonjeavam-me, dizendo que eu estava uma belezinha e outras de tolices, e assim consenti que me fizessem de boba.

— Só isso? — perguntou Jo, enquanto a sra. March olhava a cabeça inclinada de sua linda filha sem achar em que censurar os seus pequenos desatinos.

— Também bebi champanha, diverti-me sem censuras, procurei flertar, fiquei completamente sem juízo — disse Meg.

— Isso já foi alguma coisa mais, acredito eu — e a sra. March passou meigamente a mão no rosto macio da filha, que corou e continuou:

— Fui muito boba, mas preciso contar tudo, pois não gosto de que os outros falem e pensem certas coisas sobre nós e Laurie.

E contou os fragmentos de conversa que ouvira na casa dos Moffat; e, enquanto falava, Jo viu que a mãe apertava fortemente os lábios um contra o outro, como aborrecida, por terem feito Meg ouvir tais disparates.

— Se isso não é o maior absurdo que eu ouvi... — exclamou Jo revoltada. — Por que você não protestou na hora?

— Não foi possível, eu ficaria em posição embaraçosa. Primeiro, não podia deixar de ouvir e, depois, fiquei tão indignada que não consegui sair do lugar.

— Deixe-me encontrar com Annie Moffat que lhe mostrarei como resolvo isso. Essa ideia de ter planos e de sermos atenciosas com Laurie por ele ser rico, e para casar com uma de nós! Como ele vai rir, quando eu contar as coisas absurdas que disseram!

— Se você contar a Laurie, nunca lhe perdoarei! Laurie não deve saber, não acha, mamãe? — perguntou Meg aflita.

— Jamais repitam essa conversa tola e esqueçam disso — disse a sra. March.

— Fui muito insensata por deixar você hospedar-se com pessoas que conheço tão pouco; podem ser boas de intenção, mas são muito mundanas, mal-educadas e cheias de ideias vulgares. Estou muito indignada, pensando no mal que essa visita lhe possa ter causado, Meg.

— Não fique aborrecida; não me prejudiquei com isso; esquecerei todos os absurdos, recordando-me somente do que é bom, pois me diverti muito e agradeço ter-me dado licença para ir.

Não ficarei ressentida, mamãe; sei que sou uma tola e ficarei por isso a seu lado até ter aprendido a velar por mim mesma. Mas é agradável ser elogiada e admirada e não posso deixar de dizer que isso me deu prazer — disse Meg, envergonhada com a confissão.

— É perfeitamente natural e mesmo inofensivo, desde que não se torne uma obsessão levando uma pessoa a praticar atos impróprios de uma moça. Aprenda a conhecer e a prezar o elogio sincero e a provocar a admiração dos bons, procurando ser tão modesta quanto bonita. Meg sentou-se por alguns momentos pensativa, e Jo permanecia atrás dela, com as mãos nos braços da cadeira, interessada e perplexa; era uma novidade ver Meg corar e conversar sobre admiração, namorados e coisas parecidas. Jo pensava que durante aquela quinzena a irmã havia crescido espantosamente e estava se afastando dela em um mundo que ela não a poderia seguir.

— Mamãe, a senhora tem planos, como disse a sra. Moffat? — perguntou Meg.

— Tenho muitos, como todas as mães; mas diferentes dos que ela suspeitou. Vou contar alguns deles, pois creio que chegou a ocasião de fazer com que essa cabecinha romântica se preocupe com alguma coisa séria. Você é jovem, mas não demais para compreender, e sua mãe é a única pessoa capaz de dizer tais coisas a uma moça como você. Jo, a sua vez também virá: assim, escutem os meus planos, ajudando-me a pô-los em prática, se forem bons.

Jo sentou-se num dos braços da poltrona, como quem vai tomar parte de uma reunião para tratar de assuntos importantes. Segurando uma das mãos de cada filha, a sra. March observava carinhosamente as duas, dizendo:

— Quero que minhas filhas sejam belas, bem-educadas e boas; que sejam admiradas, amadas e respeitadas; que tenham uma mocidade feliz, façam um bom casamento e tenham uma vida útil e virtuosa, tendo apenas o mínimo de cuidados e tristezas que Deus achar conveniente. Ser escolhida e amada por um homem digno e sincero, é a melhor coisa que possa desejar uma mulher; e eu tenho esperança de que minhas filhas hão de conhecer este prazer. É muito natural pensar nele, é muito conveniente aguardá-lo e muito prudente prepará-lo; assim, quando chegar esse tempo, você poderá sentir-se capaz de cumprir os seus deveres e pronta para a felicidade. Minhas amadas filhas, eu tenho ambições; não, de ver vocês casando com homens ricos meramente porque são ricos, para terem mansões que não são lares, porque lhes faltará o amor. O dinheiro é necessário e precioso — e, quando bem empregado, é um metal nobre — porém jamais desejo que o coloquem em primeiro lugar. Prefiro vê-las esposas de homens pobres, mas felizes, amadas, satisfeitas, a vê-las em tronos de rainhas, mas degradadas e sem paz de espírito.

— Belle diz que as moças pobres não acham casamento se não se esforçarem para isso — disse Meg.

— Então ficaremos todas solteironas — replicou Jo com firmeza.

— É preferível ser uma solteirona feliz a uma esposa infeliz ou moça à caça de um marido. Não se esqueça que a pobreza raras vezes afugenta ao homem que ama com sinceridade. Algumas das mulheres mais felizes e mais honradas que conheço foram moças pobres, porém tão dignas de ser amadas que não ficaram solteironas. Deixem estas coisas para o tempo oportuno; façam nosso lar feliz para que aprendam a criar a felicidade de seu próprio lar; ou contentem-se com este, se não conseguirem outro. Lembrem-se sempre de uma coisa: a mãe está sempre pronta para ser a confidente e, o pai, para ser amigo dos filhos; ambos cremos e esperamos que nossas filhas, quer solteiras, quer casadas, hão de ser o orgulho e o conforto da nossa vida. — afirmou a sra. March.

— Havemos de ser, mamãe! — exclamaram ambas.

CAPÍTULO 10

O C. P. E A A. P.

Quando chegou a primavera, novos entretenimentos foram adotados, e os dias proporcionavam longos serões para trabalhos e distrações variadas. O jardim havia sido dividido, tendo cada irmã um pedaço de terra para cuidar como lhe agradasse.

Hannah dizia que reconheceria logo de quem eram, pois os gostos das meninas diferiam tanto como seus caracteres. O jardim de Meg tinha rosas, heliotrópios, mirtos, e uma pequena laranjeira no centro. O canteiro de Jo não ficava duas estações da mesma forma; ela estava sempre fazendo novas experiências; naquele ano, seria uma plantação de girassóis, para dar as sementes à galinha e aos pintos. Beth tinha flores perfumadas e antigas em seu jardim: ervilhas-de-cheiro, lavandas, cravos, amores-perfeitos, artemísias, além de ervas para os pássaros e para os gatos. Amy formara no seu canteiro um caramanchão de madressilvas e ipomeias azuis, suspensas em graciosas grinaldas sobre o jardim; tinha lírios brancos; samambaias delicadas e uma infinidade de plantas vistosas, tantas quantas era possível florescer naquele lugar.

Jardinagem, passeios, excursões ao rio ou procurar flores silvestres nos dias de sol; nos chuvosos tinham as diversões caseiras, umas antigas, outras modernas, todas originais.

Uma delas era o "C. P."; estando na moda, julgaram conveniente ter a sua e, como todas as meninas admiravam Dickens, deram-lhe o nome de "Clube Pickwick". Mantiveram-no por um ano, com pequenos intervalos, se encontravam todos os sábados à noite no sótão.

Colocavam três cadeiras em fila, diante de uma mesa onde havia um lampião e quatro emblemas brancos, com um grande "C. P.", em cada um, de cores diferentes, e um jornal semanal chamado "Gazeta do Clube Pickwick" para o qual cada uma contribuía com alguma coisa; Jo era a redatora, ela se deliciava tendo a pena na mão. Às sete horas, as quatro sócias subiam à sala das reuniões do clube, amarravam os emblemas ao redor da cabeça e sentavam-se solenemente. Meg, sendo a mais velha, era Samuel Pickwick; Jo, que tinha inclinações literárias, era Augustus Snodgrass; Beth, por ser gorda e corada, Tracy Tupman; e Amy, que vivia tentando fazer o que não podia, era Nathaniel Winkle. Pickwick, o presidente, lia o jornal, cheio de contos inéditos, versos, notícias locais, avisos engraçados, indiretas com que recordavam com bom humor os defeitos e falhas umas das outras.

Em uma ocasião, o sr. Pickwick pôs uns óculos sem vidros, bateu na mesa e, depois de olhar seriamente para o sr. Snodgrass, que estava inclinando para trás a cadeira, leu solenemente:

GAZETA DO CLUBE PICKWICK
20 de maio de 18...
ODE ao ANIVERSÁRIO

Estamos novamente reunidos, para celebrarmos, com os emblemas e ritual solene, o quinquagésimo segundo aniversário do Clube Pickwick, no salão de sua sede.

Estamos todos com saúde; nenhum de nosso grupinho morreu;

O velho Snodgrass, de nove palmos de altura e de cabelos negros, sobressai com sua graça "elefantina" e ar jovial.

Em seus olhos brilha a inspiração poética; luta contra os reveses da sorte; vê-se na fronte a ambição estampada, e, no nariz, um borrão de tinta!

Saudamos com reverência nosso Pickwick que, de óculos imensos no nariz, lê nosso elaborado jornalzinho semanal.

Depois vem nosso pacífico Tupman, corado, gorducho e delicado, que costuma cair da cadeira e provocar risos com seus trocadilhos.

Também o pequenino e afetado Winkle aqui se encontra, com a cabeleira em seu lugar, sempre um modelo de asseio, apesar de não gostar de lavar o rosto.

Acabou o ano, mas ainda continuamos unidos para rir e ler, prosseguindo na trilha literária que conduz à glória.

Prospere nosso jornal, que o nosso clube continue para os nossos herdeiros.

Derramem bênçãos sobre o útil e alegre Clube Pickwick.

Sinodgrass

****

O CASAMENTO COM MÁSCARAS
(Conto veneziano)

Gôndola após gôndola encostavam nos degraus marmóreos, deixando sua preciosa carga que ia aumentar a multidão que enchia os majestosos salões do Conde de Adelon.

Cavaleiros e damas, elfos e pajens, monges e moças caracterizadas de flores, todos dançavam prazerosamente. Vozes suaves enchiam os ares; e, entre a alegria e a música, a cena teve início.

— Vossa Alteza viu lady Violeta esta noite? — perguntou um galante trovador à rainha das fadas, que passeava pelo salão apoiada a seu braço.

— Ela não é simpática, embora seja muito melancólica. Seu vestido está muito lindo e rico; dentro de uma semana, desposará o conde Antônio, a quem detesta.

— Eu o invejo! Ali vem ele, parecendo um noivo, exceto com aquela máscara negra. Quando a tirar, veremos como fitará a linda noiva cujo coração não consegue conquistar, embora seu pai lhe conceda sua mão — replicou o trovador.

— Sussurram por aí que ela ama o jovem artista inglês que costuma visitá-la, mas que é maltratado pelo velho conde — disse a dama, ao começarem a dançar.

A folia estava no auge quando apareceu um sacerdote que levando o jovem par a uma alcova adornada com veludo, os fez ajoelhar aí. Houve silêncio sobre a multidão; nada mais se ouvia do que as fontes e o sussurro dos laranjais adormecidos ao luar, quando o conde de Adelon falou:

— Cavalheiros e damas; perdoai-me o ardil de que me servi para reunir-vos aqui para serem testemunhas do casamento de minha filha. Padre, aguardamos vossos serviços.

Todos olharam para os dois noivos e um rumor de espanto percorreu a multidão, pois nem o noivo e nem a noiva retiraram as máscaras. Todos estavam curiosos e assombrados, porém o respeito refreou as línguas até a cerimônia sagrada terminar. Depois disso, os espectadores curiosos rodearam o conde, pedindo-lhe explicações.

— Daria com a melhor vontade, se pudesse; somente sei, porém, que foi capricho da minha tímida Violeta e que consenti. Agora, meus filhos, terminemos a peça. Tirem as máscaras, e recebam minha bênção.

Nenhum deles, contudo, dobrou o joelho; ao cair-lhe a máscara do jovem noivo, reconheceram o rosto de Ferdinand Devereux, o artista amante, em cujo peito, onde brilhava a estrela de um conde inglês, se reclinava a cabeça da encantadora Violeta, ofuscante de alegria e de beleza.

— Senhor, vós proibistes desdenhosamente que eu aspirasse à mão de vossa filha, embora pudesse ostentar-me de um nome tão ilustre e de uma fortuna tão sólida como a do conde Antônio. Tomo-lhe, porém, vantagem e vossa alma ambiciosa não poderá recusar o conde de Devereux e do Veie, visto que ele concede seu antigo nome e sua riqueza sem limites a troco da mão desta bela dama, agora minha esposa.

O conde ficou petrificado; e, voltando-se para a multidão atônita, Ferdinand acrescentou com um sorriso de glória:

— E para vós, meus ilustres amigos, só posso desejar que vossos amores finalizem como o meu e que todos possam ganhar uma noiva tão encantadora e justa como a minha nesse casamento mascarado.

S. Pickwick
Em que se assemelha o C. P. com a Torre de Babel?
Está cheio de membros indisciplinados.

****

HISTÓRIA DE UMA ABÓBORA

Era uma vez um fazendeiro que plantou uma sementinha em sua horta. Passado algum tempo, ela transformou-se em uma aboboreira. Um dia do mês de outubro, quando as abóboras estavam maduras, ele apanhou uma e levou-a ao mercado. Um comerciante comprou e colocou na sua mercearia. Naquela mesma manhã, uma menina de chapeuzinho pardo e vestido azul, com uma cara redonda e um nariz arrebitado, comprou a abóbora para sua mãe. Carregou-a para casa, cortou-a em pedaços e cozinhou-a em uma grande panela. Preparou um pedaço com sal e manteiga para o jantar; e o resto ajuntou um pouco de leite, dois ovos, quatro colheres de açúcar, noz-moscada e uns biscoitos, pôs numa travessa, cozendo-o até que ficasse escuro e brilhante; no dia seguinte foi comido por uma família chamada March.

T. Tupman

****

Senhor Pickwick:

Dirijo-me ao senhor por causa de um pecado de um homem chamado Winkle que perturba o clube com suas risadas e não colabora nada para este jornal, espero que o senhor perdoará seus defeitos e consentirá que ele mande uma fábula francesa, porque não pode escrever nada de sua cabeça por ter muitas lições e não ter miolos. Eu procurarei futuramente arranjar tempo e preparar algum trabalho, agora estou com pressa porque é hora da aula.

Muito respeitosamente N. Winkle

(O trecho acima é uma confissão sincera e respeitável do mau procedimento anterior. Se nosso jovem amigo soubesse pontuar as frases, tudo estaria bem.)

****

LAMENTÁVEL ACIDENTE

Sexta-feira passada, ficamos assustadíssimos por um violento abalo no porão, seguido de gritos de angústia. Correndo todos ao porão, encontramos nosso querido presidente prostrado no solo, pois havia tropeçado e caído quando carregava lenha para fins domésticos. Apresentava-se a nossos olhos um quadro assustador, porque o sr. Pickwick caíra com a cabeça e os ombros em uma tina de água, derrubou um barril sobre seu corpo viril e rasgou a roupa toda.

Ao sair daquela tina, verificou-se que não apresentava ferimentos, a não ser ligeiros arranhões. E temos o prazer de comunicar que agora está passando bem.

Ed.

****

PERDA COLETIVA

Cumprimos o doloroso dever de participar o súbito e misterioso desaparecimento de nossa querida amiga, Madame Bola-de-Neve. Esta simpática e estimável gatinha gozava da predileção de um vasto círculo de admiradores, pois sua beleza seduzia os olhares, e suas graças a tornavam estimada por todos, sendo sua perda profundamente lamentada.

Foi vista pela última vez sentada no portão, observando a carroça do açougueiro; receamos que algum vilão, seduzido por seus encantos, tenha a roubado. Já se passaram várias semanas sem descobrirem o destino dela; e nós, tendo perdido todas as esperanças, pusemos uma fita preta no cesto onde dormia, retirando seu prato do lugar e estamos de luto.

Um amigo enviou-nos a seguinte nota:

LAMENTAÇÕES
A Madame Bola-de-Neve

Lamentamos a perda da nossa gatinha de estimação, pois nunca mais a veremos sentada junto ao fogo ou brincando perto do velho portão verde. A pequenina sepultura onde jaz seu filho fica sob o castanheiro; sobre o túmulo dela, porém, não podemos chorar, pois não sabemos em que lugar está situado. O leito vazio, a abandonada bola com que brincava, nunca mais a verão; nem se ouvirão mais, à porta da sala, seu arranhar suave e seu ronronar amigo. Veio outra gata atrás dos seus ratos; é uma gata de cara suja, e não caça como a saudosa desaparecida nem tem a mesma graça quando brinca. Suas patinhas percorrem sem rumor a mesma sala onde Bola-de-Neve costumava brincar; esta, porém, limita-se a cuspir nos cachorros, ao passo que Bola-de-Neve fugia. É útil e meiga e procura cumprir o seu dever, mas não é bonita; e não podemos dar o seu lugar, querida gatinha.

A.S.

****

ANÚNCIOS

Srta. Oranthy Bluggage, a famosa conferencista, fará sua magnífica conferência "A Mulher e sua Posição Social", no salão do Clube Pickwick, na noite do próximo sábado, após a reunião ordinária. Será realizada uma nova reunião semanal, na Praça da Cozinha, para ensinar as moças a cozinhar. Servirá de presidente Hannah Brown. Todas são convidadas a participar. A Sociedade Pá do Lixo se reunirá na próxima quinta-feira, fazendo uma parada no andar superior do edifício do Clube. Todos os sócios deverão ir

As quatro irmãs: Margareth, Josephine, Elizabeth e Amy.

uniformizados e de vassoura ao ombro, às nove horas em ponto.

A sra. Beth exporá na próxima semana seu novo sortimento, na Casa de Modas para Bonecas.

As últimas novidades parisienses chegaram, aguardando as prezadas solicitações de sua clientela.

Uma nova peça entrará em cartaz no Teatro Barnville, dentro em poucas semanas, e vai superar todas as peças já encenadas nos palcos americanos. "O Escravo Grego, ou Constantino, o Vingador" é o título desse emocionante drama.

DICAS

Se S. P. não passasse tanto sabonete nas mãos, não chegaria sempre atrasado para o almoço.

Pede-se a A. S. o favor de não assobiar na rua.

Por favor T. T. não se esqueça do guardanapo de Amy.

N. W. não deve se preocupar por não ter seu vestido nove babados.

BOLETIM SEMANAL

Meg – boa
Jo – má
Beth – ótima
Amy – regular

Quando o Presidente terminou a leitura do jornal (peço permissão para assegurar aos meus leitores que essa é uma cópia genuína tirada por moças também genuínas) soaram aplausos e em seguida o sr. Snodgrass levantou-se para fazer uma proposta.

— Sr. Presidente e srs. sócios — começou assumindo atitude de um parlamentar —, desejo propor a admissão de um novo membro: é uma pessoa que merece essa honra, ficará grata por ela, será de grande utilidade para este clube, dará realce ao valor literário deste jornal, enfim, só teremos, com isso, motivos de grande contentamento. Proponho o sr. Theodore Laurence para sócio honorário do C. P. Votem para ele entrar!

A súbita mudança de tom do orador fez as irmãs rirem; todas pareciam indecisas, tanto que ninguém disse uma palavra quando Snodgrass se sentou.

— Vou submeter a proposta a votação — disse o presidente. — Os que forem favoráveis, queiram responder "Sim".

Ouviu-se uma afirmativa estrondosa de Snodgrass, acompanhada, para surpresa de todos, por outra, tímida, de Beth.

— Os que forem contrários digam "Não".

Meg e Amy eram contrárias; e o sr. Winkle levantou-se para dizer:

— Nós não precisamos de rapazes; eles só servem para caçoar e para anarquizar tudo. Este clube é uma sociedade de moças, e desejamos que seja conservado assim.

— Receio que ele ria do nosso jornal e faça troça de nós — observou Pickwick.

Snodgrass levantou-se, muito exaltado:

— Senhor! Dou a minha palavra de cavalheiro de que Laurie nada disso fará. Ele gosta de escrever e dará mais realce à colaboração e impedirá, também, que sejamos sentimentais, não acham? Pouco podemos fazer por ele, ao passo que o mesmo faz tanto por nós; julgo que é razoável oferecer-lhe um lugar aqui, recebendo-o bem, se ele vier.

Esta hábil alusão aos benefícios prestados convenceu Tupman, que se levantou para falar:

— Sim, devemos admiti-lo, embora estejamos receosas. Acho que ele pode vir, e seu vovô também, se quiser.

Esta resolução de Beth eletrizou a assembleia; Jo levantou-se do lugar para apertar-lhe a mão, em sinal de solidariedade.

— Então vamos votar de novo. Lembrem-se todos de que é o nosso Laurie e digam "Sim"! — exclamou Snodgrass, animadamente.

— Sim! Sim! Sim! — responderam três vozes de uma só vez.

— Muito bem! E agora, para não perdermos tempo, permitam-me que lhes apresente o novo sócio. Para espanto de todas sócias, Jo abriu a porta de um quarto escuro e mostrou Laurie sentado em um saco de trapos, de rosto vermelho, piscando e a querendo rir sem poder.

— Jo, como foi que você fez isso? — gritaram as três irmãs, enquanto Snodgrass trazia triunfalmente o seu amigo para a sala e, mostrou-lhe uma cadeira e um emblema, e ele foi empossado.

— A calma de vocês dois é espantosa — disse o sr. Pickwick, procurando fazer uma cara horrível, mas somente conseguindo ter um sorriso amável. O novo membro levantando-se, fez uma graciosa saudação e disse:

— Sr. Presidente e minhas senhoras... Perdão! Meus senhores... permitam-me apresentar-me como Sam Weller, o humilde criado do clube.

— Muito bem! — exclamou Jo, batendo na mesa com a tampa de uma caçarola.

— Meu fiel amigo e ilustre patrão — continuou Laurie — que tão lisonjeiramente me apresentou, não deve ser censurado pelo golpe desta noite. Fui eu quem o planejou, e ele apenas consentiu após grande hesitação.

— Ora, não ponha em si mesmo toda a culpa. Sabe que eu até propus esconder-se no armário — interrompeu Snodgrass.

— Fui eu o culpado de tudo — disse o novo sócio a Pickwick, com um gesto à moda de Weller — Mas, por minha honra, nunca mais farei tal coisa e vou me devotar inteiramente ao interesse deste clube imortal.

— Bravo! Bravo! — exclamava Jo, batendo com a tampa da caçarola, como se fosse um címbalo.

— Continue, continue! — disseram Winkle e Tupman, enquanto o presidente sacudia a cabeça em sinal de aprovação.

— Desejo dizer que, como prova de minha gratidão e como meio de estreitar as relações entre duas nações limítrofes, instalei uma agência postal na sebe, no canto mais baixo do jardim: um espaçoso edifício com cadeado na porta e todas as acomodações para as malas. É uma antiga casa de andorinhas: eu mandei abrir mais a portinha e fazer uma fenda na coberta podendo abrigar muita coisa e economizando nosso precioso tempo.

Cartas, manuscritos, livros e pacotes podem passar pela abertura; e, como cada nação terá sua chave, ficará muito bom. Aqui está a chave da agência; e, com muitos agradecimentos pelo favor, vou sentar-me.

Aplausos soaram, quando o sr. Weller colocou uma chavinha na mesa; a tampa da caçarola ressoava e agitava-se no ar, foi difícil restabelecer a ordem. Iniciou uma longa discussão e a reunião só foi encerrada tarde.

Ninguém teve algum dia motivo para se arrepender da admissão de Sam Weller; não poderia haver sócio mais dedicado, bem comportado e jovial do que ele. Acalorava as assembleias e dava graça ao jornal, pois seus discursos provocavam discussões e suas produções eram excelentes: patrióticas, clássicas, cômicas ou dramáticas, nunca, porém, sentimentais. Jo via nele um concorrente digno de Bacon, de Milton, de Shakespeare.

A "A. P." (agência postal) era uma instituição importante, que se desenvolveu rapidamente; passaram por ela quase tantas coisas estranhas como as que passam pelo verdadeiro correio. Tragédias e gravatas, poesias e conservas, sementes de flor e longas cartas, músicas e pães doces, borrachas, convites, ralhos e cachorrinhos. O velho sr. Laurence gostou da brincadeira e divertia-se mandando pacotes esquisitos, mensagens misteriosas e engraçados telegramas; e o jardineiro, que estava seduzido pelos encantos de Hannah, enviou-lhe uma carta de amor aos cuidados de Jo. Como eles riram quando foi descoberto este segredo, sem prever, nem por sonhos, quantas cartas de amor circulariam, no futuro, por aquele pequenino correio!

CAPÍTULO 11
EXPERIÊNCIAS

— Primeiro de junho; os King vão para a praia amanhã, e eu fico livre! Três meses de férias! Como vou me divertir! — exclamava Meg, entrando em casa num dia quente, e encontrando Jo estirada no sofá, num estado incomum de exaustão, enquanto Beth tirava seus sapatos empoeirados e Amy fazia limonada para refrescar.

— Tia March foi hoje, por isso estou radiante! — disse Jo — Estava morrendo de medo de que ela me pedisse que a acompanhasse; eu não poderia recusar; e Plumfield é tão alegre como um cemitério, todas sabem disso. Temi até que a vi na carruagem, e tive ainda um susto final, porque, ao partir, pôs a cabeça de fora, dizendo: "— Josephine, você não que...?" Não ouvi o resto, porque corri até a esquina, onde me senti segura.

— Pobre Jo! Chegou aqui como se estivesse sendo perseguida por ursos — disse Beth, afagando os pés da irmã com muito carinho.

— Tia March é um verdadeiro lampiro, não? — disse Amy procurando a bebida.

— Não é lampiro, e, sim, vampiro — murmurou Jo — Afinal, com este calor, o melhor é a gente não se incomodar com erros de linguagem.

— Ficarei deitada até tarde e não farei nada — respondeu Meg, na cadeira de balanço. — Durante todo o inverno, levantei-me cedo e passei os dias trabalhando para os outros; agora vou descansar e divertir-me quanto puder.

— Hum! — disse Jo — dormir assim não me agrada. Separei uma pilha de livros e vou empregar as minhas horas lendo à sombra da velha macieira, quando não estiver ouvindo coto...

— Não são cotovias! — disse Amy, vingando-se da correção do "vampiro".

— Direi então "rouxinóis", como Laurie; é mais bonito e mais apropriado, pois me parece que são esses os cantores.

— Paremos com as lições, Beth, durante esse tempo: aproveitemos estes dias para brincar e descansar, como vão fazer as outras — propôs Amy.

— Sim, se mamãe não se importar. Preciso aprender algumas canções novas e as minhas bonecas precisam se preparar para o verão; estão necessitando muito de roupas.

— Consente, mamãe? — perguntou Meg, volvendo-se para a sra. March, que cosia sentada no lugar que elas denominavam "o cantinho da mamãe".

— Podem fazer a experiência uma semana para ver se gostam. Penso que sábado à noite estarão convencidas de que brincar sem trabalhar é tão desagradável como trabalhar sem brincar.

— Oh, mamãe querida, é impossível! Estou certa de que será delicioso — disse Meg satisfeita.

— Proponho agora um brinde! Como diz "minha amiga e colega Sairy Gamp"— exclamou Jo, levantando-se, o copo de limonada na mão.

Beberam todas com alegria e a experiência começou, com diversão pelo resto do dia.

Na manhã seguinte, Meg não apareceu até às dez horas; seu almoço solitário foi desagradável, e a sala parecia deserta e desarrumada; Jo não havia posto água nas vasilhas. Beth não espanara o pó e os livros de Amy estavam espalhados por toda parte. Nada estava limpo, a não ser "o cantinho da mamãe", que parecia como sempre; e Meg se sentou no mesmo "para descansar e ler", o que significa sonhar com belos vestidos de verão que poderia comprar com o seu salário. Jo passou a manhã no rio com Laurie e a tarde lendo e recitando "O imenso, o imenso mundo" no alto da macieira. Beth começou a pôr ordem no grande cômodo onde morava a sua "família"; sentindo-se cansada antes de terminar, deixou o mesmo desarrumado e foi tocar piano, por não ter pratos para lavar. Amy limpou o seu caramanchão, pôs um vestido branco, penteou os cabelos e foi desenhar sob as madressilvas na esperança de que alguém perguntasse quem era aquela artista. Como não apareceu ninguém, a não ser uma aranha curiosa, que examinou seu trabalho com interesse, foi passear, tomou chuva e voltou para casa com a roupa encharcada.

Durante hora do chá da tarde fizeram comentários, tendo todas concordado que havia sido um dia delicioso, mas excessivamente longo. Meg, que fora fazer compras à tarde, e comprara uma linda musselina azul-clara, havia descoberto, já depois de cortar o pano, que o tecido não era lavável, ficou contrariada. Jo havia queimado a pele do nariz ao passear de barco e ficara com terrível dor de cabeça por ter lido demais. Beth estava aborrecida pela bagunça no seu armário e pela dificuldade que encontrara em aprender três a quatro canções de uma vez. Amy lastimava os estragos produzidos em seu vestido, pois a reunião de Katy Brown seria no dia seguinte e agora, como Flora McFlimsy, nada tinha o que vestir. Eram, porém, coisinhas sem importância e elas asseguraram à mãe que a experiência tinha sido boa. Esta sorriu, nada disse e, com o auxílio de Hannah, fez os trabalhos negligenciados, tornando a casa agradável e fazendo o mecanismo doméstico funcionar.

Era espantoso como o processo de descansar e folgar produzia um desagradável estado de coisas. Os dias pareciam cada vez maiores; o tempo andava muito variável e assim eram os temperamentos; os espíritos tornavam-se irrequietos e os espíritos ruins e encontravam enorme quantidade de coisas más para aquelas mãos ociosas.

No auge da mania do luxo, Meg estragou algumas de suas costuras, cortando e perdendo os seus vestidos, em vãs tentativas de transformá-los "à la Moffat". Jo lia a ponto de cansar a vista; tornou-se tão rabugenta que até Laurie, sempre de bom-humor, teve uma briga com ela, e tão nervosa ficou que chegou a lamentar não ter ido com a tia March.

Beth continuava muito bem, pois se esquecia constantemente de que o lema era "brincar muito, trabalhar nada" e voltava à sua vida antiga, ocasionalmente; alguma coisa no ambiente, a aborrecia e mais de uma vez sentiu perturbada sua tranquilidade, tanto que, uma vez, deu um tapa em sua pobre Joana aleijadinha, dizendo-lhe que ela era assustadora.

Amy estava pior do que todas, porque os recursos de que dispunha eram pequenos; e, quando as irmãs deixavam que se distraísse sozinha e cuidasse de si, achava que aquela independência era um fardo pesado. Não gostava de bonecas; achava os contos de fadas pueris e não podia desenhar o tempo todo. Os chás sociais e os piqueniques não eram raros.

— Se a gente tivesse uma bela casa, cheia de moças amáveis ou pudesse viajar, o verão seria melhor; mas ficar em casa com três irmãs egoístas e um rapaz crescido é o suficiente para fazer perder a paciência — queixou-se Amy, após vários dias dedicados ao prazer, à agitação e ao tédio. Nenhuma confessava que estava cansada da experiência; na noite de sexta-feira, cada qual reconhecia que se achavam contentes o fim da semana estar próximo. Na esperança de dar uma lição, a sra. March, que possuía muito tino, resolveu terminar a experiência de maneira apropriada e concedeu um dia de folga a Hannah, deixando que as moças gozassem o efeito completo do sistema de recreação.

Pela manhã de sábado, não havia fogo na cozinha, nem almoço, nem sabiam onde estava a mãe.

— O que aconteceu? — indagou Jo, procurando-a assustada.

Meg subiu correndo a escada, voltando logo depois, com expressão de alívio, embora com certo embaraço e vergonha.

— Mamãe não está doente, está somente cansada; ela disse que vai ficar em repouso no quarto o dia todo, deixando a nosso cargo fazer o que for possível. Isto é estranho da parte dela, mas mamãe disse que teve uma semana cansativa, por isso não podemos reclamar, mas tratarmos de nós mesmas.

— É muito fácil, e eu gosto da ideia; estou doida para fazer alguma coisa, isto é, por uma distração nova — acrescentou Jo.

Realmente, foi grande alívio para todas ter alguma coisa para fazer e por isso deram-se ao trabalho com vontade, mas compreenderam logo a exatidão do dito de Hannah — "Tomar conta de casa não é brinquedo". A despensa estava bem sortida e, enquanto Beth e Amy punham a mesa, Meg e Jo faziam o almoço, admirando-se de que as criadas achassem aquele serviço tão penoso.

— Vou levar alguma coisa para mamãe, apesar que ela tenha dito para não incomodar, pois cuidaria de si mesma — disse Meg.

E, assim, antes de começarem a almoçar, foi preparada uma bandeja e levada ao andar superior, com os cumprimentos da cozinheira. O chá estava amargo, a omelete queimada e os biscoitos com muito bicarbonato; mas a sra. March recebeu tudo com agradecimentos, rindo muito quando Jo se retirou.

— Coitadinhas, vão ter um dia bem atribulado, mas não sofrerão com isso e será uma boa lição — disse ela, servindo-se das comidas apetitosas, com que se havia munido e desaparecendo com a bandeja do almoço ruim. As queixas a respeito do almoço eram muitas e a grande cozinheira estava desapontada.

— Eu me encarrego do jantar, Meg servirá de dona de casa; conserve as mãos limpas, chame auxiliares e dê ordens — disse Jo, menos versada ainda que Meg em assuntos culinários.

Tão agradável oferecimento foi aceito da melhor vontade, e Margaret retirou-se para a sala de visitas que pôs em ordem rapidamente, jogando a poeira para debaixo do sofá e fechando as gelosias para evitar o trabalho de espanar o pó. Jo, confiante no seu próprio valor e desejosa de pôr termo à sua briga com Laurie, mandou um convite para este vir jantar com elas.

— Você deveria ver primeiro o que tem para oferecer, antes de pensar em fazer convites — disse Meg, ao saber de seu gesto precipitado.

— Ora, temos carne e muitas de batatas; vou comprar alguns aspargos e uma lagosta, não sei como se faz, mas o livro ensina. Temos alface para uma salada. Para sobremesa, farei um pudim e compro morangos; coaremos café, também.

— Não se meta a fazer muitos pratos, pois você só poderá conseguir pão doce e melaço para a refeição. Lavo as mãos em relação ao tal banquete; e, já que foi você quem, por sua alta recreação, convidou Laurie, assuma a responsabilidade desse ato.

— Não preciso que você faça coisa alguma, a não ser tratá-lo atenciosamente e auxiliar-me no pudim. Você me ensinará, se eu não souber fazê-lo? — perguntou Jo.

— Perfeitamente; mas não tenho prática, a não ser de fazer pão e algumas coisinhas triviais. Teria sido melhor você pedir a opinião de mamãe, antes de resolver qualquer coisa — replicou Meg prudentemente.

— Bem sei. Não sou louca! — e Jo retirou-se furiosa, por serem postas em dúvida suas aptidões.

— Faça o que quiser e não me aborreça; vou jantar fora e não posso preocupar-me com os negócios caseiros — replicou a sra. March quando Jo foi contar a ela — Hoje quero descansar, ter uma folga para ler, escrever, fazer visitas e distrair-me.

O espetáculo desacostumado de ver a mãe sempre diligente descansar na grande cadeira de balanço, lendo durante a manhã, deu a Jo a impressão de ter ocorrido qualquer fenômeno extraordinário; um eclipse, um terremoto, uma erupção vulcânica não teriam sido mais estranhos.

Entrando na sala, Jo encontrou Beth soluçando ao lado de Pip, o seu canarinho, que jazia morto na gaiola com as patinhas esticadas, parecendo implorar alimento cuja falta lhe causara a morte.

— Foi culpa minha, eu me esqueci do pobrezinho. Não há nem um grão de alpiste, nem uma gotinha de água na gaiola... Oh, Pip, Pip! Como eu fui má para você! — exclamava Beth tomando-o nas mãos e procurando reanimá-lo.

Jo observou-lhe os olhinhos e abanou tristemente a cabeça, oferecendo sua caixinha de dominó para servir-lhe de esquife.

— Coloque-o no forno, talvez ele se reanime com o calor — aconselhou Amy.

— Ele morreu de fome e não quero que o assem depois de morto. Vou fazer uma mortalha e enterrá-lo numa cova; nunca mais quero outro passarinho, nunca, meu Pip! Fui muito má, muito — murmurava Beth, sentada no assoalho.

— O enterro será hoje de tarde e todas nós iremos. Ora, não chore, Beth; é mesmo muito triste, mas tudo está correndo mal nesta semana e Pip foi uma das vítimas, a maior vítima das experiências. Faça a mortalha e ponha-o na minha caixinha; após o jantar, faremos um lindo funeral — disse Jo.

E, deixando as outras consolar Beth, foi para a cozinha que estava em um estado deplorável. Colocando um avental, começou a trabalhar empilhando os pratos para a lavagem, quando notou que o fogo havia se apagado.

— Muito bonito! — resmungou Jo, abrindo violentamente a portinha do fogão e atiçando com vigor o fogo.

Conseguindo reacendê-lo, resolveu ir ao mercado enquanto a água fervia. O passeio foi bom; e, gabando-se de ter feito ótimos negócios, voltou para casa, depois de ter comprado uma linda lagosta fresca, alguns aspargos um tanto velhos e duas caixinhas de morangos azedos.

Chegou em casa próximo da hora do jantar. O fogão estava aquecido ao rubro. Hannah deixara numa caçarola massa de pão para crescer. Meg cuidara da massa logo cedo e a deixara junto à lareira para crescer mais, esquecendo-a nesse lugar. E Meg estava conversando com Sallie Gardiner, na sala de visitas, quando a porta se escancarou e apareceu no uma figura rubra, descabelada, suja de farinha e de fuligem, gaguejando:

— A massa já está bem crescida quando começa a cair para os lados, sobre as outras vasilhas?

Sallie começou a rir; Meg, porém, acenou afirmativamente, erguendo as sobrancelhas, e foi colocar o pão fermentado no forno.

A sra. March saiu depois de observar aqui e ali como iam as coisas e de dizer uma palavra de consolo a Beth, que, sentada, fazia uma mortalha, enquanto o querido morto jazia na caixa de dominó. Sobre aquelas cabecinhas pesou uma estranha sensação de desalento, quando seu chapéu cor de cinza desapareceu na primeira esquina; e o desespero se apossou delas quando, minutos mais tarde, srta. Crocker chegou para jantar.

Era uma senhora magra, macilenta, solteirona, de nariz pontiagudo e olhos inquisidores, que via tudo e tagarelava sobre tudo quanto via. Antipatizavam com ela, mas, como era velha, pobre e não tinha amigos, haviam aprendido a respeitá-la, tratando-a com bondade e carinho. Por isso, Meg deu-lhe a poltrona, procurando entretê-la, e ela fazia perguntas, criticava tudo e caçoava de pessoas conhecidas.

A palavra não pode descrever a ansiedade, as amarguras, os esforços de Jo naquele dia; e o jantar que ela ofereceu tornou-se depois um motivo de constantes gracejos.

Temendo pedir mais conselhos, fez o jantar sozinha, da melhor maneira que pôde, chegando à conclusão de que era preciso mais alguma coisa que energia e boa vontade para preparar um jantar. Cozeu os aspargos durante uma hora inteira, afligindo-se ao ver que as cabeças estavam queimadas e os talos duros. O pão, de torrado, ficara preto; absorveu-se tanto a preparar a salada, que se esqueceu de tudo o mais, convencendo-se, no fim, de que não seria comestível.

A lagosta era um problema para ela, mas tanto lidou e mexeu que conseguiu tirar-lhe a casca, ficando, o pouco que restou, oculto em um monte de folhas de alface. Tinha que arranjar depressa as batatas, para não deixar os aspargos esperando, mas afinal, não foram preparadas. O creme havia talhado, os morangos eram menos maduros do que lhe pareceram mas, para remediar, resolveu colocar muito açúcar.

"Ora, podem comer carne com pão e manteiga, se tiverem fome; é lastimável, entretanto, ter gasto uma manhã inteira para não fazer coisa alguma" — refletiu Jo ao tocar a campainha meia hora mais tarde do que de costume, e abatida, cansada, olhando o banquete, oferecido a Laurie, habituado a tudo luxuoso, e srta. Crocker, cujos olhos curiosos notariam certamente todos os defeitos e cuja língua indiscreta se encarregaria de contar tudo para todos.

A pobre Jo teria se escondido sob a mesa, ao ver que os pratos, uns após outros, eram provados e rejeitados; Amy ria sem motivo, Meg parecia desesperada, srta. Crocker franzia as sobrancelhas, Laurie, conversava e ria muito, para dar um tom brincalhão àquela cena festiva.

A única esperança de Jo eram as frutas, pois havia adoçado e feito um excelente creme para acompanhar. Suas faces coradas descoloriram-se um pouco, e sentia-se mais esperançosa ao ver os lindos pratinhos de vidro rodear a mesa e todos olharem satisfeitos para as frutas flutuantes num mar de creme.

Srta. Crocker primeiro fez uma careta, e bebeu rapidamente um gole de água em seguida. Jo, que não tinha aceitado pensando que o doce poderia ser pouco, olhou para Laurie, mas este comia heroicamente, apesar de uma leve contração em seus lábios. Amy, que possuía o gosto pelos pratos delicados, pôs à boca uma colherada cheia, mas engasgou, tapou a boca com o guardanapo e saiu correndo da mesa.

— Que foi? — perguntou Jo, tremendo.

— Você pôs sal em vez de açúcar e, além disso, o creme está azedo — respondeu Meg.

Jo soltou um gemido e caiu na cadeira, lembrando-se de que havia pulverizado às pressas os morangos com um pó de uma das latas da mesa da cozinha e que se havia esquecido também de pôr o leite no refrigerador. Estava a ponto de chorar, quando olhou para Laurie, que estava tentava não rir; compreendeu então o lado cômico da cena e riu a ponto de as lágrimas deslizarem-lhe pelas faces. Os outros fizeram o mesmo, até a própria srta. Crocker, a resmungona, como maldosamente as moças chamavam, e o infeliz jantar terminou alegremente com pão e manteiga, azeitonas e gracejos.

— Agora vamos ficar sérios para o funeral — disse Jo, ao se levantarem; srta. Crocker, porém, tratou de sair, ansiosa por descrever aquele jantar para outros conhecidos.

Ficaram sérios por amor a Beth; Laurie cavou uma pequena sepultura sob as samambaias do bosque, onde o pequenino Pip foi depositado entre lágrimas pela sua inconsolável dona. Sobre a cova colocaram violetas e ervas. Na pedra funerária se lia o epitáfio composto por Jo na hora em que estava às voltas com o jantar: "Aqui jaz o amado Pip March, falecido a 7 de junho. Foi amargamente lamentada a sua perda. Tão cedo não será esquecido".

Ao fim da cerimônia, Beth retirou-se para seu quarto, vencida pela emoção e pela lagosta; mas não pôde repousar, pois as camas estavam por fazer; e ela sentiu grande alívio à sua tristeza, pondo as coisas em ordem.

Meg ajudou Jo a tirar da mesa os restos do banquete, deixando-as tão cansadas que se contentaram com chá e torradas. Laurie levou Amy para passear de carro, o que foi uma caridade, pois o creme azedo parecia ter azedado o gênio. A sra. March voltara, encontrando as três filhas mais velhas dedicando-se ao árduo trabalho e, a um simples olhar pela sala, teve a intuição do que sucedera naquela parte das experiências.

Antes que as ilustres donas de casa pudessem descansar, vieram algumas visitas que as obrigaram a novos esforços. Quando caiu a tarde úmida e silenciosa, foram-se reunindo uma a uma na varanda, onde floresciam, lindas, as rosas de junho, cada qual resmungando ou suspirando ao sentar-se, devido ao cansaço ou aborrecimento.

— Que dia horrível! — começou Jo, que era de costume a primeira a falar.

— Pareceu-me mais curto que os outros, mas tão aborrecido! — replicou Meg.

— Não parecia a nossa casa — comentou Amy.

— Sem mamãe e sem o pequeno Pip não parecia mesmo — suspirava Beth, fitando com olhos tristes a pequena gaiola suspensa sobre a sua cabeça.

— Mamãe está aqui, queridinha, e amanhã mesmo, se quiser, você terá novo passarinho.

E, assim dizendo, a sra. March tomou o seu lugar entre as meninas, com ares de quem tinha tido a folga mais agradável que a delas.

— Estão satisfeitas com a experiência, minhas filhas, ou querem prolongá-la por mais uma semana? — perguntou ela, enquanto Beth se aninhava a seu lado e as outras se voltavam para ela com os rostos radiantes.

— Eu não quero! — exclamou firmemente Jo.

— Nem eu — disseram em coro as outras.

— Acham então que é melhor ter algumas obrigações a fazer e viver um pouco para os outros, não é?

— Divagar não é coisa agradável! — observou Jo, abanando a cabeça. — Estou cansada disso e quero começar a fazer alguma coisa útil.

— Creio que você aprendeu a cozinhar; todas as mulheres devem saber — disse a sra. March, rindo do jantar de Jo, pois tinha encontrado a srta. Crocker que lhe contara tudo.

— Mamãe! A senhora saiu de propósito, para ver como nos arranjaríamos! — exclamou Meg.

— Queria que vocês compreendessem que o conforto depende do fiel cumprimento do dever de cada uma. Enquanto Hannah e eu trabalhamos para vocês, está tudo bem, embora eu não julgue que sejam muito felizes; eu pensava, pois, era preciso uma liçãozinha para demonstrar-lhes o que acontece quando a gente pensa egoisticamente em si só. Não sentiram que é mais agradável auxiliarem-se umas às outras, ter ocupações diárias, que tornam os lazeres mais suaves quando chega sua hora, suportar com paciência os trabalhos, e que assim a casa pode se tornar mais agradável para todas nós?

— Sim, mamãe, tem razão — exclamaram as filhas.

— Então permitam que as aconselhe a retomar de novo seus fardos; apesar de que pareçam pesados, são bons para todos, tornando-se leves quando os aprendemos a carregar. O trabalho é agradável; resguarda-nos do aborrecimento e dos males; é útil para a saúde e para o espírito, nos dá o sentimento do poder e da independência, muito melhor que o dinheiro ou o luxo.

— Seremos como as abelhas; trabalharemos com dedicação — disse Jo. — Desejo aprender a cozinhar nas horas vagas; e no próximo banquete vou brilhar!

— Quero fazer as camisas para o papai, em vez de as deixar a seu cargo, mamãe, apesar de não ser muito amiga de costuras; será melhor tarefa do que fazer coisas inúteis — observou Meg.

— Pois eu farei minhas lições diárias e não perderei muito tempo com músicas e bonecas. Sou uma tola. Devo estudar e deixar de brincar tanto — disse Beth. Amy, seguindo seu exemplo, declarou heroicamente:

— Vou aprender a fazer casas de botões e prestar mais atenção em meu modo de falar.

— Muito bem! Estou então muito satisfeita com a experiência e creio que não precisaremos repeti-la; só recomendo que não vão até o extremo oposto, até a servidão. Tenham método para o trabalho e para o prazer; empreguem o tempo diariamente em coisas úteis e agradáveis, provando que compreendem o seu valor. A mocidade assim será deliciosa, a idade madura não terá contrariedades e a vida se tornará linda, apesar da pobreza.

— Não nos esqueceremos, mamãezinha!

CAPÍTULO 12
O ACAMPAMENTO DE LAURENCE

Beth era como uma agente do correio, pois, estando mais em casa, podia atender a ele regularmente e gostava muito da tarefa diária de abrir a pequenina porta e distribuir a correspondência. Em uma manhã de julho ela foi para casa como um verdadeiro carteiro, com as mãos cheias de cartas e de embrulhos.

— Eis o seu ramalhete, mamãe! Laurie jamais se esquece dele — disse colocando as flores no vaso que ficava no "cantinho da mamãe"

— Senhorita Meg March, uma carta e uma luva — continuou Beth, entregando as encomendas à irmã que estava costurando com a mãe.

— Mas eu deixei lá um par, e aqui está somente uma — replicou Meg, olhando para a luva de algodão pardo — Você não perdeu a outra no jardim?

— Não, tenho absoluta certeza; havia somente uma no correio.

— Não gosto de luvas desaparelhadas! Não importa! A outra aparecerá! A carta é uma tradução da canção alemã de que necessitava; acredito que foi o sr. Brooke que a fez, pois não é letra de Laurie.

A sra. March olhou para Meg, que estava muito bonita em sua roupa matinal, com os cabelos soltos na testa, costurando, e cantava despreocupada, enquanto os dedos trabalhavam e o espírito se ocupava com fantasias juvenis tão inocentes e puras como as margaridas que se viam à sua cinta; e a sra. March sorriu satisfeita.

— Duas cartas para a dra. Jo, um livro e um chapelão de palha engraçado que cobria toda a casinha da agência — disse Beth, dirigindo-se ao escritório onde Jo escrevia.

— Como Laurie é esperto! Eu disse que desejava que os chapéus grandes estivessem na moda, porque costumo ficar com as faces queimadas nos dias de calor. Ele observou: — Que importa a moda? Use um chapéu grande que seja confortável! Eu disse que usaria se tivesse um, e ele me manda este para experimentar! Pois hei de usá-lo por troça, e mostrar-lhe que não me importo com a moda.

E, colocando o chapéu num busto de Platão, começou a ler as suas cartas.

Uma delas, era de sua mãe que a fez corar as faces e umedecer os olhos, pois dizia:

"Querida filha,
Escrevo estas poucas palavras para dizer-lhe que com grande satisfação tenho observado os esforços para dominar seu temperamento. Você nada diz sobre os mesmos, nem sobre suas vitórias e desfalecimentos e pensa, talvez, que ninguém percebe, a não ser o amigo a quem pedira auxílio — percebo na capa muito usada de seu livrinhoguia. Mas tenho visto tudo e creio na sinceridade de sua resolução, pois começa a dar os seus frutos. Continue, querida filha, paciente e animosa e creia sempre que ninguém a aplaudirá com mais ternura do que a sua amorosa...
Mamãe."

— Como isto me faz bem! Vale milhões de dólares! Ó mamãe, continuarei a esforçar-me! Não sentirei desalento desde que saiba que a senhora me auxilia!

E, apoiando a cabeça sobre os braços, Jo molhou o seu romance com algumas lágrimas. Ela pensava que ninguém via os esforços desesperados para se tornar boa e a certeza de que alguém se importava era duplamente preciosa, duplamente encorajadora, por ser inesperada e por provir da pessoa a cujos louvores dava mais valor.

Sentindo-se mais forte do que nunca para vencer seu temperamento, prendeu com um alfinete a carta em seu vestido, como um escudo e um lembrete; receosa de se esquecer do seu dever e começou a abrir a outra carta, pronta a inteirar-se de suas notícias, boas ou más que fossem. Laurie escrevera numa letra graúda e elegante estas palavras:

"Querida Jo,
Amigos e amigas ingleses vêm visitar-me amanhã, e eu desejo passar uns momentos alegres.
Se o tempo estiver bom, iremos acampar em Longmeadow, onde almoçaremos e jogaremos críquete; haverá fogueira, e toda espécie de brincadeiras.
São bons companheiros e gostam de se divertir. Brooke irá para tomar conta de nós, rapazes, e Kate Vaughan velará pelas meninas. Vocês todas estão convidadas; não dispenso de forma alguma Beth, a quem ninguém aborrecerá.

Não precisam incomodar-se com alimentos, providenciarei tudo; quero somente que venham.
   Sempre seu
   Laurie."

— Que alegria! — gritou Jo, correndo para dentro para dar a notícia a Meg.
— Se formos mamãe, será um auxílio para Laurie, pois eu posso remar, Meg cuidará do almoço e as outras meninas serão úteis em qualquer coisa.
— Desejo que os Vaughan não sejam amigos do luxo. Sabe alguma coisa a respeito deles, Jo? — perguntou Meg.
— Só sei que são quatro. Kate é mais velha que você, Fred e Frank, gêmeos, têm mais ou menos a minha idade e a menor, Grace, tem nove para dez anos. Laurie gosta muito dos rapazes.
Parece-me que não admira muito Kate, pela maneira com que fala dela.
— Felizmente, meu vestido de chita está limpo, e é o mais adequado — observou Meg, satisfeita. — E você, tem algum decente?
— Tenho o vermelho e cinzento à marinheira; vou brincar e passear, por isso não é preciso engomá-lo. Você vai, Beth?
— Se não deixarem nenhum dos meninos conversar comigo.
— Nenhum. Nós lhe prometemos.
— Eu gosto de agradar Laurie; também não receio o sr. Brooke, que é muito bom; mas não quero brincar, nem cantar, nem falar, nada. Trabalharei somente, sem perturbar ninguém; se você for comigo, Jo, eu irei.
— Minha flor, você faz bem em lutar contra o acanhamento, por isso te quero mais bem ainda; combater as fraquezas não é fácil, e muitas vezes uma palavra alentadora é o melhor auxílio. Obrigada, mamãe, pelo bem que me fez — e Jo a beijou agradecida.
— Eu recebi uma caixa de chocolate e o desenho que desejava copiar — disse Amy mostrando sua correspondência.
— E eu uma carta do sr. Laurence, pedindo-me que fosse tocar para ele esta tarde, antes de acenderem as luzes; e eu irei — acrescentou Beth, cuja amizade com o velho aumentava dia a dia.
— Agora, vamos ao trabalho e trabalhemos dobrado hoje, a fim de podermos amanhã nos divertir despreocupadas — disse Jo.
Quando o sol entrou no quarto das meninas, na manhã seguinte, prometendo-lhes um lindo dia, aconteceu um cômico espetáculo. Cada qual havia feito, para o acampamento, os preparativos necessários e indispensáveis. Meg estava com papelotes na cabeça e besuntara um creme no rosto; Beth levara Joana para sua cama, para mitigar as saudades da separação e Amy chegara ao cúmulo de apertar o nariz com um grampo de prender roupa

para dar uma forma mais perfeita. Era um desses grampos que os desenhistas também usam para fixar o papel na mesa. Esse espetáculo cômico parecia ter alegrado o senhor sol, pois começou a impor raios de tal maneira que acordou Jo, que, despertou todas as irmãs com uma gargalhada estridente, ao ver o grampo no nariz de Amy. O dia ensolarado e risadas eram bons augúrios para um acampamento. Beth, que se aprontara primeiro, fazia a descrição do que se passava na casa vizinha, apressando as irmãs com frequentes telegramas enviados da janela.

— Aí vem um homem com a barraca! Vejo a sra. Barcker pondo as comidas num cesto grande. Agora, o sr. Laurence está olhando para o céu e para o catavento! Olha, Laurie parece um marinheiro! Oh, meu Deus, lá vem uma carruagem cheia de gente... Uma senhora alta, uma menina, e dois pequenos medonhos... Um é coxo. Coitado, anda de muletas! Laurie não nos contou isso. Andem depressa, meninas; está ficando tarde. Olhem, aquele é Ned Moffat, garanto! Veja, Meg, não é aquele o moço que cumprimentou você naquele dia em que estávamos fazendo compras?

— É ele mesmo; esquisito! Pensava que estivesse nas montanhas. Ali está Sallie; como foi bom que ela viesse a tempo! Estou bem, Jo? — perguntou Meg, ficando à frente da irmã.

— Parece uma margarida. Erga mais o penteado e ponha o chapéu; vamos então.

— Oh, Jo! Você vai com esse chapéu horrível? — indagou Meg ao ver que Jo amarrava, com uma fita o chapelão de abas largas que Laurie lhe mandara por brincadeira.

— É grande, leve e produz sombra; podem caçoar, mas não me importo.

Encaminhou-se para a porta, seguida pelas outras; um gracioso bando de irmãs, de aspecto encantador, com vestidos leves de verão e os rostos radiantes de felicidade sob as abas dos chapéus de passeio.

Laurie correu para encontrar-se com elas, apresentando-as aos amigos, da maneira mais cordial possível. O gramado serviu de sala de recepção e durante alguns minutos desenrolou-se ali uma cena animada. Meg ficou encantada por ver que srta. Kate, apesar de ser uma moça de vinte anos, estava vestida com uma simplicidade que os americanos deveriam imitar; e além disso impressionada com as finezas de Ned, que fora especialmente por causa dela. Jo compreendeu por que Laurie não admirava Kate, pois esta jovem tinha um ar que contrastava com a maneira jovial e franca das outras moças. Beth reparou bem nos rapazes e concluiu de que o coxo era gentil e delicado; e resolveu demonstrar-lhe a sua simpatia. Amy achou Grace muito bem-educada, uma pessoa muito alegre e, depois de permanecerem hesitantes uma com a outra por alguns instantes, tornaram-se ótimas amigas.

Tendo sido enviadas as barracas, alimentos e pertences de críquete, embarcou em seguida o bando, indo os dois barcos juntos, enquanto o sr. Laurence agitava o chapéu na praia. Laurie e Jo remavam num deles, e o sr. Brooke e Ned, no outro, enquanto Fred Vaughan, o turbulento gêmeo, empregava todos os seus esforços para passar-lhes adiante, remando ao lado deles numa canoa. O chapelão de Jo prestou grandes serviços a todos, pois quebrou o gelo no cortejo, provocando gargalhadas, produzia agradável brisa ao oscilar-lhe a cabeça com os movimentos para remar e ainda, conforme ela dizia, serviria de excelente refúgio para todos, se acaso chovesse.

Kate parecia espantada com os modos de Jo, principalmente quando ela exclamou: "Cristóvão Colombo!" ao escapar o remo. Laurie, tropeçando nos seus pés ao substituí-la perguntou:

— Machuquei-a, minha amiguinha?

Depois de examinar Jo várias vezes com binóculos de teatro, a srta. Kate concluiu que ela era excêntrica, mas interessante; e sorriu de longe.

Meg, no outro barco, estava sentada em frente dos remadores que admiravam a paisagem, manejando os remos com rara habilidade e destreza. O sr. Brooke era um moço sério e silencioso, de belos olhos castanhos e voz agradável. Meg gostava de suas maneiras calmas, e considerava-o uma enciclopédia ambulante. Nunca conversara muito com ela, mas olhava-a muito, e a moça compreendia que ele simpatizava com ela. Ned, sendo colegial ainda, tomava atitudes importantes que os franceses julgavam ser indispensáveis assumir; mesmo assim, era muito jovial e alegre, e, portanto, um excelente companheiro para um piquenique.

Sallie Gardiner estava preocupada em conservar limpo o seu vestido de piquê branco e gracejava com o onipresente Fred, que mantinha Beth em constante terror com suas travessuras.

Longmeadow não era longe, ao chegarem, encontraram a barraca já armada e os paus do críquete prontos no chão. Era um lindo campo verde, tendo ao centro três carvalhos e uma suave faixa de relva para o jogo.

— Sejam bem-vindos ao acampamento Laurence! — disse o jovem anfitrião ao aportarem, entre exclamações de alegria — Brooke é o comandante; eu, o comissário; os outros companheiros, oficiais de Estado; e vocês, moças, são nossas hóspedes. A barraca é para seu uso exclusivo e, aquele carvalho, a sala de visitas; ali é o refeitório, e a cozinha de campanha. Vamos jogar antes que faça calor e depois trataremos do almoço.

Frank, Beth, Amy e Grace sentaram-se para apreciar o jogo dos outros oito. Brooke escolheu Meg, Kate e Fred; Laurie ficou com Sallie, Jo e Ned. Os ingleses jogavam bem, mas os americanos melhor, disputando as polegadas do campo com a mesma força dos sentimentos hostis do ano de 76. Jo e Fred tiveram algumas escaramuças, e uma das vezes por um triz não trocaram palavras ásperas. Jo atravessara o último arco, mas errara o golpe e essa falha aborrecera-a muito; a bola de Fred estava atrás e a sua rebatida veio parar na frente da de Jo; deu um golpe; a bola foi até o arco, mas parou uma polegada ao lado. Como não havia ninguém perto, ele correu para examinar e empurrou suavemente a bola com o pé, fazendo com que fosse parar uma polegada adiante.

— Atravessei! Agora, srta. Jo, sou eu — exclamou o rapaz, deslocando o batedor para novo golpe.

— O senhor empurrou a bola! Eu vi. É a minha vez, agora — replicou Jo.

— Dou-lhe minha palavra de que não a movi. Ela rolou um pouco, talvez, mas isso é permitido; afaste-se, faça favor, para eu enxergar a estaca.

— Nós não costumamos trapacear na América; o senhor pode fazê-lo se quiser — replicou Jo nervosa.

— Os ianques são muito mais trapaceiros, todo o mundo sabe. Pode jogar agora — retrucou Fred, arremessando longe a bola dela.

Jo abriu os lábios para dar uma resposta grosseira, mas conteve-se a tempo, corou e ficou por um instante parada; atacou o arco com toda a força, enquanto Fred acertava na estaca, proclamando-se triunfante. Ela foi atrás de sua bola, gastando algum tempo para achá-la entre os ramos; voltou, porém, calma e calada, esperando paciente a sua vez.

Empregou alguns golpes para conseguir o seu lugar e, quando o ocupou, o partido contrário estava quase ganhando, porque a bola de Kate foi parar junto à estaca.

— Por George, tudo está contra nós! Adeus, Kate! Estamos liquidados, pois Jo me deve uma! — exclamou Fred, exaltado, quando todos corriam para ver o fim.

— Os ianques sabem ser generosos com seus inimigos — disse Jo, com um olhar que fez corar o rapaz — principalmente quando os derrotam — acrescentou ela; e, sem tocar na bola de Kate, com um hábil golpe conseguiu ganhar a partida.

Laurie atirou ao ar o chapéu, mas recordando-se de que não deveria exultar com a derrota de seus convidados, murmurou para a sua amiga:

— Muito bem, Jo. Ele trapaceou, eu vi. Não poderemos dizer isso a ele; mas ele não fará isso de novo, eu garanto.

Meg levou-a para um lado, sob pretexto de prender uma trança desatada e disse:

— A provocação foi grande, mas você dominou seu temperamento, e estou satisfeita, Jo.

— Não me elogie, Meg, pois até neste momento tenho vontade de dar-lhe uns murros nos ouvidos. Teria perdido a paciência, se não tivesse me afastado um pouco, procurando me conter. Mas ainda estou fervendo de raiva, por isso desejo que ele não me provoque outra vez — replicou Jo, mordendo os lábios enquanto olhava para Fred por debaixo do seu grande chapéu.

— É hora do almoço — disse o sr. Brooke consultando o relógio. — Sr. Comissário, faça fogo e ferva a água, enquanto srta. March, srta. Sallie e eu pomos a mesa. Quem sabe fazer um café gostoso?

— Jo — disse Meg, satisfeita por poder elogiar a irmã. E assim Jo, crente de que suas últimas lições de culinária lhe haviam dado fama, encarregou-se do café, enquanto as crianças catavam gravetos e os rapazes acendiam o fogo e iam a uma fonte próxima buscar água. Srta. Kate desenhava e Frank conversava com Beth, a qual fazia pequeninas esteiras de ramos entrelaçados para servir de pratos. O comandante e suas auxiliares encheram logo a toalha com um sortimento convidativo de comestíveis e bebidas, enfeitadas com folhas verdes. Jo anunciou que o café estava pronto e todos trataram de servir-se; o exercício abre o apetite dos jovens.

O almoço decorreu muito alegre, entre frequentes gargalhadas, cujos sons inquietaram um cavalo que estava ali perto.

A engraçada desigualdade da mesa produzia vários acidentes com os copos e pratos; caíam flores de carvalho no leite, formiguinhas pretas participavam do banquete sem convite e lagartas desciam das árvores para ver o que era aquilo. Três cabecinhas louras de crianças espiavam da cerca, e um cão perdigueiro latiu do outro lado do rio com toda força.

— Se preferir com sal, temos aqui — disse Laurie, passando para Jo alguns pires com morangos.

— Muito obrigada, prefiro aranhas — replicou ela, pescando duas aranhazinhas que tinham ido procurar a morte numa vasilha de creme. — Como ousa recordar-me aquele horrível jantar, quando o seu é tão perfeito? — acrescentou Jo. E riram enquanto comiam no mesmo prato por não ter sido a louça suficiente.

— Que ótimo dia para mim, ainda não tive outro melhor. O bom êxito de hoje não é devido a mim, você compreende; nada fiz: foram vocês, Meg e Brooke que se encarregaram de tudo, não sei como agradecer. Que faremos, quando acabarmos de almoçar? — perguntou Laurie.

— Brincaremos até o dia ficar mais fresco. Penso que srta. Kate conhece algumas brincadeiras interessantes. Vá perguntar a ela, pois é uma das convidadas, por isso você precisa prestar mais atenção a ela.

— Penso que Kate gosta de Brooke, mas ele continua conversando com Meg, e Kate fita-os com seu ridículo binóculo de teatro! Eu vou, mas não precisa falar sobre conveniências.

Srta. Kate conhecia vários passatempos novos; e como as moças não conheciam e os rapazes não iam comer mais, reuniram-se todos na "sala de visitas" para brincar de "Disparates".

— Uma pessoa começa uma história, qualquer tolice que queira, e fala enquanto lhe der na cabeça, tendo o cuidado de parar de repente num ponto interessante; nesse momento o próximo toma a palavra e faz o mesmo. É muito engraçado quando bem feito, produzindo uma mistura de coisas trágicas e cômicas. Queira começar, sr. Brooke — disse Kate, com um gesto imperativo que surpreendeu Meg, a qual tratava o professor com mais respeito do que a qualquer outro cavalheiro.

Deitado na relva, ao pé das duas jovens, o sr. Brooke começou a história, com os belos olhos castanhos fixos no rio:

— Era uma vez um cavaleiro que saiu pelo mundo em busca de fortuna, porque nada possuía a não ser sua espada e seu escudo. Viajou muito tempo, até que chegou ao castelo de um bom e velho rei, o qual oferecia um prêmio a quem domasse e adestrasse um cavalo novo que era o seu orgulho. O cavaleiro tratou de experimentar e conseguiu montá-lo, difícil, mas seguramente, pois o animal era dócil, apesar de ser fogoso e selvagem, e logo se afeiçoou a seu novo dono. Todos os dias, quando ensinava o animal favorito do rei, o cavaleiro atravessava a cidade montado nele, e, enquanto cavalgava, procurava um belo rosto que tinha visto várias vezes em seus devaneios, mas nunca na realidade. Um belo dia, quando passeava em uma rua erma, viu à janela de um castelo o rosto encantador. Fascinado, tratou de saber quem morava naquele castelo; então disseram-lhe que várias princesas estavam aprisionadas nele por um gênio, e que fiavam o dia todo, para comprar a liberdade. O cavaleiro sentiu o desejo de libertá-las; mas era pobre e só podia ir diariamente admirar o rosto encantador, procurando sempre vê-lo exposto ao sol. Afinal, resolveu entrar no castelo e procurou saber como poderia chegar ao lugar onde elas estavam. Foi e bateu; um grande portão se abriu e ele viu...

— Uma moça linda que exclamou: — Ei-lo enfim! — continuou Kate, que lia novelas francesas e admirava o estilo. — É ela! — exclamou o conde Gustavo, caindo aos pés da moça num êxtase. — Oh, levante-se! —, disse ela, estendendo-lhe a mão alva e gelada. — Nunca! Enquanto não me disser como poderei salvá-la, não me levantarei! — afirmou o cavaleiro, continuando de joelhos. — Ai de mim! O destino cruel condenou-me a permanecer aqui, até que o vilão seja aniquilado! — Onde está o vilão? — No salão lilás; vá, coração valente, e salve-me do desespero! — Eu vou e volto vitorioso... ou morto. – E, com tais palavras aterradoras, precipitou-se para a porta do salão lilás, que ele abriu e ia entrar na sala quando recebeu...

— Um atordoante golpe que um velho vestido de preto lhe desferiu com um grosso dicionário grego — disse Ned. — Imediatamente, o cavaleiro recobrando-se do choque, lançou o vilão pela janela e voltou para junto da moça, vitorioso, mas com um galo na testa; achando a porta trancada, arrancou as cortinas, fez com elas uma escada de corda e começou a descer; mas, a escada não resistindo ao peso, despencou-se no fosso, de uma altura de vinte metros. Mas ele nadava como um pato e assim deu a volta ao castelo até chegar a uma portinha ladeada por dois guardas; batendo as cabeças uma contra a outra, quebrou-as como duas nozes e, empregando sua força, pôs a porta abaixo, galgando alguns degraus de pedra recobertos de palmo e meio de pó e cheios de enormes sapos e aranhas que fariam srta. March cair com um ataque de nervos. No alto dessa escada, avistou uma cena que lhe tirou a respiração e gelou o sangue nas veias...

— Era uma alta figura toda de branco, com um véu no rosto, e uma lanterna na mão cadavérica — continuou Meg. — Acenava-lhe, deslizando silenciosamente à sua frente por um corredor escuro e gélido como uma tumba. Vultos sombrios com armaduras ladeavam o corredor, num silêncio de morte, enquanto a lâmpada projetava macabros clarões azulados; e a figura espectral se virava para ela, relanceando um olhar medonho através do branco véu. Chegaram a uma porta recoberta com uma cortina, atrás da qual se ouvia uma belíssima música; ele tentou entrar, mas o espectro o empurrava para trás acenando-lhe ameaçadoramente com uma...

— Caixa de rapé — disse Jo, num tom sepulcral que abalou a plateia. — Obrigado — agradeceu o cavaleiro, enquanto aspirava uma pitada, espirrando sete vezes com tanta força, que sua cabeça saiu fora do corpo — Ah! Ah! — riu com sarcasmo o fantasma; e, depois de espiar pelo buraco da fechadura as princesas que continuavam fiando, para readquirir a tão esperada liberdade, o espírito mau levantou a sua vítima do chão, metendo-a numa grande caixa de folha onde estavam outros onze cavaleiros sem cabeça, empilhados como sardinhas em lata, os quais se levantaram e começaram...

— Dançar ao som de uma gaita de fole — interrompeu Fred, quando Jo parara para respirar — e, ao dançarem, o castelo arruinado se transformou num navio a todo vapor. — Içar a bujarrona, rizar as adriças nos topes, virar porte para barlavento, e tripular as peças! gritava o capitão, pois um navio pirata português estava à vista com uma bandeira, negra como tinta, flutuando no mastro de traquete. — Perseguir e vencer, meus bravos! — disse o capitão; e iniciou uma tremenda batalha naval. Afinal o navio inglês venceu — os ingleses vencem sempre — e, tendo feito o capitão dos piratas prisioneiro, o navio continuou a viagem, cujo convés estava coberto de cadáveres e inundado de sangue. Imediato, tome uma corda e dependure nela esse tratante, se não confessar todos os seus crimes imediatamente — disse o capitão inglês. O português jorrava pelo tombadilho, enquanto os marujos riam como loucos. Mas o cão deu um salto e um mergulho, e, passando por baixo do navio, fez vários rombos e este começou a afundar com toda a tripulação, desaparecendo no fundo do mar, onde...

— Oh! bonito! O que eu irei contar! — perguntou Sallie, quando Fred terminou a sua parte, na qual havia, termos náuticos e fragmentos de um de seus livros prediletos. — Bem, foram para o fundo e uma linda sereia recebeu-os, mas ficou com pena, encontrando a caixa de cavaleiros sem cabeça; colocou eles em salmoura, na esperança de compreender aquele mistério; era mulher, portanto, muito curiosa. Veio logo um mergulhador e a sereia disse: — Te dou esta caixa cheia de pérolas se puder levá-la para cima — pois desejava restituir-lhes a vida e não podia com o peso da caixa. O mergulhador içou a caixa imediatamente, e ficou muito desapontado ao abri-la, não achando pérolas, e sim corpos mutilados. Abandonou-a num grande campo solitário onde foi encontrado por uma...

— Pequena cuidadora de gansos que pastoreava uma centena de gordas aves desta espécie, no campo — disse Amy ao terminar Sallie a sua parte. Ela ficou muito triste ao ver os corpos, e perguntou a uma velha o que deveria fazer. — Os teus gansos dirão — respondeu a velha. A menina, então, perguntou aos gansos o que deveria arranjar para substituir as cabeças que haviam se perdido e os gansos, com suas cem bocas, grasnaram ao mesmo tempo:

— Cabeças de repolho! Cabeças de repolho! — continuou Laurie prontamente. — Muito bem — disse a menina; — boa ideia! — e correu à sua horta, de onde trouxe doze lindas cabeças de repolho. Colocou-as sobre os pescoços e os cavaleiros reviveram, agradecendo-lhe e foram andando pelo caminho sem conhecer a diferença que neles, pois há no mundo muita gente com cabeça de repolho, sem saber disso. O nosso cavaleiro voltou a procurar o lindo rosto e soube que todas as princesas haviam recuperado a liberdade e casaram-se, exceto uma. Ficou louco para saber qual delas ficara solteira. Montou no seu cavalo que não o abandonara em todas situações e correu para o castelo. Espreitando sobre a cerca, viu o rosto encantador colhendo flores no jardim. — Quer me dar uma rosa? — perguntou ele. — Entre e colha. Eu não posso dar. Não seria certo — respondeu a princesa. Ele tentou pular a cerca, mas esta parecia crescer mais e mais; procurou então atravessá-la, porém ela tornava-se cada vez mais espessa, e o rapaz ficou desesperado. Quebrou vara por vara até fazer uma pequena abertura através da qual conseguiu olhar, dizendo um tom suplicante:

— Deixe-me entrar! Mas a linda princesa parecia não o compreender, continuava a colher as rosas, deixando-o esforçar-se para entrar. Se conseguiu ou não, dirá Frank.

— Eu não. Não estou na brincadeira, não costumo brincar — respondeu

Frank, assustado com a situação sentimental em que se achava o tal par. Beth desaparecera atrás de Jo e Grace adormecera.

— Então, o pobre cavaleiro fica preso na cerca? — perguntou o sr. Brooke, continuando a observar o rio e brincando com a rosa silvestre da sua botoeira.

— Penso que a princesa lhe ofereceu um ramalhete e abriu o portão depois de um tempo — acrescentou Laurie, sorrindo, enquanto atirava bolotas no preceptor.

— Quanto disparate dissemos! Poderíamos dizer coisas mais interessantes. Vocês conhecem "Verdade"? — perguntou Sallie, depois que todos acabaram de rir da história contada.

— Penso que conheço — disse Meg.

— Eu refiro-me ao jogo.

— Como é? — perguntou Fred.

— Muito simples. Você escolhe um número e sorteia entre os presentes; a pessoa sorteada tem de responder a verdade às perguntas feitas pelos outros. É muito engraçado.

— Vamos experimentar — disse Jo que gostava de novidades.

Srta. Kate, o sr. Brooke, Meg e Ned não quiseram entrar no jogo, mas Fred, Sallie, Jo e Laurie participaram do sorteio. O número saiu para o último.

— Quais são os seus heróis preferidos? — perguntou Jo.

— Vovô e Napoleão.

— Qual a moça que acha mais bonita? — perguntou Sallie.

— Margaret.

— E de qual gosta mais? — perguntou Fred.

— De Jo, naturalmente.

— Que perguntas tolas! — E Jo deu de ombros desdenhosa, enquanto os outros riam do tom sério de Laurie.

— Vamos fazer outro sorteio. Não é uma brincadeira ruim "Verdade" — disse Fred.

— Muito bom para você — replicou Jo em tom baixo. Era agora a sua vez.

— Qual o seu maior defeito? — perguntou Fred, desejando saber se Jo tinha a virtude que lhe faltava.

— Temperamento exaltado.

— Que deseja mais? — disse Laurie.

— Um par de botinas de amarrar — respondeu Jo, adivinhando e malogrando a sua intenção.

— Não é verdade. Você deve dizer o que realmente mais deseja.

— Talento. Você bem poderia me dar, Laurie — e sorriu de seu desapontamento.

— Que virtude mais admira num homem? — perguntou Sallie.

— Coragem e honestidade.

— Agora é a minha vez — disse Fred.

— Aproveite — sussurrou Laurie a Jo, que abaixou a cabeça e perguntou imediatamente:

— Você trapaceou no críquete?

— Sim, um pouquinho.

— Meus Deus! E o trecho da história que contou não foi tirado do "Leão dos Mares"? — perguntou Laurie.

— Alguma coisa.

— Não acha a Inglaterra uma nação perfeita, sob todos os aspectos? — perguntou Sallie.

— Ficaria envergonhado de mim mesmo se não a achasse.

— É um verdadeiro John Buli. Agora, srta. Sallie, é a sua vez, mesmo sem tirar sorte. Vou melindrar seus sentimentos, perguntando-lhe se não está namorando alguém — disse Laurie, enquanto Jo acenava para Fred significando que já não estava zangada.

— Que rapaz indiscreto! Não, decerto — exclamou Sallie, embora o seu modo de responder provasse o contrário.

— Que detesta mais? — perguntou Fred.

— Aranhas e pudim de arroz.

— E de que gosta mais? — perguntou Jo.

— De dançar e de luvas francesas.

— "Verdade" é uma diversão muito tola, muito tola; vamos brincar de "Escritores", para refrescar o espírito — propôs Jo.

Ned, Frank e as meninas mais novas reuniram-se para essa brincadeira, enquanto os três mais velhos se sentaram separados, para conversar. Srta. Kate pegou o seu desenho de novo e Meg observava-a e o sr. Brooke se deitou na grama, tendo na mão um livro que não lia.

— Que beleza o seu desenho! Gostaria de saber desenhar! — disse Meg, admirada.

— Por que não aprende? Acredito que tem gosto e talento para isso — replicou gentilmente srta. Kate.

— Falta-me tempo.

— Sua mamãe prefere dar-lhe outras prendas, acredito. A minha também, mas provei que tinha talento para o desenho, tomando algumas lições particulares e ela ficou muito desejosa de que eu continuasse a desenhar. Por que não faz o mesmo com a sua governanta?

— Eu não tenho governanta.

— Ah, esqueci que as moças na América vão à escola. Papai diz que aqui tem muitas e ótimas escolas. Você frequenta, certamente, alguma escola particular.

— Não. Eu é que sou governanta...

— Verdade! — replicou srta. Kate, como se quisesse dizer: — Meu Deus, que horror! Era esse o significado de seu tom de voz, o que fez Meg arrepender-se de ter sido tão franca.

O sr. Brooke ergueu o olhar, acrescentando:

— As moças na América apreciam a independência com o mesmo ardor de seus antepassados, sendo admiradas e respeitadas por se manterem a suas próprias expensas.

— Oh! Certamente. É muito bonito o seu procedimento. Nós temos mulheres respeitáveis e dignas que fazem o mesmo; são aproveitadas pela nobreza porque, descendendo de fidalgos, têm, ao mesmo tempo, boa educação e qualidades de família — disse srta. Kate com um tom complacente que feriu o orgulho de Meg, fazendo-lhe achar detestável e degradante seu emprego.

— Gostou da canção alemã, srta. March? — perguntou Brooke, quebrando o embaraçoso silêncio.

— Sim, é muito linda e estou grata a quem traduziu — respondeu ela, enquanto seu rosto de expressão abatida se alegrava de novo.

— Não traduz alemão? — perguntou a srta. Kate com um olhar de surpresa.

— Muito mal. Meu pai, que me ensinava, está ausente e eu não quis prosseguir só, pois não teria quem corrigisse a minha pronúncia.

— Experimente um pouco agora. Aqui está "Maria Stuart", de Schiller, e um professor que gosta de ensinar — e Brooke pôs o livro no colo, com um sorriso convidativo.

— É muito difícil, tenho receio de sair-me mal — disse Meg agradecida, porém envergonhada pela presença da educada moça.

— Vou ler um trecho para encorajá-la. — e srta. Kate leu uma bela passagens corretamente, mas sem expressão.

O sr. Brooke não fez comentário algum quando ela devolveu o livro a Meg, a qual disse com ingenuidade:

— Pensei que fosse em versos.

— Só em alguns trechos. Leia este.

E o sr. Brooke sorriu ao abrir o livro na passagem da lamentação da pobre Maria.

O novo professor de Meg indicou-lhe com uma folha de relva o trecho referido; obedecendo a esse gesto, Meg leu baixo a princípio, transformando com a suave entoação de sua voz musical a aspereza das palavras em suave harmonia. A folha de relva foi descendo a página e Meg, esquecendo-se da presença da outra, e empolgada pela beleza da cena triste, lia como se estivesse só, dando expressão trágica às palavras da infeliz rainha. Se tivesse fitado os seus nos olhos castanhos de Kate, teria parado imediatamente, mas não levantou os seus, e com isso a leitura não perdeu para ela o encanto.

— Muito bem! — disse o sr. Brooke quando Meg fez uma pausa, como se tivessem passado despercebidas suas muitas incorreções e com o ar de quem gostava de ensinar. Srta. Kate ergueu os binóculos de teatro e, fechou o álbum de desenho, dizendo de modo arrogante:

— Você tem uma linda expressão e a seu tempo será uma excelente leitora. Aconselho que estude, pois a língua alemã é muito valiosa para os mestres. Vou ver Grace; ela está brincando como uma criança. — E afastou-se, murmurando para si com um movimento de ombros: — Embora seja jovem e bonita, não vou ficar em companhia de uma governanta! Como são excêntricos estes ianques! Espero muito que Laurie não se contamine no meio deles.

— Esqueci-me de que os ingleses viram o rosto às governantas e não as tratam como nós — disse Meg, olhando o vulto que se afastava.

— Também não estimam os preceptores por lá, o que sei por triste experiência. Não há terra como a América para nós, que trabalhamos, srta. Margaret.

— Fico então contente por morar aqui. Não aprecio meu serviço, mas, afinal, dá-me assim mesmo prazer, por isso não devo queixar-me. Gostaria de lecionar como o senhor.

— Principalmente se tivesse alunos como Laurie. Vou ficar bem triste se perdê-lo — disse o sr. Brooke.

— Ele vai para uma universidade, não? E que vai ser do senhor?

— Sim já está em tempo de ir; e, assim que ele partir, irei alistar-me como soldado.

— Muito bem — exclamou Meg. — Penso que todos os homens deveriam fazer o mesmo, embora seja horrível para os que ficam: as mães e as irmãs — acrescentou ela, com tristeza.

— Não tenho mãe nem irmã, e a pouquíssimos amigos interessa que eu viva ou morra — falou com certa amargura ao mesmo tempo em que punha a rosa no buraco que cavara, cobrindo-a de terra em sua pequenina sepultura.

— Laurie e o avô interessam-se muito e todas nós sentiríamos se acontecer algo de ruim com você — protestou Meg com sinceridade.

— Agradecido por essas palavras gentis — disse ele, tornando-se outra vez alegre; mas, antes que pudesse prosseguir, Ned, montado no velho cavalo, aproximou-se exibindo suas habilidades de cavaleiro às moças. E nesse dia não tiveram outros momentos de sossego.

— Não gosta de andar a cavalo? — perguntava Grace a Amy, após galopar em torno do campo, assim como as outras, guiadas por Ned.

— Sou louca por isso. Minha irmã Meg costumava andar quando papai era rico, mas agora não temos cavalos, exceto Ellen Treen — disse Amy.

— Ellen Treen é alguma besta? — indagou curiosamente a outra.

— Jo é louca por cavalos e eu também; mas só possuímos um silhão velho. Em nosso pomar há uma macieira que tem um ramo baixo; prendemos os arreios nele e cavalgamos, em Ellen Treen, para onde nos manda a fantasia.

— Que engraçado! — disse Grace. — Eu tenho um pônei em casa e passeio quase diariamente no Parque com Fred e Kate; é muito bonito, pois os meus amigos vão também e o Row está sempre cheio de damas e gentis-homens.

— Que encanto! Tenho esperanças de viajar pelo estrangeiro algum dia; eu preferia, porém, ir a Roma em vez de ir ao Row — acrescentou Amy, que não tinha a mais remota ideia do que fosse o Row.

Frank, sentado atrás delas, ouvia o que diziam, afastando as muletas, ao ver os rapazes fazer toda a espécie de acrobacias.

Beth, que recolhia as esparsas cartas de jogar, fitou-o.

— Creio que está cansado; quer que o ajude?

— Converse comigo, é horrível ficar aqui sentado, sozinho — respondeu Frank.

E se ele pedisse à envergonhada Beth que recitasse uma frase latina, seria uma tarefa muito difícil, e não havia jeito de fugir, nem Jo estava ali para se esconder atrás dela e o pobre rapaz fitava-a tão implorativamente que, resolveu experimentar.

— Qual o assunto de que mais gosta? — perguntou ela, deixando cair a metade do baralho, cujas cartas procurava reunir.

— Gosto de ouvir falar sobre críquete, passeios de barco e caçadas — disse Frank, que não sabia apreciar diversões por causa das suas limitações físicas.

"Meu Deus! Não entendo de nada disso! Que irei dizer?" — pensou Beth; e começou, na esperança de fazê-lo falar:

— Nunca assisti a caçadas, mas você com certeza conhece-as bem, não?

— Cacei uma só vez, mas caí do cavalo ao fazê-lo saltar uma maldita cerca e daí em diante não houve mais cães nem cavalos para mim — disse Frank, com um suspiro que fez com que Beth se arrependesse da pergunta.

— Os veados de seu país são muito mais bonitos que os nossos feios búfalos — disse ela satisfeita por ter lido um dos livros de que Jo tanto gostava.

Os búfalos agradaram e, na sua ânsia de distrair o rapaz, Beth esqueceu das irmãs que estavam surpresas e satisfeitas, ao vê-la conversar com um dos terríveis rapazes contra os quais ela implorava proteção.

— Ela tem um coração bom! — Disse Jo, observando, do campo de críquete.

— Eu sempre disse que ela é uma santinha — disse Meg.

— Nunca ouvi Frank rir tanto — disse Grace a Amy, sentadas discutindo sobre bonecas e como fabricar aparelhos de chá com as flores do carvalho caídas.

— Minha irmã Beth é uma menina fastidiosa quando quer ser — replicou

Amy. Ela queria dizer "prodigiosa"; mas como Grace não conhecia o significado de nenhuma das duas palavras, "fastidiosa" soava melhor.

Um circo improvisado e uma partida amistosa de críquete deram fim à tarde. Ao pôr do sol, desmontaram a barraca, arrumaram as cestas e os objetos do jogo, entraram nos barcos e todo o grupo desceu rio abaixo, cantando bem alto. Ned, arriscava uma serenata com o refrão triste:

"Triste e só, ai pobre de mim!" e, ao cantar os versos "Somos jovens, e temos coração, Por que ficarmos assim sós?", fitara Meg com uma expressão tão derretida que ela deu uma gargalhada, estragando a canção amorosa.

— Como pode ser tão cruel? — sussurrou Ned enquanto soava o coro estridente de outras vozes — Esteve o dia todo junto daquele inglês arrogante e agora zomba de mim.

— Não tive essa intenção; mas você estava tão engraçado que realmente não pude conter o riso — respondeu Meg; era então verdade que ela o deslumbrava, refletiu, a recordar-se do que ouvira na casa dos Moffat.

Ofendido, Ned voltou-se para Sallie procurando consolo, dizendo-lhe:

— Aquela moça parece que não costuma flertar!

— Não! Mas mesmo assim é um anjo — respondeu Sallie defendendo a amiga, embora reconhecendo o esse defeito.

No gramado, onde se reuniu, o pequeno grupo separou-se com boas noites e adeuses cordiais, pois os Vaughan estavam de partida para o Canadá. Enquanto as quatro meninas atravessavam o jardim, a srta. Kate disse sem seu costumado tom de superioridade:

— Apesar de seu exibicionismo, as moças americanas são gentis quando se convive com elas.

— Concordo plenamente com sua opinião — acrescentou o sr. Brooke.

CAPÍTULO 13

CASTELOS NO AR

Laurie embalava-se na rede em uma tarde cálida de setembro, pensando o que suas vizinhas estavam fazendo, mas com preguiça suficiente para não ir saber notícias delas. Estava num de seus dias de mau humor. O calor o deixava indolente; deixara de lado o estudo, aborrecendo o avô, envolvendo-se em jogos grande parte do dia, assustara as criadas, fazendo-lhes acreditar por maldade, que um dos cães estava com raiva e, depois de dirigir palavras ásperas injustamente ao rapaz da estrebaria por não ter tratado do seu cavalo, mergulhara finalmente na rede pensando na estupidez do mundo até que, apesar de tudo, acalmara sentindo a placidez daquele belo dia. Fitando o verde das copas dos castanheiros, sonhava que estava no oceano, em uma viagem ao redor do mundo, quando um som de vozes o fez acordar. Espreitando pelas malhas da rede, viu as March saírem.

"Aonde iriam aquelas meninas?" — pensou Laurie, abrindo os olhos para ver bem, pois havia algo de particular no aspecto delas. Cada uma ia com um grande chapéu desabado e trazia um saco de estopa ao ombro e um comprido cajado na mão; Meg levava uma almofada, Jo um livro, Beth uma cestinha e Amy uma pasta. Seguiram todas silenciosas pelo jardim, passaram pelo pequeno portão dos fundos e começaram a subir a colina que ficava entre a casa e o rio.

"Muito bem, muito bonito!"— pensou Laurie. "Fazerem um piquenique e não me convidarem! Não podem ir no barco, pois não têm a chave. Talvez esqueceram de pedi-la; vou levá-la e verei o que está acontecendo."

Embora possuísse meia dúzia de chapéus, gastou muito tempo para encontrar um; depois, demorou para encontrar a chave que estava, afinal, no próprio bolso;

assim, as meninas já tinham desaparecido quando ele alcançou a cerca e começou a correr atrás delas. Tomando o caminho mais curto para o depósito dos barcos, esperou-as ali. Como nenhuma apareceu, subiu a colina para observar. Parte desta era coberta por um bosque de pinheiros. "Que bela paisagem!" — pensou Laurie, olhando através, dos ramos, já com o semblante alegre e bem-humorado. As irmãs estavam sentadas num canto na sombra. Meg estava sentada sobre sua almofada costurando, e o seu vestido vermelho contrastava com o verde da vegetação. Beth ajuntava os cones que havia em abundância, com os quais, debaixo de um pé de cicuta, fazia lindos objetos. Amy desenhava samambaias e Jo lia alto, fazendo, ao mesmo tempo, meia. O rosto de Laurie entristeceu-se, ao vê-las, pois viu que deveria voltar, por não ter sido convidado; hesitava, contudo, porque a sua casa lhe parecia extremamente solitária e aquele passeio no bosque era mais atraente para seu espírito irrequieto.

Ali ficou até que um esquilo, ocupadíssimo com a sua colheita de frutos, desceu por um pinheiro junto a ele e, vendo-o, deu um salto rápido para trás com um guincho tão agudo que Beth virou o rosto; e, avistou o moço entre os ramos, fez-lhe um aceno, acompanhado de um sorriso acolhedor.

— Posso ir aí? Ou vou importuná-las? — perguntou aproximando-se devagar.

Meg levantou as sobrancelhas, porém Jo apressou-se a responder:

— Claro que pode. Queríamos chamá-lo, mas supusemos que não gostasse dessas diversões de moças.

— Gosto sempre das suas distrações; mas se Meg não quiser, irei embora.

— Não tenho objeções a fazer, desde que você faça alguma coisa; é contrário ao regulamento ficar na ociosidade aqui — replicou Meg séria.

— Muito agradecido; farei o que quiserem, se me deixarem ficar um pouco, porque em casa está triste. Devo costurar, ler, desenhar, apanhar cones ou fazer tudo isso ao mesmo tempo? Estou pronto — e Laurie sentou-se com ar agradável.

— Acabe essa história enquanto eu termino este calcanhar — disse Jo, passando-lhe o livro.

— Sim, senhora — respondeu docilmente iniciando a leitura e procurando assim provar sua gratidão pela admissão na "Sociedade das Abelhas Trabalhadeiras".

A história não era longa e, ao concluí-la, aventurou-se a fazer algumas perguntas como recompensa à sua atitude.

— Digam-me, senhoras silenciosas, esta instituição, altamente instrutiva e encantadora, é nova?

— Posso dizer-lhe? — perguntou Meg às irmãs.

— Ele vai rir de nós — avisou Amy.

— Que importa? — disse Jo.

— Creio que ele gostará — acrescentou Beth.

— Naturalmente! Dou-lhes minha palavra de honra de que não vou rir! Conte, Jo, não tenha receio.

— Ter receio de você! Costumamos imitar a Viagem do Peregrino e temos feito isso durante todo o inverno e o verão.

— Sim, já sei disso — replicou Laurie.

— Quem lhe contou? — perguntou Jo.

— Os espíritos.

— Não, fui eu — disse Beth. — Precisava distraí-lo uma noite em que vocês todas haviam saído e ele estava muito triste. Ele gostou, por isso não fique zangada comigo, Jo.

— Você não sabe guardar um segredo. Não importa. Poupou-lhe uma surpresa agora.

— Continue, por favor — disse Laurie quando viu que Jo, um pouco desapontada, se absorvia no seu trabalho.

— Ela não lhe contou o nosso novo plano? Bem, resolvemos não desperdiçar nossas férias, e cada uma se dedicou a uma tarefa com toda a boa vontade. As férias vão terminar, mas temos cumprido nossos objetivos, e nos sentimos muito contentes.

— Sim, acho que deve ser assim mesmo — e Laurie pensava, arrependido dos seus dias ociosos.

— Mamãe gosta que fiquemos ao ar livre o mais tempo possível; por isso trazemos para aqui nossos trabalhos e com isso nos divertimos muito. Porque é um prazer carregar nossos objetos nestes sacos, usar os chapéus velhos, os cajados para subir na colina e brincar de peregrinos, como fazíamos há anos. Chamamos a esta colina "Montanha Aprazível", pois podemos avistar até longe, enxergando a região onde esperamos habitar por algum tempo.

Jo apontava a colina e Laurie levantara-se para observar. Através de uma clareira do bosque, podiam ver além do rio largo e azul desde as campinas da outra margem até muito além dos arredores da grande cidade, onde se elevavam verdes montanhas até o céu. O sol descia e as nuvens brilhavam como esplendor de um poente de outono. Nuvens douradas e rubras eram vistas nos cumes: e acima da nuvens rubras havia picos prateados brilhando como as torres de uma Cidade Celestial.

— Como é belo! — exclamou Laurie, sempre sensível à beleza, de qualquer espécie que fosse.

— Gostamos de admirar o pôr do sol, pois não sendo nunca o mesmo, é sempre resplandecente! — disse Amy que desejaria saber pintar aquele panorama.

— Jo falou na região onde esperamos viver por algum tempo: ela se refere ao campo, com porcos, galinhas e o preparo do feno. Seria ótimo, mas eu preferiria que as regiões que se avistam lá em cima fossem reais e que pudéssemos atingi-las — disse Beth.

— Há uma região mais linda que aquela, aonde chegaremos, aos poucos, se formos muito boas — observou Meg.

— Parece tão longa a espera e tão difícil consegui-la! Gostaria de ir voando, neste momento, como aquelas andorinhas, e transpor aquele resplandecente portão.

— Você chegará lá, Beth, mais cedo ou mais tarde; não tenha receios — disse Jo; — eu sou a única que terei de lutar e esforçar-me para subir e de esperar, e talvez jamais consiga imitá-la.

— Serei seu companheiro, se isto puder servir-lhe de conforto. Terei de viajar muito antes de avistar a sua Cidade Celestial. Se eu chegar atrasado você intercederá por mim, não, Beth?

Algo na expressão do semblante do moço perturbou sua amiga; ela, porém, acrescentou:

— Se realmente desejarmos ir até lá, empregando todos os esforços, creio que chegaremos; porque não acredito que haja trancas naquela porta, nem guardas no portão. Imagino que é como naquele quadro onde seres resplendentes estendem as mãos para receber o pobre cristão que acaba de transpor o grande rio.

— Como seria bom que todos os castelos que fazemos fossem verdadeiros e pudéssemos viver neles! — disse Jo.

— Tenho feito tantos que seria difícil escolher qual preferiria — replicou Laurie, estendido no chão e atirando bolotas no esquilo que lhe denunciara a presença.

— Qual é o seu castelo favorito? — perguntou Meg.

— Se contar o meu, você dirá o seu?

— Sim, se as outras também o fizerem.

— Nós todas contaremos. Comece, Laurie.

— Depois de percorrer o mundo todo, iria para a Alemanha para me dedicar exclusivamente à música. Seria um maestro famoso; jamais teria aborrecimentos de negócios e gozaria a vida dedicando-me ao que quisesse. Eis o meu castelo favorito. E o seu, Meg?

Parecia que Margaret achava um tanto difícil exprimi-lo; agitava um ramo diante do rosto, como para enxotar insetos imaginários; por fim, disse:

— Desejaria uma linda casa, cheia de coisas luxuosas; iguarias raras, belas roupas, mobília elegante, o convívio de pessoas amáveis e muito dinheiro. Seria a dona de tudo, administraria tudo como quisesse, com uma legião de criados, sem que nunca precisasse trabalhar. Assim eu seria feliz! Porque não teria preguiça e praticaria o bem e faria que todos me amassem profundamente.

— Você não precisaria de um dono para o seu castelo? — perguntou Laurie.

— Eu me refiro a pessoas amáveis — e Meg começou a abotoar os sapatos, para esconder o rosto.

— Por que não diz que preferia um bom, inteligente e sensato marido e uns anjinhos ao redor? O seu castelo não ficaria completo sem eles — disse a tola da Jo, que ainda não fazia devaneios e desdenhava romances fora dos livros.

— E você só teria, no seu, cavalos, tinteiros e novelas — replicou Meg.

— Possuiria um estábulo repleto de cavalos árabes, aposentos cheios de livros e utilizaria um tinteiro mágico para que meus livros pudessem ser tão célebres como as músicas de Laurie. Preciso realizar alguma coisa estupenda antes de ir para o meu castelo — algo de heroico, que fosse relembrado sempre, após minha morte. Não sei o que seria, mas procuro descobri-lo e espero surpreender vocês com isso algum dia. Penso que ainda hei de escrever livros que me proporcionarão riqueza e fama; é o meu sonho dourado.

— Pois o meu é ficar em casa, tranquila, com papai e mamãe, ajudando-os a cuidar da família — acrescentou Beth, satisfeita.

— E nada mais? — interrogou Laurie.

— Desde que ganhei meu pianinho me sinto perfeitamente feliz. Somente almejo que estejamos todos juntos e com saúde.

— Eu tenho vários desejos; o principal, é tornar-me artista, ir a Roma e ser a maior pintora do mundo — foi o modesto desejo de Amy.

— Somos um bando de ambiciosos, não? Todos nós, exceto Beth, queremos ser ricos, célebres e viver em meio à pompa. Gostaria de saber se algum conseguirá realizar seus desejos — observou Laurie.

— Tenho a chave do meu castelo no ar; resta ver se conseguirei abrir a porta — observou Jo.

— E eu tenho a chave do meu, mas não me permitem usá-la. Maldita universidade! — resmungou Laurie.

— Eis a minha! — e Amy agitou no ar o seu lápis.

— Eu ainda não possuo a do meu — disse Meg desolada.

— Possui, sim — replicou imediatamente Laurie.

— Onde?

— No seu rosto.

— Tolice. Para nada servirá...

— Espere e verá como ele lhe trará a chave de seu castelo — replicou o moço, sorrindo, ao pensar no encantador segredo que julgava ter surpreendido.

Meg corou, atrás do ramo que tinha nas mãos, não perguntou nada mais e olhou para o rio com a mesma expressão que se via no rosto do sr. Brooke, ao contar a história do cavaleiro.

— Se daqui a dez anos se todos nós formos vivos, vamos nos encontrar e veremos quantos puderam realizar seu sonho ou se estão perto de realizá-lo — disse Jo, sempre pronta a conceber projetos.

— Meu Deus! Como estarei velha então! Vinte e sete anos! — exclamou Meg, que com seus dezessete já se considerava uma pessoa adulta.

— Laurie e eu teremos vinte e seis, Beth, vinte e quatro, e Amy, vinte e dois! Um grupo respeitável — comentou Jo.

— Espero que terei alguma coisa de que me orgulhe, pois sou um preguiçoso, Jo, e receio continuar a sê-lo.

— Mamãe diz que você necessita de um estímulo; quando tiver, diz ela que tem certeza de que fará maravilhas.

— Ela diz isso? É o que preciso mesmo! — exclamou Laurie, levantando-se com exaltação.

— Eu devia ficar satisfeito procurando contentar o vovô, mas compreendam que trabalhar sem gosto é desagradável. Ele quer que eu seja comerciante na Índia como ele foi; e eu preferiria que me fuzilassem; tenho ódio ao chá, às sedas, às especiarias, a todas essas bugigangas que seus velhos navios transportam e pouco me importaria de que afundassem todos quando me pertencessem. A minha ida para a universidade deveria satisfazê-lo, mas ele está firme em seu intento e eu terei que seguir sua carreira, a menos que imite meu pai: mudar daqui e fazer o que quiser. Se houvesse alguém para ficar com ele, faria isso amanhã mesmo.

Laurie parecia pronto a executar a ameaça à menor provocação, pois, apesar de sua vida de morosidade, odiava a sujeição como um homem feito. Sentia a ânsia juvenil de ter sua própria experiência do mundo.

— Aconselho-o a embarcar em um de seus navios e a não voltar a casa, enquanto não tiver tentado viver sua própria vida — disse Jo, ao pensar em tão ousada aventura, e cuja simpatia estava estimulada pelo que ela denominava as "desventuras de Laurie".

— Isso não é direito, Jo; não fale dessa maneira e Laurie não deve seguir os seus maus conselhos. Você precisa fazer o que o seu avô deseja — replicou Meg. — Esforce-se o mais que puder na universidade que, quando ele vir que você procura agradar-lhe, não se mostrará mais injusto nem severo. Conforme diz, não há ninguém para ficar com ele e demonstrar-lhe afeto, e Laurie nunca perdoaria a si mesmo se o abandonasse. Não desanime e cumpra seu dever; e terá a recompensa, como o bondoso sr. Brooke, tornando-se respeitado e amado.

— Que sabe você a respeito do sr. Brooke? — perguntou Laurie, agradecido pelo bom conselho e satisfeito por mudar de assunto.

— Apenas o que seu avô contou a mamãe. Que ele cuidou de sua própria mãe até morrer, sem ir para o estrangeiro como preceptor em casa de pessoas ricas para não a deixar só; e que agora trata de uma velha que criou a mãe dele, e jamais conta a ninguém; e que é justo, generoso, paciente e bom.

— Querido mestre! — disse Laurie emocionado.

— Está mesmo no temperamento do vovô ter procurado conhecer quem era ele, sem que o mesmo soubesse e revelar aos outros sua bondade, para que o estimem devidamente! Brooke não podia compreender por que razão a sra. March era tão boa para ele, convidando-o sempre a ir lá junto comigo tratando-o com muito carinho. Ele a considera uma excelente senhora e fala todos os dias sobre ela e sobre vocês todas, com entusiasmo. Se eu pudesse realizar os meus desejos, iriam ver o que eu faria por Brooke!

— Comece a fazer alguma coisa agora, não lhe amargurando a vida — disse Meg.

— Como sabe que eu lhe amarguro, senhorita?

— Posso ver no seu rosto quando ele sai, depois das aulas. Se você se mostra bom aluno, ele parece satisfeito e anda com rapidez; mas se o aflige, ele fica aborrecido e caminha vagaroso, como se quisesse voltar para fazer o seu serviço melhor.

— Muito bom saber disso! Quer dizer que o rosto de Brooke é para você o boletim de minhas boas ou más lições, não? Eu o via inclinar-se e sorrir ao passar sob a sua janela, mas não sabia que ele transmitia esses segredos.

— Ele não transmite nada; não fique zangado e não vá contar a ele o que eu estou dizendo! Foi somente para lhe mostrar que me interessa seu modo de agir; e o que se diz aqui é tudo confidencial, ouviu? — indagou Meg, alarmada pela ideia do que poderia causar suas inadvertidas palavras.

— Não faço intrigas — replicou Laurie, com um ar imponente, como Jo costumava chamar a certa expressão que ele às vezes tomava. — Mas se Brooke for transformar-se em termômetro de meus atos, preciso tomar cuidado e fazer bom tempo para ele o relatar.

— Não fique chateado; não tinha a intenção de ofendê-lo; julguei somente que Jo estava encorajando em você um sentimento pelo qual, mais tarde ou mais cedo, iria sofrer desgostos. Dá-nos muito prazer estimá-lo como se fosse nosso irmão e gostamos, por isso, de dizer o que sentimos; perdoe-me, eu tive a melhor das intenções! — e Meg ofereceu-lhe a mão com afeição. Envergonhado pelo seu repente de raiva, Laurie apertou-lhe a bondosa mão, dizendo:

— Sou eu quem deve ser perdoado; fui rude, tenho estado todo o dia irritado. Gosto que você aponte meus defeitos; não se importe, pois, com os meus desgostos; agradeço-lhe da mesma maneira.

Para demonstrar que não estava ofendido, tornou-se tão amável quanto possível: dobrou algodão para Meg, recitou poesias para Jo, apanhou bolotas para Beth, e auxiliou Amy com suas samambaias, tornando-se uma pessoa digna de pertencer à "Sociedade das Abelhas Trabalhadeiras". No meio de uma amável discussão sobre os hábitos das tartarugas (um desses adoráveis animais saíra do rio e estava passeando pela margem) o tinir distante de uma campainha avisou-os de que Hannah havia posto o chá na chaleira e de que deveriam voltar para jantar.

— Posso voltar aqui de novo? — perguntou Laurie.

— Sim, se se mostrar ajuizado e amante de seus livros, como dizem que são os meninos dos contos — respondeu sorrindo Meg.

— Vou esforçar-me para isso.

— Venha então, que lhe ensinarei a tricotar, como fazem as escocesas; temos uma encomenda de meias agora — acrescentou Jo; e abanou no ar a sua, como se fosse uma grande bandeira azul, ao separarem-se no portão.

Naquela tarde, ao crepúsculo, quando Beth tocava para o sr. Laurence, o neto deste, Laurie, escondido atrás de uma cortina, ouvia "O Pequeno David", cuja música ingênua acalmava o aborrecimento de sua alma, o velho avô o observava, sentado e com a cabeça grisalha apoiada em uma das mãos pensando, talvez, na netinha morta que ele tanto amara. E, relembrando a conversa da tarde, o rapaz refletia, na intenção de fazer o sacrifício de seus planos: "Renunciarei ao meu castelo e ficarei junto do meu querido avô enquanto lhe fizer falta, porque sou tudo o que ele possui no mundo."

CAPÍTULO 14
SEGREDOS

Jo estava muito ocupada no sótão, pois em outubro os dias começam a esfriar e as tardes ficam mais curtas. Durante duas ou três horas, o sol entrava morno pela grande janela, iluminando a moça sentada no velho sofá escrevendo, com seus papéis espalhados sobre um baú, em frente, enquanto Scrabble, o ratinho predileto, passeava no forro com seu filho, muito orgulhoso de seus bigodes. Absorvida totalmente em seu trabalho chegou Jo à sua última página, assinando depois o conto com um floreio da pena, que depôs, afinal exclamando:

— Pronto! Fiz o que pude. Se não servir, vou fazer outro melhor.

E leu todas as folhas cuidadosamente, riscando aqui e ali, amarrou o manuscrito com uma bela fita e ficou sentada olhando, com uma expressão que demonstrava o esforço empregado para escrevê-lo. A estante de Jo no sótão era uma velha lata de cozinha, pendurada à parede. Dentro dela guardava os papéis a salvo dos dentes de Scrabble que, com iguais pensamentos literários, devorava as folhas dos livros que encontrava em seu caminho. Jo tirou outro manuscrito do armário; e guardou ambos no bolso, desceu a escada, deixando os amigos ratos roendo as penas de pato.

Pôs o chapéu e o casaco o mais silenciosamente possível e, dirigindo-se a uma janela, desceu ao telhado de um alpendre baixo, pulando daí no gramado, seguindo, depois, com um rodeio foi para a estrada. Fez sinal para uma carruagem que passava e dirigiu-se para a cidade.

Se alguém a estivesse observando, acharia seu itinerário um tanto singular, porque descendo da carruagem se dirigiu a passos largos para uma rua comercial, procurando determinado número. Encontrou o endereço, olhou para a escada que conduzia ao alto, e, após permanecer alguns momentos hesitante, voltou à rua e afastou-se tão rápida como viera. Ela repetiu isso várias vezes, com o contentamento de uns olhos pretos que a observavam de uma janela da casa da frente. Ao voltar pela terceira vez, Jo encheu-se de coragem, desceu mais o chapéu na testa e subiu a escada com ar de quem ia mandar arrancar todos os dentes.

Realmente, havia uma placa de dentista, entre outras, adornando a entrada; e, depois de olhar por um instante a boca artificial que se abria e fechava devagar, para mostrar lindas fileiras de dentes, um jovem de olhos negros vestiu o paletó, pegou o chapéu e desceu, ficando junto ao portal da frente falando para si próprio.

— É curioso ela ter vindo só, mas pode ser que ela precise de alguém que a acompanhe até a casa.

Dez minutos depois, Jo descia as escadas com as faces muito coradas e a aparência de uma pessoa que passara por grandes apuros. Ao ver o moço, não ficou satisfeita e passou pelo mesmo com um rápido cumprimento; ele, porém, seguiu-a, perguntando atenciosamente:

— Aconteceu alguma coisa?

— Não.

— Voltou tão depressa...

— Graças a Deus.

— Por que motivo veio só?

— Ninguém precisa saber.

— Você é a pessoa mais excêntrica que conheço. Quantos extraiu?

Jo olhou para o jovem parecendo não compreendê-lo; depois começou a rir como se achasse muita graça em alguma coisa.

— Precisava extrair dois, mas preciso esperar uma semana.

— De que você está rindo? Você foi àquele sobrado para algum mistério, Jo — disse Laurie, intrigado.

— Como você. Que fazia, sr. Laurence, naquele salão de bilhar?

— Perdão, senhorita, aquilo não é salão de bilhar, e sim um ginásio, e eu estava aprendendo esgrima.

— Fico muito satisfeita com isso.

— Por quê?

— Porque me ensinará; e quando representarmos Hamlet você pode representar o papel de Laertes e nos sairemos bem na cena do duelo.

Laurie soltou uma gargalhada que fez sorrir involuntariamente vários transeuntes.

— Ensinarei, sim, quer representemos Hamlet ou não. Não acredito, porém, que fosse esta a razão para ter dito, daquele modo, seu "fico satisfeita".

— Fiquei satisfeita por saber que não era lá um bilhar; espero que você não costume frequentar tais lugares. Costuma?

— Poucas vezes.

— Desejaria que nunca frequentasse.

— Não há mal nisso, Jo. Tenho bilhar em casa, mas não é divertido porque não tenho parceiro. Por isso, como gosto muito desse jogo, divirto-me às vezes em alguma dessas casas, em companhia de Ned Moffat ou de outros amigos.

— Oh, Laurie! Fico muito triste, porque você se habituará e gastará tempo e dinheiro como aqueles seus terríveis companheiros. Queria que você fosse um moço respeitável e o orgulho de seus amigos — replicou Jo.

— Mas não se pode ter uma distração, sem se perder a respeitabilidade? — perguntou Laurie.

— Depende de como e onde nos distraímos. Não aprecio Ned nem o seu grupo e gostaria de que você os evitasse. Mamãe não permite que o recebamos em casa, apesar que ele muito o deseje; e, se você ficar com Ned, mamãe não deixará que continuemos a divertir-nos juntos, como atualmente.

— É verdade? — perguntou Laurie.

— Sim. Ela não suporta esses moços e prefere nos ver trancadas a ter a companhia deles.

— Não será preciso trancar vocês, não faço e nem quero fazer parte desse grupo. Mas posso divertir-me, ocasionalmente, como eles. Não é permitido?

— Sim, mas sem se viciar, ouviu? Senão, terminará nossa amizade.

— Serei um santinho.

— Não gosto de santos; seja um rapaz simples, honesto e respeitável que nunca evitaremos a companhia. Não sei o que faria se você fosse como o filho do sr. King; tem muito dinheiro, não sabe o que fazer dele e embriaga-se, joga, mancha o nome do pai, enfim, torna-se um rapaz intolerável.

— E você acha que farei o mesmo?

— Não, querido Laurie! Mas ouço dizer que o dinheiro é uma tentação, por isso, às vezes, desejaria que você fosse pobre; não haveria, então, motivo para afligir-me.

— E você aflige-se por minha causa, Jo?

— Um pouco, quando fica contrariado; porque você tem um temperamento teimoso que, se enveredasse por mau caminho, seria difícil detê-lo.

Laurie caminhou silencioso por alguns minutos e Jo observava-o arrependida do que havia dito, pois parecia que o olhar dele exprimia raiva, enquanto os lábios sorriam às palavras dela.

— Você está disposta a pregar-me sermões durante todo o caminho? — perguntou ele.

— Não. Por quê?

— Porque se estiver, tomarei uma carruagem; se não, prefiro ir com você para contar-lhe uma coisa muito interessante.

— Não pregarei mais sermões e ouvirei com imenso prazer o que tem para dizer-me.

— Muito bem. Continuemos, então, a andar. É um segredo e, se eu lhe confiar, você terá que me contar o seu.

— Não tenho segredos — começou a dizer Jo, mas parou, recordando-se de que realmente tinha um.

— Sabe bem que tem; você não me pode ocultá-lo, se não, nada contarei também — disse Laurie.

— E o seu, é interessante?

— Como não há de ser! Diz respeito a pessoas que conhece e é muito engraçado! Você precisa saber e eu estou doido para contar.

— Promete não contar a ninguém?

— Nem uma palavra.

— E não me amolará depois?

— Nunca eu a amolo, me zango com você.

— Amola, sim. Você sabe fazer que os outros lhe digam tudo. É muito hábil.

— Muito obrigado. Vamos ao caso.

— Bem, eu deixei dois contos com um redator de jornal, para ver se publicam, e ele me dará a resposta na próxima semana — sussurrou Jo ao ouvido de Laurie.

— Viva srta. March, a célebre escritora americana! — exclamou Laurie, arremessando o chapéu para o ar.

— Cale-se! Acho que não dará resultado, mas não descansarei até saber e não vou dizer a ninguém, pois não quero que haja mais pessoas desapontadas.

— Seus contos, Jo, são como de Shakespeare comparados com as tolices publicadas diariamente. Como será agradável vê-los impressos! E como nos sentiremos orgulhosos de você!

Os olhos de Jo brilharam, pois é sempre agradável ter esperanças e o louvor de um amigo é bem mais grato que uma dúzia de bombásticas notícias de jornal.

— E o seu segredo? Seja sincero, Laurie, senão nunca mais acreditarei em você — acrescentou ela.

— Eu vou criar problemas contando o meu segredo, mas nunca falto ao que prometo. Sei onde está a luva de Meg.

— Só isso? — perguntou Jo desapontada, enquanto Laurie acenava afirmativamente com ar de mistério — E não é preciso mais; você concordará quando souber onde ela está.

— Diga, então.

Laurie inclinou-se e sussurrou três palavras ao ouvido de Jo, cuja expressão

mudou completamente. Parou e olhou para ele surpresa e depois ficou com ar aborrecido; e prosseguiu o diálogo :
— Como o soube?
— Eu vi.
— Onde?
— No bolso dele.
— Durante todo este tempo?
— Sim, não acha romântico?
— Não; é revoltante.
— Não acha engraçado?
— É claro que não; acho ridículo; não deveria ser permitido. Meu Deus! Que irá dizer Meg?
— Lembre-se de que não deverá revelar a ninguém.
— Eu prometi.
— Tenho confiança em você.
— Bem, nada direi agora; mas estou contrariada; preferia não ter sabido.
— Pensei que você ficaria satisfeita.
— Com a ideia de alguém levar Meg de casa? Não; obrigada.
— Talvez preferisse que levassem você, em vez de Meg?
— Gostaria de ver quem se atreveria a isso — replicou Jo.
"Eu!" — pensou Laurie.
— Não sou amiga de segredos; sinto-me mal desde que você me contou o segredo — disse Jo contrariada.
— Vamos correr por este morro que você ficará bem-disposta — sugeriu Laurie.

Não havia ninguém por ali; a estrada, parecia convidativa diante dela; sem poder resistir à tentação, Jo partiu correndo, deixando atrás de si o chapéu, semeando grampos pelo caminho. Laurie chegou primeiro, alegre com o bom êxito, pois sua companheira ficara exausta, de cabelos esvoaçantes, faces coradas e sem sombra de aborrecimento.

— Gostaria de ser um cavalo; poderia correr várias milhas sem perder o fôlego, neste lugar bom de respirar. Mas veja em que estado fiquei! Vá catar os meus objetos, já que é um anjo — disse Jo, atirando-se à sombra de uma árvore que cobria o chão de folhas vermelhas.

Laurie dirigiu-se vagarosamente à procura dos objetos perdidos, e Jo pôs-se a arranjar os cabelos esperando que ali não passasse ninguém. Alguém passou, porém, e qual o seu espanto ao ver que era Meg, com ar de uma dama com seu vestido novo, pois tinha ido fazer visitas.

— Que faz você aqui? — perguntou ela, olhando com surpresa o desalinho da irmã.

— Estou juntando folhas — replicou Jo, apresentando-lhe uma das mãos cheia de folhas vermelhas.

— E grampos também, acrescentou Laurie, atirando meia dúzia deles no colo de Jo — Nascem muito nesta estrada, Meg; e chapéus de palha também.

— Você esteve correndo, Jo! Como fez isso? Quando deixará esses modos de criança? — perguntou Meg enquanto a irmã arranjava o vestido e os cabelos, que o vento havia desmanchado.

— Nunca, até que esteja velha usando muletas. Não queira fazer-me uma pessoa adulta antes do tempo, Meg; é bem difícil mudar rapidamente de modos; deixe-me ser criança enquanto puder.

Jo escondia o rosto para que não lhe vissem o tremer dos lábios. Há muito compreendia que Margaret se tornava moça e agora, com o segredo de Laurie via iminente a separação que tanto temia. Ele compreendeu o tremor de seu rosto e procurou desviar a atenção de Meg, perguntando-lhe:

— Quem foi visitar, tão chique assim?

— Os Gardiner; Sallie me contou as núpcias de Belle Moffat. Foi lindo e os dois partiram para passar o inverno em Paris. Como deve ser delicioso!

— Você inveja-a, Meg? — perguntou Laurie.

— Penso que sim.

— Muito estimo! — murmurou Jo, com um trejeito de impaciência, prendendo as fitas do chapéu.

— Por quê? — perguntou Meg.

— Porque se você gosta de riquezas, não pode casar com um homem pobre — replicou Jo, com um gesto significativo para Laurie, que com o olhar lhe pedia que não traísse seu segredo.

— Jamais me casarei com alguém — observou Meg caminhando como uma senhora, enquanto os dois a seguiam, cochichando, saltando sobre pedras, como duas crianças, a qual, no entanto, se não fosse o vestido novo, talvez se sentisse tentada a imitá-los.

Durante uma ou duas semanas, Jo andou tão estranha, que as irmãs estavam intrigadas. Corria à porta quando chegava o carteiro; tratava rudemente o sr. Brooke quando dele se aproximava; sentava-se em frente de Meg, olhando-a com ar de tristeza, dando-lhe às vezes broncas, para beijá-la em seguida, com modos misteriosos. Fazia sinais a Laurie, que correspondia da mesma maneira, falavam a todo o momento em "Águias a alçarem voo", a ponto de declararem as moças que ambos estavam ficando malucos.

No segundo sábado após a saída de Jo, Meg, sentada à janela costurando, ficou escandalizada ao ver Laurie à procura de Jo por todo o jardim, indo finalmente encontrá-la no caramanchão de Amy. O que ali se passou não conseguiu ver, mas ouviu gargalhadas, acompanhadas de murmúrios de vozes e do agitar de um jornal.

— Que faremos com aquela menina? Nunca conseguirá ser uma moça — suspirou Meg.

— Creio que não — disse Beth, que nunca revelara estar um tanto magoada por ter Jo segredos que não lhe confiava.

— Devemos experimentar, mas jamais conseguiremos mudá-la, acrescentou Amy, arrumando os cachos de cabelos para ficar elegante e com um aspecto de moça feita.

Daí a instantes, Jo entrou arrebatadamente, atirou-se sobre o sofá e pôs-se a ler.

— Há alguma coisa interessante nesse jornal? — perguntou Meg.

— Só um conto. Não tem grande valor — replicou Jo, escondendo com cuidado o nome da autora.

— Leia-o alto; isso nos divertirá e evitará que você vá fazer travessuras — disse Amy, num tom de adulto.

— Qual o título? — perguntou Beth, sem saber por que Jo escondia o rosto atrás da folha.

— "Os Pintores Rivais".

— O título é sugestivo. Leia-o — pediu Meg.

Tossindo primeiro e depois tomando fôlego, Jo começou a leitura. As moças escutavam interessadas, pois o conto era romântico, algo patético; quase todos os personagens morriam no fim.

— Gostei da parte que se refere ao quadro esplêndido — notou Amy, quando Jo terminou.

— Eu prefiro a parte romântica. Viola e Ângelo são dois dos nossos nomes prediletos; não é mesmo coincidência? — indagou Meg, enxugando os olhos, pois os amores acabavam tragicamente.

— Quem escreveu isso? — perguntou Beth, que havia observado de relance o rosto de Jo. A leitora levantou-se, afastou o jornal, e radiante e, num misto de solenidade e entusiasmo, respondeu em alta voz:

— Sua irmã!

— Você? — indagou Meg, largando o trabalho.

— Está muito bom — opinou Amy.

— Eu sabia! Oh, minha Jo, sinto-me tão orgulhosa! — e Beth atirou-se aos braços da irmã.

Todas ficaram encantadas! Meg não queria acreditar, enquanto não viu as palavras "Srta. Josephine March", impressas no jornal. Amy comentava o mérito artístico do conto, propondo ideias para a continuação, o que, infelizmente, era impossível, pois o herói e a heroína tinham morrido; Beth, entusiasmada, cantava de alegria; Hannah ficou estarrecida com a façanha de Jo!

Ninguém imagina o orgulho da sra. March ao saber do acontecimento; Jo ria com lágrimas nos olhos quando a mãe lhe dizia que podia tornar-se vaidosa como um pavão; poderia dizer que a águia que ia alçar o voo, já batia as asas sobre a casa dos March, pois o jornal passava de mão em mão.

— Conte-nos tudo. Quando foi isso? Quanto ganhou pelo conto? Que dirá papai? E Laurie? — gritava a família em peso, a uma só voz, agrupada ao redor de Jo; aquelas pessoas afetuosas e simples transformavam numa festa qualquer pequena alegria.

— Parem de tagarelar, meninas, que lhes contarei tudo — dizia Jo, querendo saber se srta. Burney se sentiria mais importante com o sua "Evelina" que ela, com "Os Pintores Rivais". Tendo contado como entregara os contos, Jo acrescentou: — E quando fui saber a resposta, o homem disse que gostara de ambos, mas não costumava pagar a estreantes, permitindo, somente, a impressão no jornal e publicando notícia sobre os contos. — Quando os principiantes melhoram, pagamos seus trabalhos — acrescentou ele. Por isso deixei os dois contos, e recebi esse jornal hoje. Laurie insistiu para ler, achou que estava bom. Vou escrever mais e ele irá buscar o dinheiro. Sinto-me tão contente por ver que algum dia poderei manter-me e auxiliar minhas irmãs!

Não pôde falar mais; escondeu o rosto no jornal, molhando o seu conto com algumas lágrimas de alegria — porque seu maior sonho, era tornar-se independente, merecendo a estima daqueles a quem ela amava — e parecia agora que conseguira galgar o primeiro degrau do seu lindo castelo encantado.

CAPÍTULO 15

UM TELEGRAMA

— Novembro é o mês mais desagradável do ano — disse Margaret à janela, numa tarde sombria, olhando para o jardim coberto de neve.

— Foi por isso que eu nasci nele — observou Jo pensativa.

— Se acontecesse agora alguma coisa muito boa acharíamos um mês melhor — disse Beth que olhava tudo pelo lado do otimismo, até mesmo o mês de novembro.

— Talvez; mas não acredito que nada acontecerá de bom — replicou Meg evidentemente de mau humor — Trabalhamos dia após dia sem nenhuma mudança.

— Meu Deus, como você está pessimista! — exclamou Jo. — Não é de admirar, pois vê outras moças divertindo-se, enquanto sua vida é sempre a mesma monotonia. Se eu pudesse escolher o seu destino, como faço com minhas personagens! Como você é muito boa e bonita, eu faria algum parente rico deixar-lhe uma fortuna inesperada. Sendo rica herdeira, você desprezaria todos os que a trataram com desdém e iria viajar, regressando depois como Lady Qualquer Coisa, toda elegante.

— Hoje em dia, não há mais ninguém que deixe fortunas como essas; os homens têm de trabalhar e as mulheres, de casar para encontrar amparo. É um mundo injusto — replicou Meg.

— Jo e eu vamos adquirir riquezas para vocês todas; espere dez anos que verá — disse Amy, sentada num canto fazendo "doces de barro", assim Hannah chamava os seus trabalhos de argila — pássaros, frutas e cabeças.

— Mal posso esperar, mas não tenho muita fé em tinta e barro, mas fico agradecida pelas boas intenções.

E Meg suspirou, olhando para o jardim coberto de neve; Jo resmungava de cotovelos apoiados na mesa, numa atitude de desalento; Amy, porém, trabalhava com seu barro e Beth, sentada junto à outra janela, disse sorrindo:

— Duas coisas boas vão acontecer: mamãe está chegando da rua e Laurie atravessa o jardim como se tivesse algo de muito interessante para contar.

Entraram ambos, a sra. March com a sua pergunta de costume:

— Chegou carta de seu pai, meninas?

E Laurie perguntou:

— Alguma de vocês quer dar um passeio? Estive às voltas com a matemática até ficar com a cabeça zonza e preciso refrescar o espírito com passeio de carro. O dia está desagradável, mas a temperatura não está má e vou buscar Brooke para que dentro de casa haja alegria caso não haja fora. Venham, Jo, Meg e vocês outras. Não querem?

— É claro que queremos.

— Muito obrigada, estou muito ocupada — e Meg pegou sua cesta de costura, pois havia concordado com a mãe em que seria melhor para ela, não sair de carro com Laurie muitas vezes.

— Nós três estaremos prontas em um minuto! — exclamou Amy correndo para lavar as mãos.

— Posso ser útil em alguma coisa, sra. Mamãe? — perguntou Laurie, inclinando-se sobre a cadeira da sra. March com o olhar e expressão afetuosos com que sempre se dirigia a ela.

— Não, muito agradecida, exceto passar pelo correio, se quiser fazer-me esse favor. Hoje é dia de vir carta e o carteiro não passou. Meu marido é tão regular na sua correspondência como o sol, mas com certeza aconteceu alguma coisa no caminho.

Um toque forte interrompeu-a, e em seguida Hannah entrou com um papel.

— É uma daquelas horríveis coisas do telégrafo — disse ela entregando-o com os modos de quem tivesse receio que explodisse.

Ao ouvir a palavra telégrafo a sra. March pegou rápido, leu as duas linhas, caindo a seguir numa cadeira, tão branca que parecia que aquele papel lhe havia atravessado o coração como uma bala. Laurie desceu para pegar água, enquanto Meg e Hannah a amparavam e Jo lia alto com uma voz horrorizada:

"Sra. March:
Seu marido está muito mal. Venha imediatamente."
Hospital Branco, S. Hale, Washington.

Todos ficaram mudos ao ouvirem aquilo! O mundo se transformou de repente, quando as moças se reuniam ao redor da mãe, compreendendo que estavam na iminência de perder sua felicidade e seu amparo!

A sra. March voltou a si em pouco tempo; leu novamente o telegrama e estendeu os braços para as filhas, dizendo num tom que elas jamais esqueceram:

— Irei imediatamente, mas poderá ser muito tarde! Oh, minhas filhas, ajudem-me a aguentar este golpe! Durante algum tempo só se ouviam soluços, misturados com palavras de conforto, promessas de auxílio e murmúrios de esperança que se fundiam finalmente em lágrimas. A pobre Hannah foi a primeira a recuperar o ânimo, dando, com sua inconsciente sabedoria, um ótimo exemplo, pois para ela o trabalho era remédio para a maioria dos sofrimentos.

— Deus velará pelo querido patrão! Não quero gastar meu tempo com gritos, vou preparar sua mala para a partida — disse ela para a patroa com ternura, enxugando o rosto no avental e apertando-lhe fortemente a mão.

— Ela tem razão; não há tempo para lágrimas agora. Fiquem sossegadas, meninas, e deixem-me refletir.

As pobrezinhas procuraram se acalmar quando sua mãe se levantou, esquecendo a recente dor, para pensar no que fazer.

— Onde está Laurie? — perguntou, ao resolver qual o primeiro passo a dar.

— Estou aqui, sra. March. Permita-me que eu ajude em alguma coisa! — disse o rapaz, vindo às pressas do outro cômodo onde se refugiara ao ver que a tristeza de suas amigas era sagrada para ser vista mesmo por seus olhos amigos.

— Passe um telegrama avisando que irei imediatamente. O primeiro trem parte de madrugada. Irei nele.

— Que mais? — perguntou ele disposto até a partir para os confins do mundo.

— Leve uma carta para tia March. Jo, pegue aquela pena e um papel. Rasgando um pedaço em branco de uma de suas folhas, Jo puxou a mesa para junto de sua mãe, sabendo que ela ia pedir dinheiro emprestado para a longa e triste viagem; e pareceu-lhe que poderia contribuir com alguma quantia em benefício de seu pai.

— Vá agora, meu caro Laurie, mas não tenha muito pressa; não há necessidade.

O aviso da sra. March foi evidentemente esquecido, porque cinco minutos depois Laurie passava sob a janela, no seu cavalo, galopando como para salvar a própria vida.

— Jo, diga à sra. King que não poderei ir lá. No caminho, compre estas coisas. Serão necessárias para qualquer emergência, os sortimentos dos hospitais nem sempre são bons. Beth, vá pedir ao sr. Laurence duas garrafas de vinho velho; não me envergonho de pedir para seu pai. Este há de ter tudo o que haja de melhor. Amy, diga a Hannah que traga a mala preta; e você Meg, venha ajudar-me a arranjar minha roupa, pois estou meio aturdida.

Escrevendo, pensando e dando ordens, tudo de uma só vez, era natural que a pobre senhora se aturdisse, e por isso Meg pediu-lhe que se sentasse e ficasse quieta uns instantes, deixando que elas providenciassem tudo.

O sr. Laurence chegou com Beth, trazendo tudo aquilo de que pôde lembrar para o ferido, e a promessa de velar pelas meninas durante a ausência da mãe, o que a tranquilizou bastante. Nada houve que ele não oferecesse, desde seu melhor roupão, até sua própria companhia. Isto, porém, não era possível. A sra. March não podia consentir que o amigo idoso fizesse uma viagem tão cansativa.

O sr. Laurence percebeu que ela precisaria da companhia de alguém. Então franziu as sobrancelhas, esfregou as mãos e saiu, dizendo que voltaria logo. Mas daí a pouco, quando Meg atravessava o vestíbulo, com um par de galochas em uma das mãos e uma xícara de chá na outra, viu o sr. Brooke.

— Fiquei muito preocupado ao saber da notícia, srta. March — disse ele num tom calmo que soava agradavelmente aos ouvidos da aflita moça. — Vim oferecer-me para acompanhar sua mãe. O sr. Laurence encarregou-me de alguns negócios em Washington e assim terei grande prazer em poder ser lhe útil naquela cidade.

As galochas caíram ao chão e o chá quase seguiu o mesmo caminho, quando Meg lhe estendeu a mão agradecendo o reconhecimento, que o sr. Brooke só com isso se sentiria pago, mesmo se fosse grande o sacrifício que tivesse de fazer.

— Como o senhor é bom! Mamãe aceitará certamente. E será um grande consolo saber que ela terá alguém que vele por ela. Muito obrigada.

E Meg falava amavelmente, esquecendo-se de tudo, até que algo naqueles olhos castanhos que a fitavam a fez lembrar-se do chá que esfriava; dirigiu-se então para a sala e chamou a mãe.

Estava tudo arranjado quando Laurie chegou com uma carta de tia March, acompanhada da quantia pedida; em algumas linhas repetia ela o que já por várias vezes dissera: que sempre achara uma loucura a ida de March para a guerra e predissera que alguma coisa de mal aconteceria; e esperava que para o futuro lhe seguissem os conselhos. A sra. March pôs a carta no fogo, o dinheiro na bolsa e continuou com seus preparativos.

A tarde passou rapidamente; todas as providências foram tomadas; Meg e sua mãe estavam fazendo alguns trabalhos necessários de agulha, enquanto Beth e Amy preparavam o chá, e Hannah estava passando roupa; Jo, porém, não aparecia. Começaram a ficar inquietos; Laurie saiu para procurá-la, pois não sabiam o que poderia ter acontecido. Ele não a encontrou; mas Jo chegou daí a pouco com uma expressão enigmática, um misto de alegria e de receio, de satisfação e de pesar, ficando toda a família intrigada quando ela pôs diante da mãe um maço de notas, dizendo em comovido tom de voz:

— Eis a minha contribuição para o conforto de papai e para sua volta a nossa casa!

— Onde arranjou isso, minha filha? Vinte e cinco dólares! Acredito que não fez alguma loucura?

— Não; ganhei honestamente este dinheiro; não o pedi, não o tomei emprestado, de modo que ninguém poderá me censurar por isso. Limitei-me a vender o que era meu.

E assim dizendo, tirou o chapéu. Todas gritaram.

A sua abundante cabeleira havia sido cortada.

— Os seus cabelos! Os seus lindos cabelos! Oh, Jo, como fez isso? A coisa mais bonita que você possuía! Minha filha, não era necessário esse sacrifício! Não se parece mais com a minha Jo, mas agora eu a amo ainda mais!

Enquanto soavam exclamações e Beth lhe abraçava, Jo assumia um ar indiferente que não enganava a ninguém; e disse, depois, erguendo a cabeça de cabelos curtos, como se os preferisse desse modo:

— Isto não influirá nos destinos da nação; portanto, não se lamente, Beth. Meu cérebro terá ideias mais límpidas; sinto a cabeça deliciosamente fresca, e o barbeiro disse que eu terei logo cabelos cacheados como os de um menino; estou muito satisfeita, por isso guarde esse dinheiro e vamos jantar.

— Conte-nos tudo, Jo; eu não estou satisfeita, mas não posso censurá-la, pois compreendo que você sacrificou de boa vontade a sua vaidade. Mas, minha filha, não era necessário e receio que se arrependa — disse a sra. March.

— Não me arrependerei! — protestou Jo com firmeza, sentindo-se aliviada por ver que não fora censurada sua loucura.

— Como resolveu a isso? — perguntou Amy.

— Estava querendo fazer alguma coisa por papai — explicou Jo, enquanto se reuniam ao redor da mesa, pois os jovens têm apetite mesmo nas circunstâncias mais tétricas —, tenho horror de pedir dinheiro emprestado, exatamente como mamãe, e sei que tia March é muito rabugenta: se lhe pedem uma moeda, começa a lamentar. Meg dera todo o seu ordenado do semestre para o aluguel da casa e eu comprei umas roupas com o meu, de forma que me considerava má e precisava arranjar dinheiro, de qualquer maneira, nem que fosse vendendo o meu próprio nariz.

— Você não é má, minha filha; não tinha agasalhos e comprou coisas muito modestas com seu salário — disse a sra. March, com um olhar que confortou o coração de Jo.

— Não tive a princípio a menor ideia de vender os cabelos: caminhando na rua comecei a pensar no que faria, quando, na vitrine de um barbeiro, vi cabeleiras para vender, com os preços marcados; uma delas, preta, comprida, mas não tão espessa como a minha, era oferecida por quarenta dólares. Veio-me então a ideia de que possuía um meio de obter dinheiro; e, entrei no salão e perguntei se compravam cabelos e que preço davam pelos meus.

— Não posso compreender como teve essa coragem — disse Beth em tom de espanto.

— A pessoa a quem me dirigi era um pequeno homem que parecia viver unicamente para passar óleo no próprio cabelo. A princípio, olhou-me espantado, como se não estivesse acostumado a ver moças entrar oferecendo os cabelos. Respondeu-me então que não dava muito valor aos meus, pois não eram da cor da moda e não poderia pagar muito por eles, por demandar muito trabalho para modificá-los, e assim por diante. Estava ficando tarde e eu comecei a pensar que não ia conseguir nada. Vocês sabem que quando resolvo fazer uma coisa não gosto de voltar atrás; por isso, pedi-lhe que os cortasse e disse-lhe que tinha pressa explicando a razão. Ele estava de má vontade, mas mudou de idea quando entendeu a minha situação. A mulher ouviu o que eu contara, por isso interveio:

— Compre-os Tomás, satisfaça essa moça; eu faria o mesmo pelo nosso Jimmy, se tivesse cabelos lindos.

— Quem era Jimmy? — perguntou Amy que gostava de saber todos os detalhes.

— Um filho do casal que está no exército, segundo me disseram. Como os estranhos se tornam nossos amigos, por motivos como este! Ela conversou comigo todo tempo que o marido levou para cortar meus os cabelos.

— E você não sentiu horror quando ele deu o primeiro corte? — perguntou Meg.

— Dei um último olhar nos meus cabelos, enquanto o homem separava os objetos, e foi só. Nunca choramingo por coisas sem importância; confesso, porém, que achei esquisito ver os meus cabelos em cima da mesa e sentir a cabeça leve. Parecia que me haviam cortado um braço ou uma perna. A mulher viu eu olhar para eles e deu-me uma comprida madeixa dos mesmos para que eu a guardasse. Vou lhe dar, mamãe, como lembrança das glórias passadas, pois estou gostando tanto dos cabelos cortados, que acho que não os deixarei crescer de novo.

A sra. March enrolou o cacho ondeado e castanho, guardando-o na sua escrivaninha, junto a um outro, grisalho. Disse somente:

— Obrigada, querida filha — mas tomou tal expressão seu rosto, que as meninas trataram de mudar de assunto, começando uma conversa sobre a bondade do sr. Brooke, e a perspectiva de ser lindo o dia seguinte e a alegria que teriam quando o pai viesse convalescer em casa.

Às dez horas, como nenhuma desejasse deitar-se, a sra. March, terminando o trabalho, chamou-as. Beth foi para o piano e tocou a música favorita de seu pai; começaram todas a cantar com entusiasmo, mas foram parando uma a uma até que Beth ficou cantando sozinha com todo o sentimento, porque a música para ela era um consolo.

— Vão deitar-se e não conversem, pois precisamos levantar cedo e é necessário dormir. Boa noite, minhas queridas filhas — disse a sra. March ao terminar o hino. Beijaram-na serenamente e dirigiram-se para seus leitos tão silenciosamente como se o ferido estivesse no quarto ao lado. Beth e Amy adormeceram logo, apesar de sua preocupação, porém Meg ficou acordada, perdida nos pensamentos mais cruéis que já tivera em sua curta vida. Jo estava deitada, imóvel, e a irmã julgava-a adormecida, até que um soluço abafado a fez exclamar, afagando-lhe docemente o rosto:

— Jo, queridinha, que tem? Está chorando por causa do papai?

— Não, agora não é.

— Então por quê?

— Por causa... dos meus cabelos — soluçou a pobre Jo, procurando em vão abafar os soluços, escondendo o rosto no travesseiro.

Comovida com essa resposta, Meg, beijou a pobre heroína com grande ternura.

— Eu não estou arrependida — protestou Jo com outro soluço. — Faria tudo novamente, se pudesse. É o meu egoísmo, a minha vaidade que me faz chorar deste modo tolo. Não conte a ninguém. Pensei que você estivesse dormindo. Mas por que ainda está acordada?

— Não posso dormir; estou muito inquieta — disse Meg.

— Pense em alguma coisa agradável que afastará esses pensamentos.

— Já experimentei, mas cada vez tenho menos sono.

— E em que você pensou?

— Em rostos lindos; em olhos, particularmente — respondeu Meg, sorrindo para si mesma no escuro.

— De que cor os aprecia mais?

— De cor castanha... isto é, às vezes acho lindos também os olhos... azuis.

Jo riu de Meg e tentou ficar quieta. E depois de prometer-lhe cuidar dos seus os cabelos curtos, adormeceu e sonhou que já estava morando em seu lindo castelo.

Era meia-noite, e os aposentos permaneciam em absoluto silêncio, quando uma sombra deslizou suavemente de leito em leito, alisando aqui um cobertor, arranjando ali um travesseiro, parando para olhar com ternura cada um dos rostos adormecidos e beijá-los com lábios abençoadores, na sagrada prece que somente as mães sabem proferir. Quando afastou a cortina para olhar a noite escura e fria, a lua surgia de detrás das nuvens, projetando raios pálidos sobre o seu vulto, como que a segredar no silêncio noturno:

— Conforta-te, coração! Ainda há luz atrás das nuvens sombrias!...

CAPÍTULO 16

CARTAS

Na madrugada cinzenta e fria, as irmãs acenderam as luzes e leram os seus capítulos, com uma devoção nunca sentida antes, pois havia agora a sombra de uma tristeza real a mostrar-lhes como a vida havia sido generosa com elas até esse momento. Os livrinhos tinham sempre palavras confortadoras e amigas; e, vestindo-se, foram dar à mãe um adeus esperançoso, para que ela pudesse fazer a triste viagem sem a recordação de lágrimas e de lamentos.

Acharam tudo estranho ao descerem; lá fora, sombras e silêncio; e dentro, agitação e rumores de vida. Era esquisito o café da manhã tão cedo, e o próprio rosto familiar de Hannah pareceu-lhes estranho, quando se dirigia para a cozinha ainda de touca de dormir.

A grande mala já estava pronta no vestíbulo; sobre o sofá estavam a capa e o chapéu da mãe, a qual tentava comer alguma coisa; mostrava-se, porém, tão pálida e abatida, que as filhas acharam difícil manter a resolução tomada ao levantar-se. Os olhos de Meg estavam vermelhos apesar de seu propósito; Jo era obrigada a esconder o rosto; e os semblantes das mais novas estavam com uma expressão de sofrimento.

Ninguém falava, enquanto esperavam a carruagem — todas ocupadas com os preparativos —, uma, dobrando o xale, outra alisando as fitas do chapéu, outra ajudando a calçar as galochas, a última, enfim, apertava as correias da mala de viagem.

— Meninas, deixo vocês aos cuidados de Hannah e do sr. Laurence; Hannah é a lealdade em pessoa, e o nosso bom vizinho velará por vocês como se fossem suas filhas. Não tenho medo por vocês, mas receio que não saibam encarar esta provação. Não chorem nem se aflijam quando eu partir nem pensem que podem achar consolo no ócio ou no esquecimento. Entreguem-se ao trabalho, como é costume, pois é sempre um remédio abençoado. Esperem e esforcem-se; aconteça o que acontecer lembrem-se de que nunca serão órfãs.

— Sim, mamãe.

— Meg, minha filha, seja ajuizada; vele por suas irmãs; aconselhe-se com Hannah e, em qualquer problema, vá falar com o sr. Laurence. Seja paciente, Jo; não fique desanimada nem faça maluquices; escreva-me muitas vezes; seja valorosa, pronta a auxiliar e a encorajar todas. Beth, console-se com a sua música e não se esqueça das pequenas obrigações domésticas; e você Amy, ajude a todas no que puder, seja obediente e fique quietinha em casa.

— Sim, mamãe! assim faremos.

O ruído de uma carruagem que se aproximava fez com que todas se assustassem. Era o momento da separação, mas as meninas suportaram bem; nenhuma delas chorou, nem gritou, nem correu, nem lamentou, embora seus corações estivessem agitados ao enviarem lembranças ao pai, por se lembrarem ao mesmo tempo de que talvez fosse tarde para dá-las. Beijaram calmamente a mãe, abraçaram-na com ternura e tiveram forças para acenar quando o carro se afastava.

Laurie e o avô foram vê-la partir e o sr. Brooke parecia tão animado, sensível e bom, que as meninas o apelidaram de sr. Magnânimo.

— Adeus, queridas filhas! Deus as abençoe e as guarde! — sussurrava a sra. March, beijando uma por uma as faces pálidas. Em seguida subiu na carruagem. Ao afastar-se, o sol começava a raiar. Voltando-se para trás, viu, como um bom augúrio, o grupo no portão iluminado pelos primeiros raios de sol. A última visão que teve, ao dobrar a esquina, foi a das quatro filhas, tendo atrás de si, como guardas fiéis, o velho sr. Laurence, a fiel Hannah e o dedicado Laurie.

— Como todos são bons para nós — disse ela, voltando-se e encontrando, como prova evidente disso, a respeitosa e simpática figura do jovem professor.

— Não vejo como poderiam deixar de ser — replicou o sr. Brooke rindo de modo tão contagioso que a sra. March não pôde deixar de sorrir; e, assim, a longa jornada iniciava-se com os ótimos presságios de sol, sorrisos e palavras amáveis.

— Tenho a impressão de que houve um terremoto — dizia Jo, quando os vizinhos foram embora.

— Parece que falta metade da casa — acrescentou Meg em tom consternado. Beth abriu os lábios para dizer algo, mas só conseguiu apontar para a pilha de meias cuidadosamente remendadas que estavam sobre a mesa da mãe, para demonstrar que mesmo na pressa da última hora havia pensado nelas e trabalhado. Era pouco o que fizera, mas significava muito para seus magoados corações; por isso, apesar de suas resoluções, começaram todas a chorar amarguradamente.

Hannah achou sensato deixá-las entregues aos seus próprios sentimentos; e, quando viu que o tormento não dava indícios de passar, foi em seu socorro, armada com uma cafeteira.

— Agora, queridas meninas, lembrem-se do que disse sua mamãe e não se lamentem; venham tomar uma xícara de café e vamos trabalhar, para honra da família.

O café era convidativo; Hannah mostrou afeto em prepará-lo naquela manhã. Nenhuma pôde resistir a seus persuasivos gestos nem ao convite aromático que saía do bico da cafeteira. Foram para a mesa, trocaram os lenços por guardanapos e dentro de dez minutos estava tudo sossegado novamente.

— Esperança e trabalho! foi o lema que mamãe nos deixou; portanto, vamos ver quem se recordará disso. Irei à casa de tia March, como de costume. Oh, tenho que ouvir um sermão, com certeza— disse Jo, enquanto bebia, com uma nova disposição de espírito.

— E eu irei para os meus King, embora preferisse ficar para cuidar da casa — disse Meg, triste por ter ficado com os olhos tão vermelhos.

— Não é preciso; Beth e eu tomaremos conta da casa muito bem — acrescentou Amy com um ar importante.

— Hannah dirá o que devemos fazer e estará tudo em ordem quando vocês chegarem — disse Beth, começando a tirar a mesa. Quanto a Amy, mostrava-se pensativa e comendo açúcar.

As outras não puderam deixar de rir, alegrando-se com isso, embora Meg abanasse a cabeça, ao ver a irmã achar o consolo num açucareiro.

Ao ver os pastéis do lanche, Jo tornou-se novamente triste; e ao saírem para a sua tarefa diária, olharam tristes para trás, para a janela onde costumavam ver o rosto de sua mãe. Não o avistaram; Beth, porém, lembrara-se do pequeno costume doméstico e foi para a janela, dizendo-lhes adeus.

— Como é boa minha Beth! — disse Jo acenando-lhe o chapéu, com expressão satisfeita.

— Adeus, Meg; tenho a esperança de que os King não passearão hoje. Não se inquiete pelo papai, querida irmã — acrescentou ao partir.

— Eu tenho esperança de que tia March não se mostrará muito rabugenta. Seus cabelos estão lhe assentando bem e dão-lhe um bonito ar de rapaz — disse Meg, fazendo esforços para não rir da cabeça anelada que parecia comicamente pequena nos altos ombros da irmã.

— É o meu único consolo — e, colocando o chapéu "à Laurie", Jo afastou-se, parecendo-lhe uma ovelha tosquiada.

As notícias do pai confortaram-nas muito; apesar de ferido, bastara a presença da melhor e mais terna das enfermeiras para sentir-se bem disposto. O sr. Brooke mandava boletins diário, como chefe da família, Meg fazia questão de ler os telegramas que se tornavam cada vez mais animados. Todas queriam escrever volumosas cartas, e eram postas cuidadosamente na caixa do correio por alguma das irmãs, as quais se sentiam importantes com sua "correspondência para Washington". Como um dos pacotes tinha linhas características de cada pessoa da família vamos roubá-lo imaginariamente e ler todo o seu conteúdo.

Idolatrada mamãe:
É impossível descrever a alegria que tivemos com sua última carta, pois as notícias eram tão boas que não pudemos deixar de rir e gritar de contentamento. Como o sr. Brooke é bondoso e que felicidade terem os negócios do sr. Laurence lhe proporcionado ensejo para fazer-lhe companhia tanto tempo, sendo tão útil à senhora e ao papai! As meninas estão boas, física e moralmente. Jo me auxilia na costura, insistindo em fazer todo trabalho pesado. Eu tenho receio de que tenha trabalhado em excesso, como se eu não soubesse que esse seu capricho não será de longa duração. Beth é tão regular em suas tarefas e jamais se esquece do que a senhora lhe recomendou. Aflige-se muito com a doença de papai e anda triste, exceto quando está tocando piano. Amy ajuda-me bastante e eu tenho muito cuidado com ela. Ela mesma penteia o seu cabelo, e eu estou ensinando a ela a fazer casas em roupas e a remendar meias. Tem alguma dificuldade, mas sei que a senhora ficará satisfeita com o seu desempenho quando voltar.
O sr. Laurence vela por nós como uma galinha por seus pintinhos, conforme diz Jo, e Laurie é muito atencioso e amigo. Ele e Jo conservam-nos alegres quando estamos aborrecidas.
Hannah é uma santinha; não ralha conosco, chama-me sempre "Srta. Margaret", o que é muito distinto, como sabe, e trata-me com muito respeito. Estamos todas bem e sempre diligentes; ansiamos, porém, dia e noite, pela sua volta. Abraços muito apertados para o papai e creia que sou sempre sua amorosa
Meg.

Esta carta, primorosamente escrita em papel perfumado, contrastava com a próxima, rabiscada em uma grande folha de papel fino e feio, ornada de borrões e floreios caligráficos:
Minha preciosa mamãe:
Três vivas ao querido papai! Brooke foi uma boa pessoa ao telegrafar-nos para avisar que nosso pai estava melhor. Corri para o sótão ao chegar essa notícia e dei graças a Deus por ser tão bom para nós, mas só conseguia exclamar: "Estou alegre! Estou alegre!" Não acha que estas palavras valem uma oração? Temos tido motivos

de contentamento e posso entregar-me a este, agora, plenamente, embora em casa é como se vivêssemos em um ninho de pombos. A senhora riria ao ver Meg chefiar a mesa, tentando ser maternal. Ela está cada dia mais bonita. As outras são uns verdadeiros anjos e eu... bem eu continuo a ser Jo.

Ah, devo contar-lhe que estive a ponto de brigar com Laurie. Tomei a liberdade de falar-lhe sobre uma tolice dele e Laurie ficou zangado. Eu tinha razão, mas não me exprimi como devia ter feito, e ele foi para casa dizendo que não voltaria aqui enquanto não lhe pedisse perdão. Declarei que não pediria perdão, e ele ficou louco de raiva. Assim se passou o dia inteiro. Arrependi-me e desejei que a senhora estivesse aqui. Laurie e eu somos muito orgulhosos e é difícil pedir perdão; eu, porém, pensei que ele viesse, pois eu tinha razão.

Contudo, não veio; à tarde, lembrei-me do que a senhora disse quando Amy caiu no rio. Li meu livrinho, me senti melhor e resolvi não deixar que minha raiva durasse até o dia seguinte; por isso, procurei Laurie para dizer que eu estava triste. Encontrei-o no portão quando vinha aqui para o mesmo fim. Rimos muito, pedindo-nos mutuamente perdão e tudo voltou às boas.

Ontem escrevi uma canção depois que ajudei Hannah a lavar o chão, como papai gosta de minhas tolices poéticas, mando-o, para distraí-lo. Dê-lhe um abraço apertado como ele nunca recebeu.

Beija-a uma dúzia de vezes, a sua espevitada.

Jo.

CANÇÃO DA BOLHA DE SABÃO

Rainha de minha tina, canto alegre
Enquanto a branca espuma vai surgindo;
E lavo com vigor, e esfrego, e torço,
E ponho, enfim, as roupas para secar;
Ficam as balançando, ao vento suave,
Sob um céu radiante,

Gostaria de lavar as nossas almas
As manchas negras destes dias tétricos;
Fazer que a água e o ar com seu poder
Purifiquem os nossos corações;
Seria então um dia glorioso,
O dia da purificação!

Pelo caminho de uma vida frutífera,
Só pode florescer a doce paz;
Os afazeres não deixa tempo
Para tristezas;
Os maus pensamentos são repelidos
Com a vassoura na mão.

Estou feliz com a tarefa que me deram,
Para fazer dia a dia,
Pois me dá força e esperança,
E ensina-me a dizer:
"Se a cabeça pensa, a alma sente.
E as mãos trabalham!"

Querida mãe:
O espaço é pequeno para enviar-lhe minhas saudades e umas flores murchas do pé que tenho tentado conservar para que papai veja. Leio todas as manhãs, esforço-me por ser boa todos os dias, canto sozinha para adormecer, do modo como papai cantava. Não posso mais entoar "A Canção do paraíso"; me faz chorar. Todos são muito bondosos para nós e somos felizes apesar da ausência da senhora. Amy precisa do resto da página, por isso vou parar. Não me esqueço de dar corda no relógio e de arejar os quartos todas as manhãs. Beije papai na face que ele diz que é minha. Volte depressa para junto da sua...
Beth.

Estamos todas tranquilas, faço todas as minhas lições e tento não "contrario" as meninas. Meg diz que quero dizer "contrariar" por isso eu ponho as duas palavras para a senhora escolher a que for mais apropriada. Meg é muito boazinha para mim e me oferece geleia toda noite na hora do chá. Jo diz que é para eu continuar bem-comportada.
Laurie não é muito respeitável, como devia ser agora que eu tenho quase dez anos; chama-me Pintinho e ofende os meus sentimentos conversando francês comigo muito depressa, quando eu falo Merci ou Bonjour como a Hattie King. As mangas de meu vestido azul estavam rasgadas e Meg costurou umas novas, mas a frente ficou errada e elas estão mais azuis que o vestido. Isso me aborrece, mas sofro com paciência; em todo caso, desejo que Hannah ponha mais goma nos meus aventais e prepare sopa de trigo todos os dias. Não pode? Meg diz que a minha pontuação e ortografia são horríveis isso me aborrece, mas meu Deus tenho tantas coisas a fazer que não posso escrever

com mais cuidado. Adeus, mando montões de lembranças para o papai.
Sua filha amorosa,
Amy Curtis March.

Prezada patroa sra. March:
Mando-lhe estas linhas apressadas para dar notícias nossas. As moças estão boas e muito felizes. Srta. Meg está se tornando uma ótima dona de casa; tem gosto e aprende as coisas bem depressa. Jo tenta passar-lhe na frente. Segunda-feira lavou um balde de roupas, mas depois engomou-as antes de estar bem torcidas, e lavou tanto um vestido de chita cor-de-rosa, que eu quase morri de rir. Beth é a melhor de todas e procura me ajudar, e você pode confiar no trabalho dela. Tenta aprender as coisas e vai fazer compras no mercado; é também quem faz as contas, ajudada por mim. Temos feito com isso muita economia. Não deixo que elas tomem café mais de uma vez por semana conforme seus desejos. Amy consola-se usando os seus melhores vestidos e comendo doces. O sr. Laurie continua sempre dedicado e vem frequentemente aqui; anima muito as meninas. O velho manda sempre coisas. O pão está crescendo no forno, não tenho tempo para escrever mais. Muitas recomendações ao sr. March, com os meus votos para que sare completamente. Sua respeitosa criada:

Hannah.

Boletim do Quartel General.
Tudo calmo, tropas em boas condições, comissário bem dirigido. Casa da Guarda sob as ordens do Coronel Laurie; a postos o Comandante Chefe General Laurence revista o exército diariamente, Sargento de Quartel Mestre Mullet aguarda ordens no campo e o Major Leão cumpre o seu dever de vigilância, à noite. Uma salva de vinte e quatro tiros de artilharia foi dada ao chegarem as boas notícias de Washington, um desfile de gala aconteceu no Quartel General. O Comandante Chefe envia-lhe recomendações, que é auxiliado pelo
Coronel Laurie.
Prezada senhora:
As meninas vão bem; Beth e o meu rapaz escrevem diariamente. Hannah é o modelo das criadas, guardando a linda Meg como um dragão. Continua o bom tempo; diga a Brooke que procure ser o mais útil possível e que me avise, se as despesas excederem o seu orçamento. Não deixe seu marido passar falta de coisa alguma. Damos graças a Deus por ele estar melhorando.
Seu sincero amigo e criado:
James Laurence.

CAPÍTULO 17
A PEQUENA FIEL

Durante uma semana, as virtudes daquela velha casa bastariam para suprir toda a vizinhança. Era realmente de espantar, pois parecia que todas estavam com uma celeste disposição de espírito. Aliviadas da preocupação sobre a saúde do pai, as moças foram afrouxando seus louváveis esforços, revertendo aos primitivos hábitos. Não haviam esquecido o lema — esperança e trabalho — mas esperar e trabalhar pareciam mais fáceis; por isso, após tão grande ansiedade, acharam que seus esforços mereciam uma boa folga e elas proporcionaram-se a mesma.

Jo apanhara forte resfriado, pois esqueceu de proteger bem a cabeça tosquiada, e precisou ficar em casa até sarar bem, pois a tia March não gosta de ouvir leituras feitas por pessoas resfriadas. Jo gostou disso e, depois de uma ativa arrumação desde o sótão até a adega, instalou-se no sofá para tratar de seu resfriado com arsênico e livros. Amy achara que as ocupações domésticas não combinavam com as artes, e voltara a seus doces de barro. Meg ia diariamente ao reino onde trabalhava, isto é, à casa dos King; e em casa, costurava ou julgava que o fazia passando a maioria do tempo escrevendo longas cartas à mãe e relendo, muitas vezes, os telegramas de Washington.

Durante alguns breves intervalos, Beth nunca se mostrava indolente ou triste. Todas as suas pequenas obrigações eram cumpridas fiel e diariamente, e também muitas das de suas irmãs, por serem estas negligenciadas. Quando o coração se sentia angustiado pelas saudades da mãe ou de receios pela vida do pai, ia a certo recanto, escondia o rosto nas dobras de um vestido velho e chorava baixinho, rezando a sua oração em silêncio. Ninguém sabia o que poderia alentá-la em seus acessos de tristeza, mas todas achavam que Beth era meiga e boa e procuravam meios de confortá-la ou aconselhá-la nos seus desgostos.

Ninguém tinha consciência de que os seus dissabores iam colocar em prova o seu caráter; e, ao passar a primeira batalha, sentiram que haviam agido bem e mereciam louvores; seu erro, porém, estava em deixarem, depois disso, de proceder assim e só após muita aflição e arrependimento foi que compreenderam bem esta lição.

— Meg, você precisa ir visitar os Hummel; sabe que mamãe nos recomendou que não os esquecêssemos — disse Beth, doze dias após a partida da sra. March.

— Não poderei ir esta tarde, estou muito cansada — respondeu Meg embalando-se confortavelmente enquanto costurava.

— E você, Jo? — perguntou Beth.

— Por causa do tempo meu resfriado poderá piorar.

— Pensei que estivesse melhor.

— Estou melhor para ir com Laurie, mas não para ir à casa dos Hummel — disse Jo rindo, mas um tanto envergonhada de sua incoerência.

— Por que não vai você mesma? — perguntou Meg.

— Tenho ido sempre, mas o pequeno está doente e não sei o que fazer. A sra. Hummel vai para o trabalho e Lottchen fica cuidando dele; porém o pequeno piora dia a dia e por isso achei que você ou Hannah deveriam ir.

Meg prometeu ir no dia seguinte.

— Peça a Hannah um prato de alguma coisa boa e leve, Beth; o passeio lhe fará bem — disse Jo; e acrescentou — Eu iria, se não precisasse terminar meu conto.

— Estou com dor de cabeça e cansada, por isso achei que poderia ir uma de vocês — disse Beth.

— Amy virá daqui a pouco, e irá em nosso lugar — sugeriu Meg.

— Bem, vou esperá-la e, enquanto isso, descansarei um pouco.

Beth deitou-se no sofá, as outras voltaram a seus serviços e os Hummel foram esquecidos. Passada uma hora, Amy ainda não chegara; Meg foi ao quarto experimentar um vestido; Jo lia a sua história e Hannah ressonava junto ao fogão. Então Beth silenciosamente pôs a touca, encheu um cesto de coisas para dar à pobre criança e saiu com ar abatido, com a cabeça pesada e a tristeza estampada nos seus olhos pacientes.

Era tarde quando voltou sem que ninguém ouvisse seus passos ao subir e fechar-se no quarto de sua mãe. Meia hora depois, Jo foi ao "gabinete da mamãe" para fazer qualquer coisa, encontrando aí Beth sentada na caixa onde se guardavam os remédios, muito séria, de olhos vermelhos e com um frasco de cânfora na mão.

— O que aconteceu? — perguntou Jo, enquanto Beth, fazendo-lhe sinal para que se afastasse, perguntava:

— Você já teve escarlatina?

— Há anos, quando Meg teve. Por quê?

— Vou dizer-lhe... Oh, Jo, o menino morreu!

— Que menino?

— O da sra. Hummel; morreu no meu colo, antes da mãe chegar! — exclamou Beth num soluço.

— Querida Beth, que cena horrível foi para você! Eu devia ter ido em seu lugar — disse Jo, com expressão de remorso, pondo a irmã no colo, ao sentar-se na cadeira da mãe.

— Horrível não, Jo! E sim muito triste! Vi logo que ele estava mal, porém Lottchen disse que a mãe tinha ido buscar um médico; tomei a criança nos braços para que Lottchen descansasse. Parecia adormecida, mas de repente deu um pequeno gemido, tremeu e em seguida ficou muito quieta. Procurei aquecer seus pezinhos e Lottchen deu a ele leite, mas ele não se mexia e eu notei então que estava morto.

— Não chore, Beth! E o que fez você?

— Conservei-me sentada e deixei ele ficar onde estava até que a sra. Hummel chegasse com o médico.

Ele disse que estava morto e examinou Heinrich e Minna que estavam com a garganta inflamada.

— Escarlatina, meu Deus; devia ter-me chamado mais cedo — disse o médico com mau humor. A sra. Hummel explicou que era paupérrima e procurava curar a criança com remédios caseiros, o que fora inútil; e que agora confiava na sua caridade. Ele sorriu bondoso; eu comecei a chorar com os da casa. O médico então voltou-se súbito para mim, mandando-me vir para casa e tomar beladona imediatamente para não ter febre também.

— Não, você não a terá! — exclamou Jo, apertando-a nos braços, cheia de horror —Oh, Beth, se você ficar doente, nunca me perdoarei! Que faremos?

— Não tenha receio, espero que terei mais branda. Olhei no livro de mamãe e vi que a escarlatina começa com dor de garganta e mal-estar como o que sinto, mas tomei beladona e estou melhor! — disse Beth, passando as mãos frias na fronte ardente e procurando mostrar-se bem-disposta.

— Se mamãe estivesse em casa! — exclamou Jo, tomando o livro e refletindo na distância entre sua casa e Washington. Leu uma página, olhou para Beth, pôs a mão na testa dela, examinou a garganta, dizendo depois com seriedade: — Você esteve com o pequeno diariamente, por mais de uma semana, e no meio dos que agora adoeceram também; tenho medo, por isso, de que haja contraído a moléstia, Beth. Vou chamar Hannah; ela é experiente nessas coisas de doenças.

— Não deixe Amy subir; ainda não teve escarlatina e não quero passar para ela. Será que você e Meg podem ter de novo? — perguntou Beth.

— Creio que não; não se incomode por minha causa. Servirá de lição, porque fui egoísta, deixando você ir e ficando para escrever tolices! — Murmurava Jo, quando ia à procura de Hannah para consultá-la.

Sabedora do fato, a boa mulher assegurou a Jo que não havia motivos para receios; todos têm escarlatina, e ninguém morre dela, se é bem tratada; com isso, Jo sentiu-se aliviada e subiram para chamar Meg.

— Agora vejamos o que vamos fazer — disse Hannah após ter examinado Beth — temos o dr. Bangs para tratar de você, meu bem, e para nos aconselhar; mandaremos Amy por algum tempo para casa de tia March, a fim de que não lhe pegue a moléstia, e uma de vocês ficará em casa para distrair Beth durante um ou dois dias.

— Ficarei eu porque sou a mais velha — resolveu Meg, aflita.

— Serei eu, porque foi por culpa minha que ela está doente; disse à mamãe que iria à casa dos Hummel e não fui — disse Jo em tom enérgico.

— Qual você quer que fique Beth? Não há necessidade de ficarem as duas — disse Hannah.

— Jo — disse Beth reclinando a cabeça no colo da irmã com um olhar de agradecimento.

— Irei então avisar Amy — disse Meg, um tanto sentida, mas satisfeita, pois não estava tão habituada como Jo a servir de companhia às irmãs mais novas.

Amy rebelou-se, declarando que preferia ter a febre a ir para a casa de tia March. Meg procurou convencê-la, pediu, insistiu, ordenou, tudo em vão. Amy teimava que não iria; e Meg, deixando-a no seu desespero, foi saber de Hannah o que deveriam fazer. Antes que voltasse, Laurie entrou na sala, encontrando Amy em prantos com a cabeça entre as almofadas do sofá. Contou a situação, esperando ser consolada; Laurie, porém, limitou-se a pôr as mãos nos bolsos e a passear pela casa, assobiando e de sobrancelhas franzidas, em altas reflexões. Depois, sentou-se ao lado da menina, dizendo no seu mais afável tom:

— Seja uma mulherzinha sensata e faça o que elas dizem. Não chore e ouça a bela ideia que tenho: você ficará na casa de tia March e eu irei buscá-la diariamente para darmos um passeio a pé ou de carruagem, distraindo-nos com isso. Não é melhor do que ficar aqui aborrecida?

— Não quero ir assim, como se estivesse incomodando aqui — respondeu Amy, numa voz de choro.

— Meu Deus, menina! É para a resguardar. Quer ficar doente?

— É claro que não; mas creio que vou ficar doente assim mesmo, pois tenho estado com Beth durante todo este tempo.

— Maior razão para ir imediatamente, a fim de ver se escapa. Mude de ares e procure livrar-se do mal; se não for possível, terá pelo menos mais branda a moléstia. Aconselho-a a ir o mais depressa possível, pois escarlatina não é brincadeira, senhorinha.

— Mas a casa de tia March é tão aborrecida e ela é tão rabugenta — objetou Amy assustada.

— Não a achará aborrecida, pois irei diariamente dizer-lhe como está Beth e buscá-la para passearmos. A velhota gosta de mim e usarei de grande tática com ela para não atrapalhar nossos planos.

— Você me levará na carruagem puxado por Puck?

— Dou-lhe a minha palavra de cavalheiro.

— E irá todos os dias?

— Não faltarei.

— E me trará para casa assim que Beth sarar?

— No mesmo instante.

— E iremos ao teatro?

— A uma dúzia de teatros, se houver tempo.

— Bem... assim... estou de acordo — respondeu Amy.

— Boa menina! Chame Meg e diga-lhe que você vai obedecê-la — disse Laurie, com uma palmada carinhosa nas costas.

Meg e Jo correram para contemplar o milagre realizado e Amy, fazendo-se de muito rogada, prometeu ir se o médico dissesse que de fato Beth estava doente.

— Como vai a queridinha Beth? — perguntou Laurie, porque a estimava muito e via-se que se achava mais ansioso a seu respeito do que o desejaria demonstrar.

— Está deitada na cama de mamãe, e sente-se melhor. A morte da criança impressionou-a muito, mas parece-me que ela está somente resfriada. Hannah também acha isso; mas achei ela muito abatida e isso me inquieta — respondeu Meg.

— Que mundo duro, este! — suspirou Jo, arrepiando o cabelo de modo engraçado. — Nem bem nos livramos de um aborrecimento, já vem outro. Quando mamãe se ausenta parece que tudo se transforma.

— Ora, não é preciso transformar-se num porco-espinho por isso; arrume seu cabelo, Jo, e diga se devo telegrafar a sua mãe ou se deverei fazer outra coisa — sugeriu Laurie, que ainda não se conformara com a perda do que sua amiga tinha de mais bonito.

— É isso que me inquieta — disse Meg. — Penso que deveríamos contar se Beth estiver realmente com escarlatina, mas Hannah acha que não, pois a mamãe não poderá deixar papai e ficará muito preocupada. Beth não ficará por muito tempo doente, e Hannah sabe o que diz; além disso, mamãe disse para obedecer Hannah, por isso assim devemos fazer, embora não me pareça a melhor proposta.

— Eu nada posso dizer; por que não perguntam ao vovô, depois que o médico a examinar?

— Boa ideia; Jo, vá chamar o dr. Bangs — ordenou Meg; — Nada podemos decidir enquanto ele não vier.

— Fique onde está, Jo; eu sou o moço de recados desta casa — disse Laurie pegando o chapéu.

— Mas você talvez esteja ocupado — disse Meg.

— Não, já estudei as lições de hoje.

— Você estuda nas férias? — interrogou Jo.

— Sigo o bom exemplo que me dão os vizinhos — respondeu, quando se retirava.

— Tenho muita confiança neste meu rapaz — observou Jo, vendo-o passar através da sebe, com um sorriso nos lábios.

— Não é um mau menino — respondeu Meg.

O dr. Bangs chegou e disse que Beth tinha sintomas de escarlatina, mas acreditava que seria benigna — embora ficasse incomodado com o caso dos Hummel. Mandaram Amy partir imediatamente e tomaram algumas providências necessárias para evitar que ela adoecesse. A menina partiu escoltada por Jo e Laurie.

Tia March recebeu-os com sua usual cordialidade.

— De que precisam? — perguntou ela, olhando para eles sobre os óculos enquanto o papagaio, pousado nas costas da cadeira, gritava:

"Saia! Aqui não entram homens!"

Laurie afastou-se para o lado da janela enquanto Jo contava à tia o que tinha acontecido.

— Era o que eu esperava, desde que vocês andam metidos com essa gentinha. Amy pode ficar aqui pelo tempo que for necessário, desde que não esteja doente, do que não duvido. Olhe seu aspecto! Não chore, menina, não gosto de choros.

Amy estava a ponto de começar a soluçar, mas Laurie puxou o rabo do papagaio, que deu um guincho de susto, gritando: "Largue a botina!".

Amy achou tanta graça que, em vez de chorar, riu muito.

— Que notícias mandou sua mãe? — perguntou a velha.

— Papai está muito melhor — respondeu Jo.

— Sim? Muito bem. Creio que ficará bom logo. March tem bastante resistência física — observou ela.

"Ah, ah! Cale a boca! Tome tabaco. Adeus, Adeus!" — esganiçou o papagaio, dançando no poleiro, enquanto Laurie lhe fazia cócegas no ouvido.

— Cale a boca, ave atrevida! Jo, é melhor você ir embora. Não é bonito andar tão tarde por aí com um rapaz sem preceito como...

"Cale a boca, atrevida!" — exclamou o papagaio, pulando com estrondo da cadeira ao chão e correndo para bicar o rapaz que se contorceu de riso àquelas últimas palavras da velha.

"Creio que não a tolerarei, mas vou experimentar" — pensou Amy, quando a deixaram só com tia March.

"Vá-se embora, você me assusta!" — gritava o papagaio e Amy, ouvindo a ave, não pôde reprimir o riso.

CAPÍTULO 18

DIAS SOMBRIOS

Beth teve escarlatina e ficou bem pior do que imaginavam, somente Hannah e o médico tinham conhecimento da gravidade. As irmãs nada souberam, e o sr. Laurence não teve licença de vê-la, de maneira que a Hannah coube a responsabilidade do segredo. O dedicado dr. Bangs empregou todos os seus esforços, mas deixou ainda muitos cuidados a cargo de Hannah. Meg ficou em casa, com receio de contaminar os King e assumiu a direção do lar, muito aflita ao escrever as cartas à mãe, nas quais não tocava no assunto da moléstia de Beth. Não se conformava em enganar a mãe, mas a mãe tinha ordenado que obedecesse a Hannah e esta não queria sequer que lhe falassem em contar à sra. March o acontecido "para que não se incomodasse com uma coisinha à toa".

Jo devotava-se a Beth dia e noite; não era árdua a tarefa, pois a doente se mostrava muito paciente, suportando com resignação os seus sofrimentos na medida de suas forças. Uma ocasião, porém, num acesso febril, começou a falar com voz rouca, a bater com os dedos no cobertor, como se fosse o seu amado piano e a esforçar-se por cantar com a garganta de tal modo inchada que não se conseguia ouvir um som ao menos; não reconhecia os rostos familiares que a cercavam, trocava os nomes das pessoas e chamava a mãe.

Jo sentiu-se derrotada, Meg pedia para contar a verdade e a própria Hannah aditou: "Nem pense nisso".

Uma carta de Washington aumentou a inquietação, pois o sr. March havia tido uma recaída e não poderia vir para casa tão cedo.

Como os dias pareciam sombrios agora! Quão triste e solitário estava aquele lar, e como se achavam penalizados os corações das irmãs, enquanto trabalhavam e aguardavam, vendo a sombra da morte pairar por sobre aquela casa outrora tão feliz! Foi então que Meg, sentada sozinha, chorando, compreendeu quão rica havia sido de bens mais preciosos que todas as coisa luxuosas que o dinheiro possa adquirir — de amor, de proteção, de paz, de saúde — únicas venturas da vida.

Quanto a Jo, fechada no quarto escuro, tendo diante dos olhos aquela irmã doente, ouvindo soar aos ouvidos sua voz comovente, começou a ver a beleza e a suavidade do gênio de Beth, a compreender quão profundo e terno era o lugar que ela ocupava nos corações de todas, a conhecer o desapego da irmã: viver para os outros, tornar feliz o lar pelo exercício daquelas singelas virtudes que todos podem possuir e que todos deveriam estimar mais do que o talento, a riqueza ou a beleza. E Amy, em seu exílio, louca por voltar para casa, para dedicar-se a Beth, sentia agora que não há trabalho árduo e fastidioso e relembrava com amargura as tarefas esquecidas que aquelas mãozinhas zelosas haviam feito para ela. Laurie vagava pela casa como uma alma penada e o sr. Laurence fechara o grande piano, pois não esquecera da jovem vizinha que costumava alegrar os longos serões. Todos lamentavam a doente. O leiteiro, o padeiro, o merceeiro, o açougueiro perguntavam como ela estava; a pobre senhora Hummel viera pedir perdão por sua imprudência; os vizinhos enviaram toda espécie de coisas que lhe podiam ser úteis, formulando votos pelo seu restabelecimento, e mesmo os que melhor a conheciam ficaram surpreendidos por ver quantas amizades a acanhada Beth havia conquistado.

Nesse intervalo, ela jazia na cama com a velha Joana ao lado, pois mesmo no seu delírio não se esquecia da sua infeliz protegida. Sentia saudades dos gatinhos, mas não queria vê-los, com medo de que ficassem doentes também; e, nas horas de lucidez, ficava cheia de cuidados por Jo.

Enviava lembranças a Amy, mandava que as irmãs dissessem à mãe que ela iria escrever-lhe em breve; às vezes pedia um lápis e papel para rabiscar algumas palavras, com receio que o pai pensasse que ela o esquecera. Quando esses intervalos de lucidez desapareciam, jazia horas a fio revolvendo-se na cama com palavras incoerentes, ou imersa em profundo sono que não lhe trazia melhoras.

O médico vinha vê-la duas vezes por dia. Hannah não se deitava à noite, Meg tinha pronto na gaveta um telegrama e Jo não arredava o pé do leito.

O primeiro de dezembro, veio com um vento implacável, muita neve, como se o ano se preparasse para morrer. Quando o dr. Bangs chegou nessa manhã, examinou-a demoradamente, apertou a mãozinha quente da enferma, largou-a e disse em tom baixo a Hannah:

— Se não for indispensável a presença da sra. March junto ao marido é melhor chamá-la.

Firmando-se no corrimão da escada, repeliu-o brandamente.

Hannah fez um gesto mudo, pois os lábios repuxavam nervosamente; Meg caiu numa cadeira, porque as forças a abandonaram ao ouvir tais palavras e Jo, muito pálida por um instante, correu à sala, agarrou o telegrama e, vestindo-se às pressas, saiu em meio da tormenta. Logo voltou e, enquanto tirava quieta o casaco, entrou Laurie com uma carta, dizendo que o sr. March melhorara de novo. Jo leu-a cheia de emoção, mas o coração continuava oprimido e seu rosto mostrava tanta amargura que Laurie perguntou:

— Que houve? Beth piorou?

— Telegrafei chamando mamãe — disse Jo com expressão dramática, tentando tirar as galochas.

— Que fez, Jo! Foi por sua conta e risco? — perguntou Laurie, sentando na cadeira do vestíbulo e tirando as galochas de Jo, ao ver que as mãos trêmulas dela não poderiam fazer.

— Não. Foi o médico quem mandou.

— Oh, Jo! Está tão mal assim? — indagou Laurie com o rosto transtornado.

— Está, sim; não reconhece ninguém, nem fala mais no bando de pombas verdes, como ela chamava as folhas de parreira da parede; não parece mais a minha Beth e não há ninguém para ajudar-nos e confortar-nos neste transe: mamãe e papai estão tão distantes e Deus parece que está tão longe que não posso encontrá-lo!

As lágrimas fluíam, deslizando pelas faces da pobre Jo, que estendeu as mãos, como a tatear na escuridão desolada, e Laurie, tomando-as nas suas, disse-lhe com voz embargada pela comoção:

— Estou aqui a seu lado, Jo querida!

Ela não podia falar, mas confiava nele, pois a acolhida do amigo lhe confortava a aflição, parecendo conduzi-la para perto dos braços divinos, únicos capazes de ampará-la em seu desespero. Laurie desejava dizer algo para consolar, mas não encontrava palavras, e ficou ali silencioso, acariciando a cabeça inclinada da jovem, como a mãe costumava fazer.

Foi a melhor coisa que pôde fazer — mais eficiente do que as palavras eloquentes — pois transmitia sua simpatia irradiante e muda, e fazia compreender, naquele silêncio, como é suave o consolo proporcionado pela afeição à tristeza. Logo depois enxugou as lágrimas que a tinham aliviado, olhando-o com expressão agradecida.

— Obrigada, Laurie; estou melhor agora; sinto-me menos desanimada e procurarei conformar-me com o que vier.

— Não perca a esperança; breve, sua mãe estará aqui e tudo voltará à normalidade.

— Estou satisfeita por papai estar melhor; assim, ela não ficará tão incomodada por deixá-lo. Oh, meu Deus! Parece que todas as aflições se reuniram e eu recebi a parte mais pesada de todas — suspirou Jo.

— E Meg, nada fez? — perguntou Laurie.

— Oh, sim, ela procura ser útil, mas não ama tanto Beth como eu. Nem pode sentir tanto como eu. Beth é meu ídolo, e não posso passar sem ela. Não posso!

E mergulhou o rosto no lenço molhado, chorando desesperadamente.

Laurie passou a mão pelos olhos, sem dizer uma palavra, enquanto sentia na garganta aquele nó que lhe tolhia a voz.

Mesmo que fosse impróprio de um homem, não podia deixar de se sentir comovido. Agora que diminuíram os soluços de Jo, ele disse cheio de esperança:

— Creio que ela não morrerá; é tão boa, que não acredito que Deus a leve tão cedo.

— Os bons e os amados são os que morrem — soluçava Jo, deixando, porém, de chorar alto, pois as palavras do amigo lhe deram esperanças.

— Pobrezinha! Você está muito aflita. Não deve ficar assim desanimada. Vou animá-la num instante.

Laurie desceu dois a dois os degraus da escada, e Jo pousou a cabeça sobre a pequena touca de Beth que ninguém pensara em tirar da mesa onde ela a deixara. Possuía certamente qualquer coisa de miraculosa; pois o espírito de sua dona parecia ter-se apossado de Jo; e, quando Laurie chegou correndo, trazendo-lhe vinho, ela pegou o copo com um sorriso, dizendo animada:

— Bebo à saúde de minha Beth! Você é um bom médico, Laurie, e ainda melhor amigo; como poderei retribuir? — indagou, sentindo que o vinho lhe revigorava o organismo tanto quanto as palavras bondosas que tinham fortalecido o seu espírito.

— Vou mandar a conta, fique tranquila. Hoje à noite vou te dar algo que dissipará mais as inquietações do que uma pipa de vinho — disse Laurie.

— Que será? — perguntou Jo, esquecendo por instantes o seu sofrimento.

— Telegrafei à sua mãe ontem e Brooke respondeu-me que viria imediatamente; estará aqui esta noite, todos se tranquilizarão. Não ficou contente?

Laurie falava depressa, vermelho e excitado, pois não tinha contado a ninguém, com medo de assustar as irmãs ou fazer Beth piorar. Jo ficou pálida, caiu na cadeira e, quando ele se calou, lançou-lhe os braços ao redor do pescoço, exclamando com alegria:

— Oh! Laurie! Oh! mamãe! Estou tão contente — não chorou mais, mas riu nervosamente, abraçada a seu amigo. Laurie, embora muito espantado, conservou a sua presença de espírito; deu-lhe pancadinhas nas costas e, vendo que ela voltava ao estado normal, beijou-a, o que a acabou de reanimar.

Firmando-se no corrimão da escada, repeliu-o brandamente, dizendo com esforço:

— Oh! não faça isso! Não era essa a minha intenção! Foi um ímpeto absurdo de minha parte, mas você foi tão bondoso por telegrafar, apesar das ordens contrárias de Hannah, que não pude deixar de o abraçá-lo. Conte-me tudo, e não me dê mais vinho; ele influiu para eu agir assim.

— Não tem importância — riu Laurie, ajeitando o laço da gravata. — Eu estava inquieto e vovô também. Julgamos que Hannah estava abusando de sua autoridade e que sua mãe precisava saber de tudo. Ela jamais nos perdoaria se Beth... ora, se alguma coisa acontecesse, compreende. Assim vovô disse que era tempo de fazermos alguma coisa e eu corri ao telégrafo ontem, pois o médico parecia apreensivo e Hannah quase me arrancou a cabeça quando eu propus telegrafarmos. Jamais tolerei tratarem-me desse modo, por isso tomei aquela decisão. Sua mãe virá no último trem, talvez às duas da madrugada. Irei esperá-la; você vai manter Beth sossegada, até aquela abençoada senhora chegar.

— Laurie, você é um anjo! Como poderei agradecer-lhe?

— Abraçando-me novamente, gostei disso — disse Laurie.

— Não, obrigada. Faço por procuração, quando seu avô chegar. Não me aborreça e vá para casa descansar, pois terá que se levantar de madrugada. Deus o abençoe, Laurie!

Já havia recuado, e, ao acabar de falar, correu para a cozinha onde contou aos gatos, que ela era "feliz, muito feliz" enquanto Laurie se retirava satisfeito.

— É o rapaz mais intrometido que eu já vi; perdoo, e desejo que a sra. March esteja fazendo boa viagem — dizia Hannah com expressão de alívio, quando Jo lhe contou a novidade.

Meg ficou mais calma e refletia sobre a mensagem da mãe, enquanto Jo punha em ordem o quarto da doente e Hannah "fazia alguns pastéis, para o caso de virem outras pessoas". Parecia que um ar puro ventilava a casa e algo mais brilhante que um raio de sol irradiava nos aposentos tranquilos; tudo parecia sentir a feliz mutação; o canário de Beth começou a cantar de novo e uma rosa semiaberta foi encontrada na roseira de Amy sob a janela; e cada vez que as meninas se cruzavam na casa as suas pálidas feições transformavam-se em sorrisos, sussurrando:

— Mamãe vai chegar! Mamãe vai chegar!

Todas se regozijavam, exceto Beth; estava inconsciente às alegrias e esperanças, às dúvidas e aos perigos. As faces outrora rosadas, agora eram pálidas; suas mãos diligentes, fracas e emagrecidas, os lábios sempre sorridentes, agora mudos, os cabelos antes lindos e bem penteados, estavam dispersos e embaraçados sobre o travesseiro.

E ficou assim o dia inteiro, levantando a cabeça para murmurar somente "água", com os lábios tão cerrados que mal se entendia essa palavra; durante todo o dia Jo e Meg inclinavam-se sobre ela, observando, esperando, confiando em Deus e na mãe; e, todo o dia, a mesma neve caindo, o vento zunindo, as horas passando lentamente...

Veio, finalmente, a noite e, em todas as vezes que o relógio soava, as irmãs, sentadas na cama, uma de cada lado, entreolhavam-se com olhos brilhantes, pois cada hora que se passava fazia aproximar-se mais a saúde. O médico havia dito que durante aquela noite aconteceria uma mudança qualquer, para melhor ou para pior, prometendo voltar perto da meia-noite.

Hannah, muito cansada, deitara-se no sofá aos pés da cama e caíra no sono; o sr. Laurence passeava na sala, para um e outro lado, achando que enfrentaria mais corajosamente uma bateria rebelde que o rosto ansioso da sra. March ao entrar.

Laurie jazia sobre o tapete, pretendendo descansar; olhava o fogo com um olhar pensativo que tornavam os seus olhos negros suaves e límpidos.

— Se Deus salvar Beth nunca mais me lastimarei de coisa alguma — sussurrou Meg.

— Se Deus salvar Beth, hei de amá-lo e servi-lo durante toda a minha vida — replicou Jo com fervor.

— Preferia não possuir coração; faz sofrer muito — suspirou Meg, após uma pausa.

— Se a vida for muitas vezes assim triste, não sei como a suportaremos por muito tempo — disse a irmã.

O relógio bateu meia-noite e ambas se esqueceram de si próprias para observar Beth, pois parecia-lhes que uma transformação se operava em seu rosto pálido.

A casa estava silenciosa como um túmulo, nada mais se ouvindo a não ser a ventania açoitando os arvoredos. A fatigada Hannah dormia, e só as duas irmãs viam a pálida sombra que parecia pairar sobre o pequeno leito. Passou-se mais uma hora, e nada de anormal acontecera, a não ser a partida silenciosa de Laurie para a estação. Outra hora... e não chegava ninguém, e receios sombrios de atraso devido à tormenta ou por acidente no caminho, ou coisas ainda mais tétricas, apavoravam as meninas.

Eram duas e meia quando Jo, que fora para a janela e refletia no desespero com que tudo se apresentava através dos remoinhos da neve caindo, ouviu um ruído na cama e, viu Meg ajoelhar-se diante da grande poltrona da mãe, com o rosto oculto, nas mãos. Um horror percorreu corpo de Jo ao pensar consigo:

"Beth morreu e Meg não quer me contar."

Voltou para seu lugar e com os seus olhos perturbados pela grande transformação que se operou na enferma. O rubor da febre e o ar cadavérico haviam desaparecido. O amado rostinho mostrava-se, no sono, tão pálido e tranquilo, que Jo não pensou mais em chorar ou lastimar-se. Inclinando-se sobre a irmã predileta, beijou-lhe, com o coração nos lábios, a testa úmida, murmurando suavemente:

— Adeus, minha Beth, adeus!

Talvez acordada pelo rumor que fizera, Hannah, abriu os olhos, correu à cama, observando Beth e apalpando as mãos e a testa; murmurou baixinho:

— A febre se foi; ela está dormindo sossegada, suando muito e com a respiração regular. Graças, meu Deus!

Antes que as moças acreditassem na feliz verdade, entrou o médico para confirmar. Era um homem simpático, e elas acharam-lhe um ar celeste quando, sorrindo, disse em tom paternal:

— Sim, minhas filhas, creio que a menina está livre do perigo. Mantenham a casa em silêncio e deixem ela dormir; quando acordar deem...

Mas nenhuma das duas ouviu o que deveriam dar, pois ambas correram para o vestíbulo, sentando-se num degrau da escada, abraçaram-se, para desoprimirem os corações. Quando voltaram, para beijar e abraçar a fiel Hannah, encontraram Beth deitada como de costume, com o queixo pousado na mão, sem aquele temeroso palor de morte e respirando suavemente, como se houvesse acabado de adormecer.

— Se mamãe chegasse agora... — disse Jo.

— Veja — disse Meg, vindo com uma rosa branca entreaberta. Julgava que esta flor nem desabrocharia amanhã, para ser posta na mão de Beth se ela... nos fosse arrebatada; no entanto, abriu durante a noite e agora vou colocá-la aqui, no meu jarro, para que, ao acordar, as primeiras coisas que veja, sejam esta flor e o rosto de mamãe.

Jamais o sol despontara tão esplêndido, nem o mundo parecera tão belo, como, aos olhos cansados de Meg e Jo, a aurora daquele dia, após a triste e longa vigília da noite.

— Que maravilhoso me parece o mundo! — dizia Meg, sorrindo para si mesma, atrás da cortina, observando o ofuscante quadro do amanhecer.

— Escute! — gritou Jo, pondo-se de pé.

Sim, ouvia-se um som de campainha à porta e um grito de Hannah, ao passo que a voz de Laurie, que entrara, lhes dizia, daí a um instante:

— Meninas, ela chegou, ela chegou!

CAPÍTULO 19
O TESTAMENTO DE AMY

Amy passava por momentos complicados na casa da tia March. Sentia a dor do exílio, e pela primeira vez em sua vida reconheceu quanto era amada e mimada em seu lar. Tia March jamais mimara alguém; não gostava disso; mas procurava ser boa, pois a menina bem-comportada a agradava muito e tia March reservava um cantinho em seu velho coração para as filhas de seu sobrinho, embora não confessasse. Fazia o que podia para deixar Amy feliz. Alguns velhos, apesar das rugas e dos cabelos brancos, interessam-se pelas brincadeiras e pequeninas preocupações infantis, sabem deixá-los à vontade, como se estivessem na sua própria casa; mas tia March não tinha esse dom e aborrecia Amy com suas regras e ordens, e seus longos e enfadonhos sermões. Considerando a menina mais dócil que a irmã, a velha julgava-se no dever de reprimir os efeitos da liberdade e tolerância com que fora criada. Tomava Amy pela mão e a ensinava coisas que tinham sido ensinadas a ela sessenta anos atrás, que fazia a menina se sentir como uma mosca na teia de uma aranha.

Tinha de lavar as xícaras todas as manhãs, limpar o aparelho de chá de prata, e lavar os copos, até brilharem. Precisava depois varrer o quarto, e tirar o pó dos móveis. Não escapava ao olhar da tia a menor mancha e todos os móveis tinham entalhes, assim nunca conseguia tirar bem a poeira; depois, dar a ração ao papagaio, pentear o cãozinho e mais, subir e descer as escadas uma dúzia de vezes, pois a velhota era coxa e raras vezes saía de sua grande cadeira. Após estes exaustivos trabalhos, deveria estudar e fazer as lições, o que punha diariamente em prova todas as suas virtudes.

Era concedida apenas uma hora para brincar. Laurie vinha diariamente, e agradava tia March para que permitisse a saída de Amy com ele, então passeavam a pé, ou de carruagem, e se divertiam. Depois do jantar tinha que ler alto, ficando em seguida sentada esperando o sono da velha, porque a mesma adormecia quando Amy estava lendo a primeira página. E ainda tinham as colchas de retalho ou as toalhas para Amy costurar.

As noites eram ainda piores, pois tia March contava histórias intermináveis sobre sua juventude, coisa tão aborrecida para Amy, que ela preferia ir cedo para a cama com a intenção de chorar sua triste sina. Geralmente o sono vinha logo após as primeiras lágrimas. Se não fossem Laurie e a velha Ester, a criada, nunca teria conseguido suportar esse período terrível.

O papagaio a distraía um pouco, mas logo a ave compreendeu que ela não a admirava, e vingava-se como podia; puxava-lhe o cabelo assim que Amy passava perto; derrubava o pão e o leite logo que ela limpava a gaiola; fazia Mop latir, bicando-o.

Também não podia suportar o cão, que era gordo e estúpido, e rosnava para ela o tempo todo, e que se punha de costas, com as pernas no ar, quando queria comer alguma coisa, o que acontecia doze vezes por dia. A cozinheira era mulher pouco tratável e o velho cocheiro, surdo; só Ester era simpática.

Ela era uma francesa, que havia muitos anos servia "Madame", como chamava tia March, e que vivia tiranizada pela velha que nada fazia sem ela. Seu verdadeiro nome era Estelle; mas tia March ordenou-lhe que o trocasse, sob a condição de que nunca lhe proporia mudar de religião. Tinha afeição por Amy, distraindo-a com histórias da sua vida na França quando Amy se sentava a seu lado, enquanto ela cuidava das rendas de Madame. Permitia-lhe vagar pela grande casa e examinar as coisas curiosas e bonitas guardadas nas grandes e antigas arcas. O principal encanto de Amy era uma escrivaninha indiana cheia de gavetas esquisitas, como casinhas de pombos, com fundos secretos onde se guardavam objetos de toda espécie.

Amy gostava de examinar e catalogar esses objetos, principalmente os estojos de joias, nos quais, em almofadas de veludo, repousavam as que haviam adornado uma mulher elegante há quarenta anos. Havia uma coleção de granadas que tia March usava quando saía, as pérolas que o pai lhe dera no dia do seu casamento, os brilhantes que ganhara do marido, anéis de azeviche para luto, broches extravagantes, alfinetes com retratos de pessoas mortas, e braceletes pequeninos que usara sua única filha; o grande relógio de tio March; numa caixa, separado, estava o anel de casamento de tia March, ficava apertado agora para seu dedo gordo.

— Se fosse para escolher, qual preferia, Mademoiselle? — perguntou Ester, que sempre estava junto para guardar as coisas preciosas.

— Penso que preferia esse colar — respondeu Amy, contemplando com grande admiração um cordão de ouro, de contas de ébano, do qual pendia pesada cruz daquele metal.

— Quanto a mim, desejaria o mesmo, para usar como um rosário.

— Do mesmo modo que aquelas contas de madeira perfumada que vi penduradas em seu espelho? — perguntou Amy.

— Sim, perfeitamente, são para rezar. É muito agradável aos santos que alguém use um rosário tão lindo como este, em vez de algum outro sem valor.

— Parece que suas orações confortam muito, Ester, pois anda sempre calma e satisfeita. Gostaria de ser assim.

— Se Mademoiselle fosse católica, encontraria o verdadeiro conforto espiritual; seria bom que reservasse parte do dia para meditar e orar, como fazia a boa senhora a quem eu servia antes de Madame. Tinha uma pequena capela e nesse lugar achava consolo para muitas aflições.

— Seria bom eu proceder assim também? — perguntou Amy, que na sua solidão sentia a falta de um auxílio e achava que iria esquecer o seu livrinho agora que Beth não estava perto para recordá-la.

— Seria excelente; e eu de boa vontade lhe ensinarei, se quiser. Não diga a Madame, mas quando ela adormecer vá para o quarto de vestir e sente-se sozinha um instante para meditar e pedir a Deus que salve sua irmãzinha.

Amy gostou da ideia, na esperança de que isso lhe fizesse bem.

— Gostaria de saber de quem serão todas estas lindas coisas quando titia morrer — dizia ela, guardando o rosário e fechando um a um os estojos de joias.

— De Mademoiselle e de suas irmãs. Eu servi de testemunha em seu testamento — sussurrou Ester sorrindo.

— Que bom! Gostaria que ela nos deixasse usá-los agora. A procrastinação não é agradável — disse Amy, lançando um último olhar aos brilhantes.

— É muito cedo para as meninas usarem estas coisas. A primeira que ficar noiva terá as pérolas, conforme disse Madame. E eu acho que aquele pequeno anel de turquesa será dado à senhorita quando se for, pois Madame está satisfeita com seu bom procedimento e suas maneiras encantadoras.

— Serei um cordeiro, se conseguir assim ter aquele lindo anel! É muito mais bonito que o de Kitty Bryant. Gosto de tia March, francamente — e Amy experimentou o anel azul com a firme resolução de merecê-lo.

Desde aquele dia, tornou-se um modelo de obediência e a velha senhora March admirava o bom resultado de seu método de educação.

Ester arrumou o quarto de vestir, colocando uma mesa e um banquinho e pendurou na parede uma imagem tirada de um dos aposentos fechados da casa. Pensava que não fosse de grande valor, mas, sendo própria para o lugar, acreditava que Madame jamais saberia ou de que, se soubesse não se incomodaria. Era, entretanto, uma valiosa cópia de um célebre quadro e os olhos de Amy, amantes da beleza, nunca se cansavam de contemplar o suave rosto da Mãe Divina, enquanto seu coração se enchia de ternos pensamentos.

Sobre a mesa tinha sua pequenina Bíblia, o livro de hinos e um vaso cheio de flores que Laurie levava; naquele recanto ela ia diariamente sentar-se sozinha para meditar e pedira Deus que salvasse sua irmãzinha. Ester dera a ela um rosário de contas pretas com uma cruz de prata, porém Amy pendurara-o, sem o usar, em cima da imagem.

A menina fazia tudo isso com sinceridade porque sentia a necessidade de uma bondosa mão que a guiasse com segurança e por isso voltara-se instintivamente para o Amigo forte e carinhoso, cujo amor paternal envolvia sua filhinha adorada. Sentiu a falta da mãe para guiá-la. Amy era uma jovem peregrina, e agora parecia que seu fardo estava mais pesado. Esforçava-se para esquecer seus pesares, e sentir a satisfação que proporciona a prática do bem, embora não houvesse alguém para observá-la. No seu primeiro esforço para se tornar boa, decidiu fazer seu testamento, a exemplo da tia March, para que, se caísse doente e morresse, os seus bens fossem divididos. No entanto, representava um grande sacrifício pensar em desfazer-se dos pequenos tesouros que a seus olhos tinham maior valor que todas as joias daquela velha tia.

Em uma de suas horas de recreio, redigiu o documento da melhor maneira que pôde auxiliada por Ester, principalmente nos dizeres legais; e, depois que a boa francesa assinou seu nome, Amy sentiu-se desafogada e guardou-o para apresentar a Laurie, que deveria assinar também como testemunha.

Como o dia estava chuvoso, subiu para distrair-se num dos grandes quartos do andar superior, levando o papagaio consigo como companhia. Nesse quarto havia um guarda-roupa cheio de vestidos antigos, com os quais Ester deixava que ela brincasse. Era sua distração favorita vestir-se com os trajes de brocados e desfilar diante do espelho fazendo cortesias palacianas, arrastando a cauda. Tão distraída estava ela nesse dia que não ouviu a campainha quando Laurie tocou, nem viu seu rosto observando-a, quando ela desfilava, abanando o leque e balançando a cabeça na qual exibia um grande turbante cor-de-rosa a contrastando com o seu longo vestido azul de brocado e com a saia amarela.

Precisava pisar cuidadosamente, por estar de sapatos de salto alto. Como Laurie disse depois a Jo, era um espetáculo engraçado vê-la andar com aquelas roupas, com o papagaio imitando-a e parando de vez em quando para rir e exclamar: "Vá embora, espantalho! Cale a boca! Me dá um beijo?"

Reprimindo o riso que teria ofendido Sua Majestade, Laurie bateu palmas, sendo atenciosamente recebido.

— Sente-se e descanse enquanto eu guardo estas roupas. Preciso consultá-lo sobre um assunto muito importante — disse Amy.

— Ontem, quando a titia dormia e eu procurava ficar quieta, o papagaio começou a gritar e a bater as asas na gaiola; ia levá-lo para fora da sala quando encontrei uma aranha enorme. Atirei-a no chão e ela correu para debaixo da estante dos livros; o papagaio correu atrás dela, parou e espreitou para debaixo da estante dizendo "Saia daí e vamos passear, querida!" Não pude deixar de rir, acordando a titia, que nos repreendeu.

— E a aranha aceitou o convite? — perguntou Laurie bocejando.

— Sim, e o louro correu amedrontado, e subiu na cadeira da tia March gritando: "Pega! Pega!", enquanto eu procurava a aranha.

"Mentira! Mentira! Ó senhor!" exclamava o papagaio, bicando o salto do sapato de Laurie.

— Eu torceria seu pescoço se você fosse meu, ave inconveniente! — exclamava Laurie, fechando o punho para a ave.

"Aleluia! Deus te abençoe!"

— Estou pronta — disse Amy fechando o guarda-roupa e tirando um papel do bolso. — Quero que faça o favor de ler isto e me diga se está direito e legal. Julguei que devia fazê-lo, pois a vida é incerta e não quero que nada pese sobre meu túmulo.

Laurie leu o seguinte documento seriamente, sem se preocupar com a ortografia.

MEU TESTAMENTO

Eu, Amy Curtis March, em plena lucidez de espírito, disponho de todos os bens que possuo, no caso de minha morte, do seguinte modo:

Ao meu pai, lego meus melhores quadros, esboços, mapas, e trabalhos de arte, inclusive molduras, bem como meus cem dólares, para fazer deles o que ele quiser.

À minha mãe, com muito afeto, todas as minhas roupas, exceto o avental azul de bolso, bem como meu retrato e o respectivo medalhão.

À minha querida irmã Margaret, deixo o meu anel de turquesa (se eu ganhar), assim como a minha caixa verde com os pombos, meu cordão para que o use no pescoço e o retrato dela que eu esbocei, como recordação de sua irmãzinha predileta.

À Jo, meu broche, remendado com lacre, bem como o meu tinteiro de bronze que não tem mais tampa e o meu precioso coelhinho de gesso, como prova de arrependimento por ter queimado seu livro de contos.

À Beth (se ela sobreviver), deixo minhas bonecas e minha escrivaninha, o leque, as golas de linha e minhas pantufas novas e também meu pesar por ter sempre caçoado da sua velha Joana.

Ao meu amigo vizinho Theodore Laurence, lego minha pasta de papéis, o modelo em gesso de um cavalo, embora ele disse que o cavalo não tem focinho; além disso, como retribuição da sua extrema bondade durante a minha aflição, um de meus trabalhos artísticos, ele pode escolher.

Ao nosso venerável benfeitor sr. Laurence, deixo minha caixa vermelha com espelho na tampa que será boa para colocar as suas penas e que lhe recordará a falecida, para retribuir os seus favores à família, principalmente Beth.

Deixo que minha companheira de brincadeiras Kitty Bryani, o meu avental de seda azul e o anel de continhas douradas, com um beijo meu.

À Hannah, lego a caixa de fitas que ela desejava e todas as minhas restantes obras de escultura, esperando que "se lembrará de mim".

Tendo, assim, disposto de meus mais valiosos bens, espero que tudo será cumprido sem censuras à finada. Perdoo a todos, crente de que estaremos juntos ao soar da trombeta do Juízo Final.
Amém.

Coloco minha assinatura e meu selo neste testamento aos vinte dias de novembro de 1861.
Amy Curtis March

Testemunhas:
Estelle Valnor
Theodore Laurence

O último nome foi escrito a lápis, Amy explicou que ele deveria cobri-lo com tinta, selando o documento para ela.

— Quem colocou isso na sua cabeça? Alguém disse que Beth estava dando os objetos dela? — perguntou Laurie, sério, enquanto Amy entregou a ele um pedaço de fita vermelha, lacre, uma vela e uma mesinha.

Amy perguntou o que significavam suas palavras.

— Não sabe ainda? Já que fui indiscreto contarei tudo. Beth disse a Jo que desejava dar o piano a Meg, o canário a você, e a pobre boneca quebrada a Jo. Disse que estava triste por ter tão pouco que deixar, e por isso legou os cachos de seus cabelos às outras e seu sincero amor ao papai. Mas nunca falou em fazer testamento.

Laurie selava o documento enquanto falava, sem olhar para ela, até que uma lágrima caiu sobre o papel. O rosto de Amy estava mudado; só pôde dizer:

— Costumam as pessoas pôr *post-scriptum* nos seus testamentos?

— Sim, codicilos, como é chamado.

— Ponha um no meu, então — que eu desejo que todos os meus cachos sejam cortados e distribuídos às pessoas de minha amizade. Esqueci-me disso; mas quero fazê-lo embora fique muito feia.

Laurie escreveu sorrindo por ver o último sacrifício de Amy. E distraiu a menina durante uma hora, ouvindo com interesse a exposição de suas tribulações. Quando ia sair, Amy sussurrou com os lábios trêmulos:

— Beth está em perigo?

— Receio que sim; mas devemos ter esperanças; não chore — e Laurie a abraçou.

Quando ele se foi, Amy dirigiu-se à sua pequena capela e, sentando-se aí, ao crepúsculo, orou por Beth, com o coração dolorido, entre lágrimas, sentindo perfeitamente que um milhão de anéis de turquesas jamais a consolariam, se perdesse a adorada irmãzinha.

CAPÍTULO 20
CONFIDÊNCIAS

Não acredito que possa com palavras descrever o encontro da mãe e das filhas; esses momentos são muito difíceis de reproduzir, por isso deixo à imaginação dos meus leitores, dizendo apenas que a casa se encheu de uma verdadeira felicidade e que o desejo de Meg se realizou; quando Beth acordou do seu longo e profundo sono, as primeiras coisas que seus olhos avistaram foram a rosa entreaberta e o rosto de sua mãe. Muito fraca para se manifestar, limitou-se a sorrir. E adormeceu novamente. Hannah havia preparado um almoço de para a recém-chegada, único modo que achava de mostrar seu contentamento. Meg e Jo não se afastavam da mãe, ouvindo ela falar sobre o estado de saúde do pai, sobre a promessa do sr. Brooke de ficar velando por ele, do atraso que a tempestade ocasionara na viagem e da ajuda de Laurie. Meg e Jo repousaram o resto do dia. A sra. March, que não se arredara da cabeceira de Beth, descansava numa poltrona, acordando várias vezes para observar e agasalhar a filha.

Laurie fora depressa tranquilizar Amy, e contara tudo tão detalhado que tia March não repetira, uma única vez, o seu indefectível "Eu bem disse!" Amy acreditava que seus bons pensamentos na capela começavam a produzir efeitos. Enxugou as lágrimas, refreou a impaciência de ver a mãe e nem pensou no anel de turquesa quando a velha tia concordou com Laurie de que ela se mostrava "uma verdadeira mulherzinha". Até o papagaio parecia impressionado, pois a chamava "boa menina" e disse-lhe:

"Vamos dar um passeio, meu bem!". Ficaria satisfeita em sair a para aproveitar o brilhante dia de inverno, mas, percebeu que Laurie estava caindo de sono, apesar dos esforços sobre-humanos em esconder isso, convenceu-o a descansar no sofá, enquanto escrevia uma carta para a mãe. Demorou-se muito tempo para escrever; e, quando voltou, ele estava num profundo sono, com a cabeça recostada nos braços, e tia March tinha fechado as cortinas num estranho "acesso de benevolência".

Após algum tempo, começavam a pensar que ele não acordaria antes da noite, e certamente assim aconteceria se não fosse acordado subitamente pelos gritos de alegria de Amy ao ver a mãe. Foram juntas à capelinha, a menina contou tudo para mãe e esta não a censurou.

— Deu-me muito prazer seu procedimento, minha filha — disse ela observando desde o empoeirado rosário até o livrinho já bem estragado e o lindo quadro com sua guirlanda de flores. — É uma ideia excelente termos um lugar reservado para retirarmos em silêncio, por causa de alguma aflição.

— Quando voltar para casa, mamãe, gostaria de ter um cantinho no gabinete para colocar meus livros e a cópia que vou tentar fazer daquele quadro. O rosto da Nossa Senhora é difícil, é lindo demais para eu desenhar, mas o do Menino Jesus é mais fácil e gosto muito dele. Sinto-me mais confortada ao pensar que Ele também foi pequenino, pois com isso tenho a impressão de achar-me mais próxima dele, para eu lhe pedir o auxílio.

Ao apontar para o Menino Jesus sorridente, nos joelhos da Mãe, a sra. March viu qualquer coisa na sua mãozinha que a fez sorrir. Não disse nada, porém Amy compreendeu o olhar e disse:

— Tia March me deu este anel hoje; me beijou e, pondo o anel no meu dedo, disse que eu era seu orgulho e que desejaria me criar. Gostaria de usá-lo, mamãe; consente?

— É muito bonito, mas penso que você ainda é muito pequena para usar uma joia como essa, Amy — disse a sra. March.

— Procurarei não me tornar vaidosa — disse Amy — Não quero usá-lo por ser tão bonito, mas pela mesma razão por que aquela moça do conto usava seu bracelete: para não me esquecer de uma coisa.

— Da tia March? — perguntou a mãe.

— É para lembrar-me de que não devo ser egoísta. — Amy disse isso com tanta sinceridade, que a mãe prestou atenção em seus pequeninos projetos — Ultimamente tenho pensado muito nos meus defeitos, dos quais o pior é ser egoísta; vou procurar corrigir-me. Beth não é egoísta e é por essa razão que todos a amam, e porque sentiram tanto receio de perdê-la. Ninguém sentiria a metade se fosse eu a doente, e com toda a razão. Mas desejo ser amada por muitas pessoas, por isso vou procurar ser semelhante a Beth. Sou capaz de esquecer minhas boas resoluções; se tivesse alguma coisa comigo para recordar, seria melhor. Posso experimentar?

— Tenho mais fé no cantinho do gabinete. Use o seu anel, querida filha, e faça o que puder; julgo que vencerá, pois o desejo sincero de ser boa é meia caminho. Agora, preciso voltar para junto de Beth. Tenha paciência mais um pouco, filhinha, que todos estaremos novamente reunidos em casa.

Naquela tarde, enquanto Meg escrevia ao pai dando notícias da viagem da sra. March, Jo entrou sorrateira no quarto de Beth, encontrando a mãe no seu lugar costumado; permaneceu alguns minutos torcendo seus cabelos com os dedos com um ar de contrariedade e indecisão.

— O que aconteceu, minha filha? — perguntou a sra.

— Preciso falar-lhe sobre uma coisa, mamãe.

— Sobre Meg?

— Sim, a respeito dela; apesar de coisa sem importância, estou preocupada.

— Beth está dormindo; fale baixo e conte-me tudo. Espero que o Moffat não tenha a visitado — disse a sra. March, secamente.

— Não; eu não teria deixado — disse Jo sentando-se no chão, aos pés da mãe. — No verão passado, Meg deixou um par de luvas em casa dos Laurence, e só voltou uma. Esquecemos isso, até que Laurie me disse que o sr. Brooke estava com ela. Guardava-a no bolso do colete, Laurie comentou com ele a esse respeito e o sr. Brooke declarou que gostava de Meg, mas não tinha coragem de confessar à ela, porque era muito nova e ele muito pobre. Não concorda que isso é uma coisa medonha?

— E você acha que Meg gosta dele? — perguntou ansiosamente a sra. March.

— Meu Deus! Nada sei a respeito de tolices românticas! — exclamou Jo, num misto de interesse e desprezo. — Nos romances as moças demonstram-no por sobressaltos e rubores, desmaiando, emagrecendo e procedendo como loucas. Com Meg não acontece nada disso; come, bebe e dorme como qualquer pessoa; olha-me tranquilamente quando conversamos sobre o sr Brooke e somente cora um pouco quando Laurie caçoa sobre namorados.

— Então, acha que Meg não gosta de John?

— De quem? — exclamou Jo espantada.

— Do sr. Brooke; eu o chamo de John, agora; acostumamos a chamar assim no hospital e ele gosta desse tratamento.

— Oh, mamãe querida! Vejo que a senhora está tomando o seu partido! Tem sido bondoso para o papai e por isso deixará Meg casar-se com ele, se ela quiser! Cuidar do papai e servir de companhia à senhora, simplesmente para adulá-los e fazer com que gostassem dele! — e novamente Jo pôs-se a torcer os cabelos com raiva.

— Minha filha, não fique zangada por isso; vou te contar tudo o que aconteceu. John foi comigo a mando do sr. Laurence e mostrou-se tão dedicado a seu pobre pai que precisamos reconhecer isso. Foi muito sincero a respeito de Meg, pois nos disse que a amava, mas precisava adquirir uma casa confortável antes de pedi-la em casamento. Somente queria a permissão para a amar e também fazer-se amar, se possível fosse. É um moço excelente e não poderíamos deixar de atender-lhe o pedido; mas não consentirei que Meg case tão cedo.

— Está claro, seria uma loucura! Eu sabia que havia qualquer coisa, mas agora vejo que a situação é pior do que imaginava. Ah, se eu pudesse casar com Meg, para não a deixar sair da família!

Tão disparatado desejo fez a sra. March sorrir; mas respondeu, séria:

— Jo, confio em que você não dirá nada a Meg por enquanto. Quando John voltar e eu os vir juntos, observarei melhor seus sentimentos para com ele.

— Ela fitará aqueles lindos olhos de que tanto fala e estará tudo perdido. Meg possui um coração tão sensível que se derrete como manteiga ao mais leve olhar sentimental. Vive lendo notícias que ele envia, mais do que lia suas cartas, mamãe, e belisca-me quando eu falo nisso; gosta de olhos castanhos e não acha que o nome de John seja feio; vai apaixonar-se e acabarão nossa tranquilidade e nossas alegrias; já estou prevendo isso! Meg ficará distraída, não será mais bondosa para mim; Brooke irá procurar fortuna em qualquer parte e a levará para longe, deixando um vazio em nossa família; ficarei desesperada. Oh! meu Deus! Por que razão não somos rapazes? Não haveria aborrecimentos assim!

Jo apoiou o queixo nos joelhos, desconsolada.

— Não acha, mamãe? Você concorda comigo? Esqueça tudo e não diga nada a Meg a tal respeito; seremos felizes novamente, todas reunidas.

— É muito natural e conveniente que todas vocês algum dia tenham seus próprios lares; mas quero conservar minhas filhas comigo o máximo possível, na verdade me entristeci por isto acontecer tão cedo. Meg tem dezessete anos somente e ainda demorará bastante tempo até que John possa dar-lhe um lar. Seu pai e eu combinamos de não a deixar assumir agora um compromisso e nem se casar antes dos vinte anos. Se eles se amarem, podem esperar, pondo a prova seu amor dessa maneira. Ela é ajuizada e não tenho receio de que minha boa e amorosa filha o faça infeliz. Espero assim que tudo corra bem para ela.

— Não acha que seria melhor se se casasse com um moço rico? — perguntou Jo, vendo que a mãe gaguejava um pouco, ao dizer estas últimas palavras.

— O dinheiro é bom e útil, Jo, e espero que minhas filhas jamais tenham carência dele nem sejam seduzidas pelo seu brilho. Gostaria que John arranjasse colocação segura, que lhe desse renda bastante para viver sem fazer dívidas e proporcionar conforto a Meg. Não tenho ambição de grandes fortunas, de posições elevadas, nem de grandes nomes para minhas filhas. Se a posição e o dinheiro vierem juntos com o amor e a virtude, vou aceitar de boa vontade, mas sei, por experiência, que pode existir verdadeira felicidade em uma casinha simples, onde o pão é ganho com o trabalho. Fico satisfeita de ver Meg iniciar a vida humildemente porque, se não me engano, ela se sentirá rica com a posse do coração de um bom marido, o que é bem melhor que uma fortuna.

— Compreendo, mamãe, e concordo com a senhora; mas estou desapontada, pois sonhava com Meg casada com Laurie, para vê-la na opulência por toda a vida. Não seria muito bom? —perguntou Jo.

— Ele é mais moço do que Meg — disse a sra. March; mas Jo interrompeu-a:

— Isso não tem importância; é bem desenvolvido para sua idade, e, se ele quisesse, poderia assumir os modos de um adulto. É rico, generoso e bom e estima-nos a todas; é uma pena falhar assim o meu plano.

— Não faça planos para os outros, deixe que o tempo e os corações decidam por si mesmos. Não nos devemos intrometer em tais assuntos e será melhor deixarmo-nos de tolices românticas, como você costuma falar para não prejudicarmos nossa amizade.

— Sim, mas detesto ver as coisas atrapalhadas, quando, com um empurrão aqui, um corte ali, poderia endireitar tudo. Desejaria que houvesse modo de não crescermos. Mas os botões transformaram-se em rosas e os gatinhos em gatos grandes. É uma pena!

— Que história é essa de modos de não crescer e de gatos? — perguntou Meg, entrando no quarto, tendo na mão a carta que acabava de escrever.

— Algumas de minhas ideias tolas. Vou dormir. Vamos, Meg? — sugeriu Jo.

— Muito bem, está otimamente escrita. Faça o favor de acrescentar que eu mando lembranças ao John — disse a sra. March devolvendo a carta que havia lido.

— A senhora chama-o "John"? — perguntou Meg, fitando com olhos inocentes a mãe.

— Sim, ele foi um verdadeiro amigo e o estimamos muito — respondeu a sra. March.

— Fico muito satisfeita por isso; ele vive tão solitário. Boa noite, mamãe querida. Não imagina a minha felicidade por vê-la de novo aqui — respondeu Meg.

E a mãe a beijou com ternura, sussurrando:

— Ainda não o ama, porém o amará muito em breve.

CAPÍTULO 21

LAURIE PREGA UMA PEÇA EM MEG

No dia seguinte Jo apresentava uma expressão diferente, pois o segredo lhe pesava, e ela achava difícil não assumir ar misterioso e importante. Meg percebeu, mas não perguntou, sabendo que a melhor maneira de lidar com Jo era levar em conta seu espírito de contradição; por isso, tinha a certeza de que saberia tudo se não perguntasse. Ficou surpreendida ao ver que o silêncio continuava mantendo Jo com um ar protetor que intrigava a irmã; Meg, dedicou-se inteiramente à mãe e não tentou entender o que estava acontecendo com Jo. Isto fez que Jo apenas pudesse contar consigo própria para achar um modo de passar o dia, pois havendo a sra. March assumido o posto de enfermeira, ordenara a todas que descansassem e se distraíssem. Amy ausente, Laurie era seu único recurso; embora gostasse do seu convívio, temia-lhe a sagacidade, com a qual poderia desvendar o seu segredo.

Jo tinha razão, Laurie logo suspeitou que havia algum mistério e tratou de descobri-lo, lisonjeava, procurava suborná-la, ridicularizava-a, ameaçava-a e ralhava; fingia indiferença, para ver se surpreendia a verdade; chegou a dizer que sabia de tudo, mas que não se importava com aquilo; finalmente, a poder de perseverança, se convenceu de que era a respeito de Meg e do sr. Brooke. Indignado por não ter sido ele o confidente do professor, começou a imaginar algum modo de se vingar da desconsideração.

Enquanto isso, Meg esquecera aparentemente o mistério, absorvida com os preparativos para a volta do pai; mas de repente uma mudança se abateu sobre ela por um ou dois dias. Sobressaltava-se quando lhe dirigiam a palavra, corava se a olhassem, ficava em silêncio por muito tempo, quando sentava-se para costurar, revelava, no olhar, sua confusão. Às perguntas da mãe respondia que estava boa, e às de Jo não dava resposta, pedindo-lhe somente que a deixasse em paz.

— Ela está começando a amar, imagino eu — dizia Jo. — E muito depressa. Veem-se os sintomas; anda quieta e aborrecida, não come, dorme pouco, anda pelos cantos, taciturna. Eu a surpreendi cantando aquela canção que ele deu a ela. Que devemos fazer? — e Jo parecia pronta a usar de qualquer meio, violento que fosse, para pôr fim àquilo.

— Deixe-a só, seja boa e paciente com ela, que a chegada do pai resolverá tudo — replicou a mãe.

— Aqui está uma carta lacrada para você, Meg. Esquisito! Laurie nunca lacrou as que me manda — disse Jo, ao distribuir a correspondência.

A sra. March e Jo estavam entretidas com outras coisas, quando uma exclamação de Meg chamou atenção da mãe.

— Que foi, minha filha? — indagou a mãe correndo para ela, enquanto Jo pegava a carta da mão de Meg.

— Não era dele a outra carta... Oh, Jo, como pôde fazer isso! — exclamava Meg chorando, com as mãos cobrindo o rosto.

— Eu não fiz nada! Por que diz isso? — perguntou Jo espantada.

Meg retirou do bolso uma carta amarrotada e atirou para Jo, dizendo em tom de censura:

— Foi você quem escreveu isso, e aquele perverso a ajudou. Como pôde ser tão cruel para nós dois? Jo não a ouvia pois estava absorta, bem como a mãe na leitura da carta, escrita com uma letra conhecida:

"Minha querida Margaret:
Não posso mais esconder a minha paixão e preciso conhecer a minha sorte antes de voltar. Não ousei ainda contar a seus pais, mas acredito que consentiriam se soubessem que nos amamos. O sr. Laurence me arranjará uma boa colocação e então, minha doce Meg, você me fará feliz. Peço-lhe encarecidamente que nada diga a sua família por enquanto, e que envie uma palavra de esperança, por intermédio de Laurie, ao seu dedicado...
John.

— É assim que Laurie procede, sabendo que eu dera a palavra a mamãe? Vou falar com ele e o trarei aqui para te pedir perdão — disse Jo, impaciente por castigá-lo imediatamente. A mãe, porém, segurou-a e disse:

— Espere, Jo; você precisa se explicar primeiro. Tem feito tantas maluquices, que receio a sua participação nisso tudo.

— Dou-lhe minha palavra de que não fiz nada, mamãe! Não tinha lido esta carta, nem sei coisa alguma a respeito — respondeu Jo de modo tão convincente que elas acreditaram. — Se tivesse tomado parte nesta brincadeira, teria feito coisa melhor, escreveria uma carta mais sentimental. Você devia compreender que o sr. Brooke não ia escrever tolices destas — acrescentou ela para Meg, jogando ao chão a carta, indignada.

— A letra é igual à dele — gaguejou Meg, comparando-a com a carta que tinha na mão.

— E você respondeu, Meg? — perguntou, inquieta, a sra. March.

— Sim, mamãe — confessou Meg, escondendo o rosto de novo.

— Deixe-me buscar aquele rapaz para explicar-se e ouvir um sermão. Não descansarei enquanto não o encontrar — e Jo encaminhou-se para a porta.

— Espere! Deixe-me verificar bem o caso, pois é mais grave do que eu pensava. Margaret, conte-me tudo — ordenou a sra. March sentando-se ao lado de Meg e mantendo Jo segura, de medo de que ela fugisse.

— Recebi a primeira carta das mãos de Laurie, que parecia estar completamente alheio ao caso — começou Meg sem se atrever a erguer os olhos. — Fiquei aborrecida a princípio e tinha a intenção de contar-lhe; lembrei-me, porém, de quanto a senhora gosta do sr. Brooke, e por isso pensei que não se zangaria por eu guardar meu segredo durante alguns dias. Fui tão tola que me convencia de que todos o ignoravam e fiquei indecisa sobre o que deveria fazer; afinal fiz como as personagens dos romances. Perdoe-me, mamãe; nunca mais terei coragem de olhar para o sr. Brooke.

— E o que lhe dizia na carta? — perguntou a sra. March.

— Respondi somente que ainda era muito moça, que não queria ter segredos para a senhora e que ele deveria falar com papai. Dizia-me muito grata pela sua bondade e que continuaria sua amiga, porém nada mais, por enquanto.

A sra. March sorriu, e Jo bateu as mãos exclamando entre risos:

— Você está quase igual a Carolina Percy, que era um modelo de discrição. Continue, Meg. E o que ele respondeu agora?

— Que nunca me enviou cartas de amor e que ficava muito pesaroso por ter a minha irmã Jo, tomado tais liberdades conosco. Seus termos são atenciosos e corteses, mas imaginem que coisa horrível para mim!

Meg olhava para sua mãe, como se pedisse socorro e Jo andava agitada pela sala, maldizendo Laurie. De repente parou e, tomando as duas cartas, olhou-as com atenção, dizendo em seguida, convicta:

— Não creio que nenhuma das duas seja de Brooke; Laurie escreveu as duas e guardou sua resposta para fazer troça de mim, porque eu não quis contar-lhe meu segredo.

— Não guarde segredos, Jo, conte tudo a mamãe como eu fiz — disse Meg.

— Foi mamãe quem me contou!

Jo e Beth

— Ficarei consolando Meg, enquanto você vai procurar Laurie. Apurarei o caso e porei logo um ponto final a tais brincadeiras.

Jo correu à procura do rapaz e a sra. March com muito tato contou a Meg as verdadeiras intenções do sr. Brooke.

— E agora, querida filha, que acha? Ama-o bastante para esperar até que ele esteja em condições de casar-se, ou quer conservar-se livre de compromissos por enquanto?

— Estou tão aborrecida, que não quero saber de namorados por algum tempo e talvez nunca mais — respondeu Meg — Se John nada souber desta confusão, não conte a ele, e faça com que Jo e Laurie refreiem as línguas.

Não quero cair no ridículo, que vergonha! — Vendo que a filha estava irritada, a sra. March acalmou-a com promessas de absoluto silêncio e discrição. Assim que ouviram os passos de Laurie no vestíbulo, Meg correu para a sala de estudos, ficando só a sra. March para receber o culpado. Jo não lhe dissera o motivo do chamado, com receio de que ele não viesse; Laurie, porém, compreendeu-o assim que viu a expressão da sra. March e ficou torcendo o chapéu, o que o condenou imediatamente. Jo recebeu ordem para retirar-se, mas ficou andando no vestíbulo de um lado para o outro, como uma sentinela, com receio de que o prisioneiro fugisse. Eles conversaram durante meia hora, porém, nunca as moças souberam o que foi dito.

Quando elas entraram, Laurie estava de pé em frente da sra March, com uma expressão tão arrependida que Jo o perdoou imediatamente, mas sem manifestar-se. Ele pediu desculpas a Meg, que sentiu alívio com a certeza de que Brooke nada soubera da brincadeira.

— Jamais contarei a ele! Perdoe-me, Meg, que tudo farei para lhe provar que estou arrependido do que fiz — acrescentou envergonhado.

— Desculpo-o; mas foi uma brincadeira indelicada. Não sabia que você era tão levado e malicioso, Laurie! — e, com a reprimenda, Meg procurava disfarçar a própria confusão.

— Foi abominável o que fiz, e mereço que não pronunciem meu nome durante um mês; mas você perdoa, não? — e Laurie pôs as mãos num gesto tão implorativo, fitando-a com tanta doçura, que era impossível repreendê-lo mais; Meg perdoou-lhe e a severidade do rosto da sra. March desapareceu, apesar de seus esforços, ao ouvi-lo dizer a seguir que iria reparar sua falta por todos os meios possíveis.

Jo ficou à distância, indignada. Laurie fitou-a algumas vezes, como Jo não deu mostras de se enternecer, ficou magoado e virou-lhe as costas; depois foi embora. Ao vê-lo sair, ela arrependeu-se de sua atitude; e, assim que a mãe e a irmã subiram, Jo sentiu saudades de Laurie.

Após alguns minutos não pôde mais resistir e, levando o livro que precisava devolver, dirigiu-se para a casa grande.

— O sr. Laurence está? — perguntou Jo a uma criada que descia as escadas.

— Sim, senhora; mas creio que não a atenderá agora.

— Por quê? Está doente?

— Está bem de saúde; mas teve uma desavença com o sr. Laurie que, por qualquer motivo, se achava num de seus dias de fúria, o que aborreceu meu patrão; por isso não me atrevo a ir procurá-lo.

— Onde está Laurie?

— Trancado no quarto, sem responder, embora eu tenha batido na porta. Não sei o que fazer com o jantar, pois está pronto e ninguém quer ir para a mesa.

— Vou ver o que houve. Não receio nenhum deles.

Jo subiu e bateu delicadamente à porta do gabinete de estudos de Laurie.

— Pare com isso, senão abro a porta e você verá — gritou o rapaz num tom ameaçador.

Jo bateu de novo; Laurie abriu a porta, e ficou surpreso. Vendo que ele estava realmente zangado, Jo, que conhecia a maneira de acalmá-lo, ajoelhou-se a seus pés disse com meiguice:

— Perdoe-me por ter ficado tão carrancuda. Vim pedir-lhe perdão e não sairei daqui enquanto não me perdoar.

— Está certo. Levante-se e não seja tola — respondeu Laurie.

— Muito obrigada. Posso saber o que houve? Você parece furioso.

— Deram-me um safanão e não posso conformar-me com isso! — gritou Laurie indignado.

— Quem? — perguntou Jo.

— Vovô; se fosse qualquer outro, eu teria... — e o jovem terminou a frase com um gesto expressivo com o braço direito.

— Não é nada; já muitas vezes te dei safanões e você não se incomodou — disse Jo.

— Ora! Mas você é moça, e até tinha graça; mas não admito que homem algum faça o mesmo.

— Penso que ninguém teria coragem de tentar fazê-lo, se o visse com o ar terrível com que está agora. Mas por que razão foi tratado assim?

— Simplesmente porque não eu quis dizer o motivo por que sua mãe me mandou chamar. Eu prometi não falar, e é claro que não podia faltar à minha palavra.

— E não poderia satisfazer seu avô de outra maneira?

— Não; ele queria saber a verdade, toda a verdade, e nada mais que a verdade. Eu teria dito o que se referia a mim próprio, se fosse possível, sem falar o nome de Meg. Como não era possível, prendi a língua e suportei o sermão todo até o velho agarrar-me pela gola. Fiquei furioso então, e vim trancar-me aqui, com medo de me esquecer do respeito que lhe devo.

— Não foi bonito, mas ele deve estar triste; desça e vamos consertar isso. Eu o ajudarei.

— Prefiro que me enforquem! Não estou para ser repreendido e castigado por todo mundo por uma brincadeira insignificante. Fiquei pesaroso por causa de Meg e pedi-lhe perdão como um homem; mas, estando com a razão, é coisa que não farei de novo.

— Mas ele sabe disso.

— Deveria acreditar em mim e não me tratar como uma criança. Aquilo não foi procedimento, Jo; ele precisa saber que sou responsável pelos meus atos, não precisando mais andar agarrado ao cordão do avental de alguém.

— Como você está azedo! — suspirou Jo — Como vai resolver então esse problema?

— Ele deve me pedir perdão e acreditar em mim quando eu disser que não posso contar alguma coisa.

— Está doido! O seu avô jamais fará isso!

— Pois não sairei daqui enquanto não o fizer!

— Ora, Laurie, seja sensato; esqueça isto, e eu explicarei o caso da melhor forma possível. Você não pode ficar aqui fechado toda a vida; por isso, que adianta essa atitude dramática?

— Não pretendo ficar aqui muito tempo. Partirei de viagem para qualquer parte e quando vovô sentir minha falta mudará logo para comigo.

— Você não deve ir para não o desagradar.

— Não me venha com conselhos. Vou ficar com Brooke em Washington; lá é divertido; preciso distrair-me após tantos aborrecimentos.

— Como deve ser bom! Desejaria ir também! — disse Jo.

— Pois vamos. Por que não? Fará uma surpresa a seu pai, e eu, a meu velho amigo Brooke. Será um passeio maravilhoso; vamos, Jo! Deixará uma carta dizendo que partimos e seguiremos imediatamente. Tenho bastante dinheiro; e não há inconveniente algum, pois irá ver seu pai!

Durante um instante, parecia que Jo tinha concordado, pois esse plano arrojado estava de acordo com seu modo de agir. Sentia-se cansada de suas preocupações; aceitaria qualquer mudança e era uma boa ideia rever o pai ferido, bem como a novidade dos acampamentos e hospitais de sangue, e da liberdade e divertimentos.

Seus olhos faiscavam quando os fitou, pela janela, na paisagem; mas eles foram incidir sobre sua velha casa, em frente. Então, ela abanou, triste, a cabeça, resolvendo não ir.

— Se eu fosse rapaz, iríamos juntos e teríamos uma bela oportunidade para passear; sou, porém, uma menina, devo ter juízo e ficar em casa. Não me tente, Laurie; seu plano é uma loucura.

— Eis o seu encanto — disse Laurie que persistia na ideia e estava resolvido a pô-la em execução de qualquer modo.

— Fique calado! — exclamou Jo, tapando os ouvidos. — Meu destino é o meu do lar e não devo fugir a ele. Vim aqui para aconselhar e não para ouvir coisas que me façam esquecer meus deveres.

— Sei que Meg se horrorizaria com tal proposta, mas pensava que você fosse mais inteligente — disse Laurie insinuante.

— Cale-se, perverso! Sente-se e medite sobre suas culpas; não me faça aumentar as minhas. Se eu conseguir que seu avô lhe peça desculpas por lhe ter dado safanões, você desiste da viagem? — perguntou Jo em tom sério.

— Sem dúvida; mas você não conseguirá — respondeu Laurie, que desejava fazer as pazes, mas achava que sua dignidade ofendida precisava receber uma satisfação.

"Se consegui dar um jeito no rapaz conseguirei dá-lo no velho também" — murmurava Jo ao descer.

— Entre! — respondeu a voz seca do sr. Laurence, mais irritada do que de costume, quando Jo bateu na porta.

— Sou eu, sr. Laurence, que vim devolver-lhe um livro — disse ela meigamente ao entrar.

— Precisa de mais alguma coisa? — perguntou o velho com ar carrancudo.

— Sim, senhor; gostei tanto do velho Sam, que desejava ler o segundo volume — respondeu Jo que, tentando ser simpática, aceitaria uma segunda dose da "Vida de Johnson", de Boswel, que tanto lhe recomendara.

As cerradas sobrancelhas desfranziram-se um pouco quando ele colocou a escada em frente à estante onde estava o livro solicitado. Jo subiu e, sentada no último degrau, simulava procurar o livro, mas na verdade pensava no modo de abordar o perigoso assunto de sua visita. O sr. Laurence parecia ter suspeitado de alguma coisa, porque, depois de dar algumas passadas largas pela sala, parou em frente da jovem, falando-lhe tão abruptamente que quase ela caiu.

— Que houve com o rapaz? Não tente protegê-lo! Sei que ele fez alguma coisa reprovável, pela maneira com que se portou ao retornar para casa. Não consegui fazer ele falar; e, quando o ameacei de arrancar-lhe a verdade à força, ele trancou-se no quarto.

— Ele não procedeu bem, mas nós o perdoamos e todos prometeram não dizer uma palavra a ninguém — disse Jo, embaraçada.

— Isso nada vale; ele não pode se resguardar numa promessa de meninas bondosas. Se fez alguma coisa censurável, precisa confessá-lo, pedir perdão e receber o castigo. Diga, Jo! Eu não posso ficar sem saber.

O sr. Laurence parecia tão exaltado e falava tão ríspido, que Jo quase fugiu, porém estava em cima da escada e ele embaixo, como um leão no caminho; por isso teve de ficar e suportar a ira.

— Lamento, sr. Laurence, mas não posso contar; mamãe me proibiu. Laurie confessou a culpa, pediu perdão e foi punido. Nós não guardamos reserva para protegê-lo, mas por causa de outra pessoa; e será pior se o senhor intervir nesse caso. Não o faça, por favor! Parte da culpa foi minha, mas tudo já se acabou; portanto esqueça o incidente e vamos conversar sobre Rambler ou coisa assim agradável.

— Que vá Rambler para a forca! Desça e dê-me sua palavra de que esse menino não praticou nenhum mal. Do contrário, apesar de toda a bondade que vocês lhe demonstram, vou puni-lo com minhas próprias mãos!

A ameaça era proferida em tom assustador, mas não amedrontou Jo, pois a menina sabia que o velho não levantaria um dedo contra o neto, apesar de sua promessa. Ela desceu a escada e contou a brincadeira de tal modo que não traiu o segredo de Meg nem faltou à verdade.

— Se o rapaz se calou por ter dado a palavra, e não por obstinação, perdoo — disse o sr. Laurence.

— Também sou assim; mas uma palavra delicada é capaz de me dominar com mais facilidade que todos os cavalos e cavaleiros do rei — disse Jo, procurando atenuar a situação de seu amigo Laurie.

— Você acha que sou bom para ele, hein? — replicou o velho secamente.

— É excessivamente bom, mas um tanto rude quando ele põe sua paciência à prova, não concorda?

Jo terminara de desfechar o golpe mortal e procurava parecer calma, embora tremesse um pouco após esta última frase. Para alívio e surpresa sua, o velho Laurence limitou-se a tirar os óculos, exclamando com franqueza:

— Tem razão, menina! Gosto do rapaz, porém ele me esgota a paciência e não sei como acabaremos se continuarmos assim!

— Eu sei; ele quer ir embora daqui.

Assim que pronunciou estas palavras, Jo arrependeu-se. Seu desejo fora avisá-lo do propósito do rapaz, que não suportaria mais repressões e conseguir, desse modo, que o velho tivesse mais paciência com Laurie.

O rosto vermelho do sr. Laurence mudou súbito de expressão e ele sentou-se a contemplar o retrato de um belo moço, que pendia da parede acima da sua mesa. Era o pai de Laurie, que se fora de casa na mocidade e se casara contra a vontade do autoritário velho. Jo compreendeu que ele evocava e lamentava o passado, e se arrependeu de ter feito aquela revelação.

— Ele não o faria — continuou Jo — a menos que fosse muito maltratado; somente faz semelhantes ameaças, às vezes, quando não quer estudar. Às vezes, eu também sinto vontade de ir para longe, principalmente depois que cortei o cabelo; se der por falta de nós, peça portanto notícia de dois rapazes e procure nos navios que vão para a Índia.

E ria ao falar isso, de modo que o velho se sentiu aliviado, tomando aquelas palavras como uma brincadeira.

— Como ousa falar assim? Onde ficaram o respeito que me é devido e sua boa educação? Como são as crianças de hoje! E, no entanto, não podemos passar sem elas! — replicou o velho. — Vá lá acima e traga o rapaz para jantar; diga-lhe que tudo está acabado e advirta-o a não tomar atitudes trágicas para com o avô; não posso suportar isso.

— Ele não virá, sr. Laurence; sente-se ofendido por não lhe ter dado crédito. Penso que seu safanão lhe magoou, em demasia.

Jo procurava dar solenidade às coisas, mas seu plano falhou porque o sr. Laurence começou a rir. E ela compreendeu que ganhara a partida.

— Sinto muito. Que deseja então Laurie, com os demônios? — e o próprio velho parecia um tanto envergonhado de sua impulsividade.

— Se eu fosse o senhor, escreveria um bilhete pedindo desculpas. Laurie disse que não descerá enquanto o senhor não pedir desculpas, e fala em ir para Washington e outros absurdos semelhantes. Um pedido formal de desculpas mostrará quão tolo ele está sendo e descerá completamente mudado. Experimente; Laurie gosta de gracejo, e é melhor fazer assim do que de viva voz. Eu levarei e aconselharei a Laurie sobre o que deve fazer.

O sr. Laurence lançou-lhe um olhar penetrante e pôs os óculos dizendo em tom baixo:

— Vocês são uns ardilosos! Não me importa, porém, ser governado por você e por Beth. Bem, dê-me um pedaço de papel e vamos fazer o tal bilhete.

O bilhete foi escrito nos termos que um cavalheiro usaria para com outro a quem tivesse feito um gravíssimo insulto. Jo deu um beijo na calva do sr. Laurence e correu para pôr o bilhete por baixo da porta de Laurie, pedindo-lhe, pelo buraco da fechadura. A porta continuava fechada, então Jo deu tempo para que o bilhete produzisse o seu resultado; e ela ia desistir, mas o jovem cavalheiro, desceu pela escada de serviço, e foi esperá-la embaixo, dizendo-lhe aí com expressão de contentamento:

— Como você é boa, Jo! Houve grande tempestade? — Perguntou.

— Não; ele foi muito gentil.

— Se você não voltasse às boas, eu faria qualquer loucura.

— Não fale dessa maneira; vire uma nova folha do livro de sua vida e comece de novo, Laurie.

— Tenho virado muitas folhas e rasgo-as depois, como faço aos meus cadernos e recomeço as coisas tantas vezes que nunca chego ao fim — replicou ele com tristeza.

— Vá jantar; sentirá melhor depois da refeição. Os homens costumam ficar zangados quando estão com fome — e, apressada, Jo dirigiu-se para a porta da rua.

Laurie seguiu para a sala de jantar, sentou-se à mesa com o avô, que se mostrou em excelente disposição de espírito e tratou o neto de modo atencioso.

E todos julgavam o incidente terminado, e desaparecida a pequena nuvem sombria. Meg continuava a tê-lo em mente. Jamais aludia a certa pessoa, mas vivia pensando nela, fantasiando sonhos róseos mais do que nunca; e, certa vez, ao revirar a escrivaninha da irmã à procura de selos, Jo encontrou um pedaço de papel rabiscado com as palavras "Sra. John Brooke". A resmungar coisas terríveis lançou o papel ao fogo, compreendendo então que a brincadeira de Laurie iria ter consequências e podia precipitar o terrível acontecimento que ela tanto receava.

CAPÍTULO 22

UM DIA FELIZ

Como sempre depois da tempestade vem a bonança, as semanas seguintes tranquilas. Os doentes melhoravam depressa e o sr. March começou a falar em regressar no princípio do ano novo. Beth já podia ficar no sofá da sala de estudos durante o dia todo, distraindo-se com seus gatos e, cosendo vestidos para as bonecas que haviam ficado no esquecimento. Suas pernas, outrora lépidas, estavam tão fracas que Jo a levava no colo, diariamente, para respirar um ar puro, andando pela casa. Meg queimava as mãos tentando preparar petiscos para sua adorada Beth, enquanto Amy celebrava seu retorno dando parte de seus tesouros às irmãs, tantos quantos lhe era possível. Como se aproximasse o Natal, começaram a aparecer os segredos e mistérios de sempre. Jo provocava debates interessantes, propondo projetos totalmente impraticáveis ou cerimoniais pomposos para a comemoração daquele Natal especialmente feliz. Os projetos de Laurie eram da mesma natureza; haveria fogueiras, fogos de artifícios e arcos de triunfo. Afinal, depois de várias discussões, saíram derrotados. Mostraram-se, com isso, consternados, mas a sós, davam boas gargalhadas.

Vários dias tranquilos precederam o Natal. Hannah pressentiu que ia ser um dia extremamente festivo e demonstrou ser boa profetiza, pois tudo e todos pareciam concorrer para torná-lo mais venturoso. Para começar: o sr. March escrevera que breve estaria com elas; Beth, sentiu-se alegre naquela manhã e, vestida com o presente de sua mãe — uma capa de lã de um vermelho suave — foi levada à janela, para contemplar a contribuição de Jo e de Laurie. Os incontestáveis haviam feito todos os esforços para honrar esse apelido, pois como fadas, trabalharam à noite, preparando uma cômica surpresa. No jardim aparecia uma gigantesca donzela feita de neve, coroada de azevinho, segurando com uma das mãos uma cesta de flores e frutos e, com a outra, um grande rolo de músicas novas, tinha um tapete afegão de todas as cores do arco-íris sobre os ombros e saía-lhe dos lábios em uma tira de papel cor-de-rosa a seguinte canção:

>Deus a salve, querida Rainha,
>E a preserve do mal!
>Dando-lhe muita alegria
>Neste dia de Natal.
>
>Venho dar-lhe lindas flores
>E frutos do fim do ano,
>Uma manta para os pés
>Músicas para o piano.
>
>E um retrato de Joana
>Por um novo Rafael,
>Que usou de toda a sua arte
>Para torná-lo fiel.
>
>Mais esta fita vermelha
>Para a cauda da gatinha;
>E um biscoito de creme
>Feito por Meg, sozinha.
>
>Para desejar-lhe boas festas
>De seus autores, cá estou.
>Aceite-os, e a donzela alpina
>Feita por Laurie e Jo.

Beth riu muito, ao vê-la! Laurie subia e descia as escadas, carregando os seus presentes! Que discurso engraçado fez Jo, ao entregá-los!

— Se papai estivesse aqui, minha felicidade hoje seria completa — disse Beth, suspirando de alegria, a fim de descansar do abalo emocional e deliciar-se com as saborosas uvas que a donzela de neve lhe dera.

— A minha também — acrescentou Jo batendo no bolso onde guardava seu livrinho de Ondina e Sintram.

— Também a minha — disse Amy fazendo eco, contemplando uma gravura, a reprodução do quadro "Nossa Senhora e o Menino Jesus", que a mãe lhe dera numa linda moldura.

— A minha igualmente — exclamou Meg, alisando as dobras alvas do seu primeiro vestido de seda, com que o sr. Laurence insistira em presenteá-la.

— Como poderia eu deixar de sentir-me também feliz! — disse a sra. March cheia de gratidão, alternando olhares entre a carta do marido e o rosto sorridente de Beth e acariciando o broche feito de cabelos — louros, grisalhos e pretos — que as meninas lhe haviam pregado ao peito.

Às vezes, neste mundo de trabalho, acontecem coisas como as dos contos de fadas e dão grande conforto à alma! Meia hora após terem falado, bateram à porta. Laurie foi abri-la. Ao fazê-lo, deu um grito. Seu rosto exprimia excitação tamanha e sua voz estava tão vibrante de alegria, que todos se levantaram, então ele pronunciou estas palavras:

— Aqui está outro presente de Natal para a família March!

Antes de terminar a frase, teve que se afastar para um lado e em seu lugar viram um homem alto, agasalhado até os olhos, que, apoiado ao braço de outro homem não menos alto, tentava sem resultado dizer alguma coisa. Houve grande tumulto: por alguns minutos, todos perderam o juízo, pois foram feitas as coisas mais estranhas sem que se proferisse uma palavra. O sr. March desapareceu dentro de quatro pares de braços; Jo ia perdendo os sentidos e teve de ser medicada por Laurie no gabinete; o sr. Brooke beijou Meg por engano, explicara depois, de modo incoerente; e Amy, a menina "importante", tropeçou num tamborete e caiu, ficando no chão e abraçando as botas do pai. A primeira a cair em si foi a sra. March, que ergueu a mão num aviso:

— Silêncio! Lembrem-se de Beth!

A porta do gabinete se abriu, e apareceu na soleira uma capinha vermelha — a alegria dera-lhe forças às pernas enfraquecidas — e Beth lançou-se nos braços do pai. Não se pode descrever o que se passou depois; os corações transbordaram, livrando-se da amargura do passado para sentir a suavidade do presente.

Nem todas as coisas foram românticas: soaram gargalhadas ao descobrirem Hannah atrás da porta, soluçando sobre o gordo peru que havia esquecido e soltou no chão ao correr para a sala. Assim que os risos se acalmaram, a sra. March começou a agradecer o sr. Brooke os cuidados com que havia dispensado ao marido, ao que o sr. Brooke no mesmo instante replicou que o sr. March precisava de sossego; e, puxando Laurie, retirou-se com ele. Mandaram os dois doentes repousar, o que fizeram sentando-se juntos numa grande poltrona e conversando animadamente.

O sr. March contou então o seu desejo de lhes fazer uma surpresa; como o tempo tinha melhorado, conseguiu que o médico permitisse adiantar a viagem. Começou depois a falar sobre a fidelidade do sr. Brooke.

Quanto ao motivo por que o sr. March parou de falar, depois de lançar um olhar a Meg, que atiçava o fogo, e então fitou a mulher com um enigmático mover de sobrancelhas, deixo aos leitores o trabalho de descobrir assim como a razão de fazer-lhe a sra. March um leve aceno com a cabeça perguntando abruptamente se ele nada queria comer. Jo viu e compreendeu o olhar; e retirou-se mal-humorada para buscar vinho e caldo de carne e murmurou consigo enquanto batia a porta: "Odeio os homens estimáveis de olhos castanhos!" Nunca houve um jantar de Natal como aquele. O peru estava delicioso para os olhos quando Hannah o trouxe para a mesa, recheado e enfeitado. O mesmo aconteceu com o pudim de ameixas que se derretia na boca e as geleias, com que Amy se deleitava como mosca em vasilha de mel. Estava tudo maravilhoso! "O que fora milagre", dizia Hannah, "porque minha cabeça estava tão tonta, sra. March, que não sei como não assei o pudim e não recheei o peru com passas".

Jantaram com eles o sr. Laurence e Laurie, além do sr. Brooke, para o qual Jo olhava taciturna, no que Laurie achava engraçado. Duas poltronas tinham sido colocadas à cabeceira, lado a lado, e nelas se sentaram Beth e o pai, comendo frango e um pouco de frutas. Fizeram-se brindes, contaram-se histórias e entoaram-se canções antigas para recordarem o passado. Havia sido planejado um passeio de trenó, mas as meninas não quiseram deixar o pai; por isso os convidados saíram cedo e, ao crepúsculo, a família se reuniu ao pé da lareira.

— Exatamente há um ano, estávamos nos lastimando do triste Natal que íamos ter. Lembram-se? — perguntou Jo.

— E, no entanto, foi muito feliz este ano! — disse Meg sorrindo junto ao fogo congratulando-se consigo própria por ter tratado Brooke com muita seriedade.

— Acho que foi um ano de sofrimentos para nós! — acrescentou Amy a observar o brilho de seu anel com olhos pensativos.

— Estou satisfeita por ter acabado, porque o senhor voltou — sussurrou Beth sentada nos joelhos do pai.

— Digam antes que foi uma árdua estrada para a viagem de vocês, minhas peregrinazinhas, especialmente no fim. Mas venceram heroicamente; e acredito que os fardos serão aliviados de seus ombros muito em breve — disse o sr. March, fitando com paternal satisfação as quatro filhas reunidas ao redor dele.

— Como sabe? Mamãe contou-lhe? — perguntou Jo.

— Muito pouco; mas as palhas mostram de que lado sopra o vento; e eu fiz hoje várias descobertas.

— Ah, diga-nos quais são! — indagou Meg, sentada ao lado do pai.

— Aqui está uma! — e tomando-lhe a mão que pousava no braço de sua poltrona, apontou o indicador ferido, para uma queimadura no dorso e dois ou três calos na palma.

— Lembro-me de um tempo em que esta mãozinha era branca e macia e, sua maior preocupação, cuidar dela. Ela era muito linda, mas para mim está hoje mais ainda, pois nestes sinais decifro uma pequena história. Essa palma calejada diz mais ainda que a simples queimadura e tendo a certeza que a costura feita por estes dedos picados durarão bastante, pois foi de boa vontade que deu os pontos. Meg, minha querida filha, reputo de maior valor a habilidade de uma mulher que torna o seu lar feliz, do que ter mãos brancas ou acompanhar a moda; tenho orgulho em apertar essa laboriosa e boa mão e a esperança de que não a terei de dar a alguém tão cedo.

Se Meg necessitasse de recompensa pelas suas horas de paciente labor, havia recebido o prêmio naquele aperto de mão e no sorriso de aprovação que o pai lhe dirigiu.

— E Jo? Diga alguma coisa bem gentil sobre ela, pois sofreu bastante e foi muito, muito boa para mim — disse Beth ao ouvido do pai.

Ele sorriu, olhando para filha sentada à sua frente, com meiguice.

— Apesar dos cabelos cortados, não vejo "o filho Jo" que deixei aqui há um ano. Vejo uma moça que sabe prender a gola com alfinetes, dar graciosos laços nos sapatos, e não assobia, não fala gírias nem se deita no tapete como costumava fazer. Seu rosto está mais pálido e mais magro, pelas vigílias e preocupações; gosto de olhar para ela, pois se tornou mais formosa; sua voz é menos estridente; não pisa com força, mas elegantemente e tem cuidados maternais com certa pessoazinha, o que me encanta. Perdi minha menina travessa, mas ganhei, em seu lugar uma mulher corajosa, prestativa e sensível, com o que estou muito orgulhoso. Não sei se foi a tosquia que fez minha ovelhinha rebelde se tornar mansa; sei, porém, que em toda Washington não consegui encontrar um objeto bastante lindo para comprar com os vinte e cinco dólares que minha boa filhinha me mandou.

Os olhos vivos de Jo turvaram-se um pouco e seu rosto emagrecido enrubesceu ao clarão do fogo, aos elogios do pai.

— Agora Beth — disse Amy, ansiosa por que chegasse a sua vez.

— Há tão pouco a dizer a seu respeito e, mesmo assim, receio falar demais e ela fugir, embora não seja mais tão acanhada como outrora. Vejo-a salva, minha Beth, e hei de tê-la sempre assim, se Deus nos ajudar. Após um minuto de silêncio olhou para Amy, que se sentara numa cadeirinha baixa, a seus pés, e disse acariciando seus cabelos:

— Observei que Amy procedeu muito bem à mesa, fez compras para a mamãe durante o dia, cedeu à noite seu lugar a Meg, tratando a todos com educação e delicadeza. Observei também que não se exibe diante do espelho e nem fala no lindo anel que tem no dedo; daí concluo que aprendeu a pensar mais nos outros e menos em si própria, procurando modelar seu caráter tão cuidadosamente como modela suas figurinhas de argila. Estou muito feliz, embora pudesse me orgulhar muito com uma graciosa estatueta feita por ela, sentirei, infinitamente mais orgulhoso por ter uma filhinha adorável, capaz de honrar a vida dos outros e a dela própria.

— Em que pensa, Beth? — perguntou Jo, após os agradecimentos de Amy.

— Li hoje no meu livrinho "O Peregrino" que, depois de muitos trabalhos, o Cristão e o Esperançoso chegaram a aprazível e verde prado, onde floriam lírios todo o ano, ali repousando tranquilos, como fazemos agora, antes de chegarem ao fim de sua viagem — respondeu Beth. — É hora de cantar e preciso estar no meu piano. Vou ver se canto a canção do Pastor que os peregrinos escutavam. Ofereço a música ao papai, porque ele gosta dos versos — e, sentando-se em frente ao piano, Beth começou a tocar as teclas e, com a doce voz que todos julgavam nunca mais ouvir, cantou, acompanhando a si mesma, o hino sagrado:

> Aquele que está fraco não precisa temer a queda,
> Quem está abatido não precisa ter orgulho.
> Aquele que é humilde sempre terá
> Deus como seu guia.
>
> Estou satisfeito com o que tenho,
> Seja pouco ou muito.
> Oh! Senhor! Almejo ainda o contentamento.
> Porque Tu o salvaste.
>
> A plenitude para eles é um fardo,
> Vão em peregrinação.
> Na terra, pobreza.
> No céu, bem-aventurança!

CAPÍTULO 23

TIA MARCH ANTECIPA OS ACONTECIMENTOS

Como abelhas voando em volta de sua rainha, a mãe e as filhas pairavam ao redor do sr. March no dia seguinte esquecendo-se de tudo para olhar, seguir, ouvir, com tamanha ânsia, que tamanha afeição poderia prejudicar a debilitada saúde do sr March. Ele estava sentado em uma grande poltrona junto ao sofá de Beth, com a esposa e as outras filhas ao seu redor e vendo Hannah, enfiar a cabeça pelo vão da porta para espiar o querido patrão, nada parecia faltar para ser completa sua felicidade.

Alguma coisa, porém, faltava, e a mais velha das filhas sentia, embora, não confessasse. O sr. e a sra. March olhavam um para o outro significativa e ansiosamente, observando Meg. Jo tinha acessos de taciturnidade e fazia um gesto ameaçador para o guarda-chuva do sr. Brooke que havia ficado no vestíbulo; Meg estava distraída; tímida e quieta, estremeceu ao soar da campainha, corando quando pronunciavam o nome de John; Amy dizia que todos pareciam esperar alguma coisa que não sabiam o que era; e Beth ingenuamente admirava-se de que os vizinhos não aparecessem, como de costume.

Laurie chegou à tarde e, vendo Meg à janela, pareceu tomado de um acesso de drama, caiu de joelhos sobre a neve, e batia no peito e arrancava os cabelos, torcendo as mãos, como se implorasse alguma grande recompensa; e quando Meg disse que se portasse como gente e se levantasse, enxugou lágrimas imaginárias com o lenço e encostou-se cambaleante à parede, como num desespero.

— Que quer dizer aquele tolo? — perguntou Meg, rindo e procurando fazer-se de desentendida.

— Está mostrando como seu John fará futuramente. Comovente, não? — disse Jo, num tom desdenhoso.

— Não diga meu John; não é bonito nem é verdade — porém sua voz oscilava, ao dizer essas palavras, como se soassem agradavelmente aos ouvidos. — Peço que não me atormente, Jo; já lhe disse que não me preocupo muito com ele e que nada se deve falar a este respeito, continuando assim todos amigos como antes.

— Não adianta mais guardar segredo. Confesso que a brincadeira de Laurie diminuiu o conceito em que eu tinha de você. Eu noto e mamãe também; que você não se incomoda mais com pessoa alguma, nem mesmo consigo própria. Não quero aborrecê-la e suportarei tudo, mas queria que se decidisse logo. Não gosto de adiar as coisas; assim, se você tem a intenção de fazer isso, faça-o depressa — disse Jo com impertinência.

— Nada posso dizer nem fazer, enquanto ele não me falar a respeito disso; e sei que não falará porque papai lhe disse que eu era muito criança — replicou Meg, inclinando-se sobre o seu trabalho com um sorriso particular, que parecia contar que ela não concordava muito com a opinião do pai sobre aquele assunto.

— E, se ele falar, você não saberá o que responder; começará a chorar ou ficará corada ou aceitará o seu pedido, em vez de dar-lhe um peremptório "Não".

— Não sou tão tola e fraca como você pensa. Sei o que vou dizer, pois já pensei em tudo; logo, não serei pega de surpresa; não se sabe o que pode acontecer e quero estar prevenida.

— Me conta o que responderá? — perguntou Jo.

— Sem dúvida; você tem dezesseis anos, portanto, já pode ser minha confidente; e meu caso poderá ser útil para você, quando estiver na mesma situação.

— Não pretendo ficar nessa situação; é muito interessante observar os outros namorar, mas eu me acharia uma tola — disse Jo.

— Acredito que possa acontecer com você também, se gostar muito de alguém e esse alguém gostar de você. Meg parecia falar consigo própria, olhando para a alameda próxima, onde vira muitas vezes namorados passearem, ao crepúsculo do verão.

— Pensei que você fosse me contar o que diria para aquele homem — replicou Jo.

— Diria com franqueza e decididamente: "Muito obrigada, sr. Brooke, o senhor é muito bondoso, mas concordo com meu pai em que sou muito jovem para o casamento; portanto, peço-lhe não falar mais nisso, vamos continuar amigos como sempre".

— Não acredito que você dirá isso, e sei que ele não ficará satisfeito, se o disser. Se ele proceder como os namorados desprezados dos romances, você preferirá aceitar a ferir seus sentimentos.

— Eu não! Tomarei essa resolução e sairei da sala com dignidade.

Meg levantou-se para ensaiar a sua saída teatral quando uns passos no vestíbulo a fizeram correr e sentar-se, começando a coser com tanta devoção que, pelos modos, sua vida parecia depender daquela costura. Jo deu uma gargalhada ao ver a súbita mudança, e, ao soar uma leve pancada na porta, abriu-a com uma atitude que poderia ser tudo, menos amistosa.

— Boa tarde! Vim buscar meu guarda-chuva, isto é... vim saber como seu pai está passando — disse o sr. Brooke, um tanto confuso, enquanto o seu olhar se dirigia de um rosto a outro.

— Seu guarda-chuva está no porta-chapéus; vou lhe dar e dizer que o sr. está aqui — respondeu Jo, e saiu para Meg ter a oportunidade de dar sua resposta e fazer sua retirada imponente. Assim, porém, que ela desapareceu, Meg fez menção de sair, murmurando:

— Mamãe estimará vê-lo; queira sentar-se, vou chamá-la.

— Não vá. Tem medo de mim, Margaret?

E o sr. Brooke parecia tão sentido que Meg julgou ter cometido alguma grosseria. E corou até à raiz dos cabelos, pois ele jamais lhe chamara Margaret, e Meg se sentia surpresa por achar natural e delicado aquele tratamento. Tentado se mostrar delicada e sem acanhamento, estendeu-lhe a mão num gesto de confiança, dizendo em tom reconhecido:

— Como posso ter medo, sabendo que foi tão bom para papai? Gostaria somente de saber como lhe agradecer.

— Quer que lhe diga como? — perguntou o sr. Brooke, conservando a pequenina mão entre as suas e fitando-lhe com tanto amor nos olhos castanhos que o coração da moça começou a bater com violência; e ela sentiu vivo desejo de fugir dali.

— Prefiro que não diga! — Respondeu, procurando retirar a mão.

— Não quero aborrecê-la; somente desejaria saber se me dedica um pouco de afeição, Meg; amo-a tanto, querida Meg! — Acrescentou ternamente.

Era o momento de dar a resposta ensaiada, mas esqueceu-se; Meg limitou-se a inclinar a cabeça e a responder tão baixo, que Brooke teve de se curvar para ouvir as palavras. Parecia que ele achava natural sua perturbação, pois sorriu para si mesmo, satisfeito; apertando brandamente a mão de Meg, disse no tom mais persuasivo possível:

— Não quer procurar sabê-lo? Preciso muito conhecer seus sentimentos; não poderei trabalhar com ânimo enquanto não souber se serei ou não recompensado.

— Sou muito moça — balbuciou Meg, sem saber por que se achava tão comovida, embora sentisse um prazer inexplicável nessa comoção.

— Esperarei; e, nesse intervalo, você poderá aprender a gostar de mim. Será uma lição muito difícil, querida Meg?

— Não, se me for possível aprendê-la, mas...

— Eu gosto de ensinar, e isto é mais fácil que estudar alemão — interrompeu Brooke, pegando a outra mão de modo que ela não pudesse mais esconder o rosto; então ele se inclinou para observá-lo.

Meg viu que os olhos dele se mostravam tão alegres como ternos e que sorria satisfeito, como quem não duvida de triunfo. Isto a irritou um pouquinho; lembrou-se das tolas lições de coquetismo de Annie Moffat e o poder do amor, que dorme no íntimo das melhores mulheres, despertou no mesmo instante, apoderando-se dela. Sentiu estranha exaltação e, sem saber o que fazia, obedeceu a um impulso caprichoso; retirou as mãos que ele segurava e disse com desembaraço:

— Não quero aprender; faça o favor de retirar-se, deixando-me em paz!

O infeliz Brooke parecia ouvir a derrocada de seu adorável castelo, pois jamais vira Meg em tal disposição de espírito, o que o tornou confuso.

— É isso o que sente, Meg? — perguntou ansioso, seguindo-a com o olhar, ao vê-la retirar-se.

— Sim; não quero que me aborreça mais com este assunto; papai disse que não devo pensar em casamento; é muito cedo... e talvez eu prefira não casar.

— E não posso alimentar esperanças de que mude aos poucos de ideia? Esperarei em silêncio, dando o devido tempo para resolver. Não zombe de mim, Meg. Nunca julguei que me dissesse isto.

— Não pense mais em mim. Preferiria que nunca tivesse pensado.

Ele estava sério e pálido, como os heróis dos romances que tanto apreciava; não levara, porém, a mão à fronte, nem vagava agitado pela sala. E naquele instante olhava para Meg com tanta ternura, que ela sentiu o coração comover-se a despeito de seus esforços. Nem poderei dizer o que teria acontecido se tia March não entrasse, coxeando, naquele momento crítico.

A velha não pudera resistir ao desejo de rever o sobrinho; tinha encontrado Laurie quando passeava e, soubera por ele da chegada do sr. March. A família toda estava ocupada nos fundos da casa e ela entrara sorrateiramente, para surpreender todos. Mas só conseguiu surpreender duas pessoas e, com tanto êxito, pois Meg teve um sobressalto, como se visse um fantasma e o sr. Brooke se correu para o aposento vizinho.

— Valha-me Deus! Que significa isto? — perguntou a velha dama, batendo com o bastão no assoalho, ao relancear o pálido jovem e o rosto escarlate da moça.

— É um amigo de papai. Surpreendeu-me tanto vê-la aqui... — disse Meg, prevendo sermão.

— Nota-se isto, mas o que lhe dizia o amigo de seu pai para fazê-la ficar vermelha assim? Há algum segredo e preciso saber o que é — replicou a velha, batendo outra vez com o bastão.

— Estávamos simplesmente conversando. O sr. Brooke veio buscar seu guarda-chuva — começou a dizer Meg desejando que o sr. Brooke e o guarda-chuva estivessem já em segurança longe dali.

— Brooke? É o professor do rapaz? Ah! Compreendo agora. Sei de tudo. Jo, sem querer, mostrou-me uma carta de seu pai e eu a fiz contar-me tudo. Você não lhe foi dizer que sim, não é menina? — perguntou tia March escandalizada.

— Fale baixo! Ele poderá ouvi-la! Quer que eu chame mamãe? — perguntou Meg muito perturbada.

— Ainda não. Preciso falar-lhe e quero dizer logo tudo. Diga-me, pretende casar-se com esse Cook? Se o fizer, não verá nada do meu dinheiro. Lembre-se disso e tenha juízo — disse a velha solenemente.

Tia March possuía com perfeição a arte de despertar o espírito de contradição nas pessoas mais sensatas e achava prazer em fazê-lo. As melhores pessoas do mundo têm um princípio de perversidade inata, principalmente quando são jovens e amam.

Se tia March pedisse a Meg que casasse com Brooke, é provável que ela declarasse não pensar em tal; como, porém, ordenara que não o amasse, Meg resolveu de pronto o contrário. Não somente a afeição, mas também a malignidade torna fácil uma decisão; por isso, já muito irritada, Meg respondeu à velha:

— Vou me casar com quem quiser, tia March, e a sra. poderá deixar seu dinheiro a quem lhe agradar!

— Que petulância! É deste modo que segue meus conselhos, menina? Você se arrependerá disso, quando experimentar o amor num casebre...

— Não pode ser pior que o amor em certos palácios — disse Meg.

Tia March pôs os óculos e lançou um olhar à moça, pois não a reconhecia. Meg se sentia contente por defender John e o seu direito de amá-lo. Tia March compreendeu então que começara mal e, depois de uma pausa, rebateu, dizendo o mais suavemente que possível:

— Mas, Meg seja sensata e siga meu conselho. Faço isso para seu bem; não quero que você estrague sua vida inteira, fazendo uma tolice logo no começo. Precisa casar-se bem para auxiliar sua família; é seu dever procurar um bom partido.

— Papai e mamãe não pensam assim; eles gostam de John, embora seja pobre.

— Seu pai e sua mãe, minha cara Meg, não têm mais juízo do que duas crianças.

— Por mim estou satisfeita — exclamou Meg com firmeza. Tia March continuou com o sermão.

— Esse tal Crooke é pobre e não tem parentes ricos?

— Não; mas tem muitos bons amigos.

— Não nos podemos fiar em amigos; experimente e verá quão pouco valem. Ele tem algum emprego?

— Ainda não; mas o sr. Laurence vai ajudá-lo.

— Isso não durará muito. James Laurence é um velho caprichoso; ninguém pode contar com ele. Então, você pretende casar-se com um homem sem dinheiro, sem posição social, sem colocação, para precisar trabalhar o resto da sua vida, quando poderia viver confortavelmente. Imaginava que você tivesse mais juízo, Meg.

— Eu não encontraria melhor partido se o procurasse a metade de minha vida. John é bondoso e prudente; é um moço talentoso; conseguirá sempre trabalho, pois é ativo e diligente. Todos gostam dele e o respeitam, e sinto-me orgulhosa ao pensar que me ama, embora eu seja pobre e tola — disse Meg.

— Ele sabe que você tem parentes ricos, criança; eis o segredo de seu amor, imagino eu!

— Tia March, como se atreve a dizer tal coisa? John está acima dessas baixezas e eu não lhe prestarei ouvidos mais um minuto, se continuar a falar assim — exclamou a moça indignada. — O meu John não se casaria por interesse, do mesmo modo que eu. Gostamos de trabalhar e temos a intenção de esperar algum tempo. Não me incomodo por ser pobre, pois tenho sido sempre feliz e sei que continuarei a sê-lo com ele, porque me ama e eu...

E Meg parou lembrando-se subitamente de que ainda não tomara uma resolução, de que mandara "seu" John retirar-se e ele poderia estar ouvindo suas frases incoerentes.

Tia March sentia-se furiosa, pois tinha o desejo de arrajar casamento para a sobrinha, e alguma coisa na expressão do rosto juvenil e feliz de Meg entristecia e irritava a solitária velha.

— Pois lavo as minhas mãos! Você é uma teimosa e perderá mais do que pensa com esta sua loucura. Não, não me demorarei mais aqui; você me decepcionou, e não me sinto com coragem de ver seu pai agora. Não conte comigo quando se casar. Recorra aos amigos do sr. Trooke. Vou esquecer de você.

E, batendo a porta na cara de Meg, tia March foi-se, indignada. Parecia que toda a coragem da moça se dissipara com a saída da tia. Quando se viu só, Meg permaneceu indecisa sobre se deveria rir ou chorar. Antes, porém, de voltar ao normal, foi surpreendida por Brooke, que lhe disse comovido:

— Não pude deixar de ouvir, Meg. Agradeço por defender-me; agradeço também a tia March por me mostrar que você gosta um pouco de mim.

— Não sei até quando ela continuaria a injuriá-lo — disse Meg.

— E não preciso ir embora agora e esperarei aqui minha felicidade, não é, querida Margaret?

Era outra oportunidade para dizer suas palavras esmagadoras e fazer a majestosa retirada, mas Meg não tratou de fazer nem uma nem outra coisa; desmereceu-se para sempre aos olhos de Jo, dizendo meigamente:

— Sim, John — e escondeu o rosto no peito do sr Brooke.

Quinze minutos após a partida de tia March, Jo desceu, parou um pouco à porta da sala e, como não ouviu ruído algum, acenou com a cabeça, sorrindo numa expressão satisfeita, a dizer para si própria: "Ela mandou-o retirar-se, como combinamos, e está resolvido o caso. Vou saber como se passou e me divertir bastante". Mas a pobre Jo não pôde se divertir, presa à soleira da porta, pelo espetáculo que presenciou com a boca tão aberta como os olhos. Na expectativa de contentar-se com a derrota do inimigo e de elogiar a corajosa irmã por ter afastado um candidato indesejável, foi certamente um choque contemplar o inimigo serenamente sentado no sofá, com a irmã sentada juntinho dele com ar da mais desprezível submissão. Jo teve uma espécie de arquejo como se de súbito tomasse um inesperado balde de água fria. Tão grande reviravolta deixara-a sem fôlego. Meg levantou-se, parecendo orgulhosa e tímida; mas "aquele homem", como Jo costumava chamá-lo, disse calmo para a atônita recém-chegada:

— Minha irmã Jo, dê-nos os parabéns.

Era juntar o insulto à ofensa! Passava da conta! Fazendo-lhe um gesto ameaçador, Jo desapareceu sem uma palavra. Subindo a escada correndo, assustou os doentes, exclamando em tom trágico:

— Desçam depressa! John Brooke está procedendo horrivelmente mal e Meg está muito contente com isso!

O sr. e a sra. March deixaram o quarto às pressas; e, atirando-se na cama, Jo contava a terrível nova a Beth e a Amy. As outras, no entanto, acharam o acontecimento muito interessante, mas trataram de consolar a irmã. Ela, então, refugiou-se no sótão, para confiar sua dor aos seus ratinhos.

Não se soube jamais o que se passou na sala aquela tarde; porém, o calmo sr. Brooke surpreendeu os amigos com a eloquência e energia com que advogou sua causa, expondo-lhes seus planos e persuadindo-os de que conseguiria realizar tudo conforme seus desejos. E a campainha soou chamando-os para o chá antes que ele terminasse a descrição do paraíso que ele tinha a intenção de criar para Meg, e, conduziu-a orgulhosamente para a sala de jantar, parecendo ambos tão felizes que Jo se sentiu incapaz de se mostrar ciumenta ou consternada. Amy ficou muito impressionada com a veneração de John e com o ar deslumbrante de Meg. Beth contemplava-os de longe, enquanto o sr. e a sra. March olhavam para o jovem par com satisfação, que se tornava perfeitamente evidente que tia March acertara em chamá-los "duas crianças". Ninguém comeu quase nada, mas todos manifestavam a felicidade, e a velha sala parecia resplandecer com aquele início do primeiro romance da família.

— Agora você não pode dizer mais "Nada de agradável nos acontece", não é, Meg? — disse Amy, tentando entender como iria desenhar os dois noivos no esboço que planejava.

— Quanta coisa aconteceu depois que eu disse isso! Parece que foi há um ano respondeu Meg, imersa num sonho de venturas.

— Acredito que agora tudo mudará para nós — disse a sra. March.

— Em quase todas as famílias, há um ano farto em acontecimentos; este tem sido assim para nós, mas, afinal de contas, terminou bem.

— Espero que o próximo termine melhor — murmurou Jo, para quem era um martírio ver Meg contemplar um estranho; Jo adorava profundamente algumas pessoas, e temia ver perdida ou diminuída de qualquer modo sua afeição.

— E eu espero que o terceiro ainda finde melhor. E isso é possível, se eu for vivo para esforçar-me pela realização de nossos projetos — disse o sr. Brooke sorrindo para Meg, como se tudo agora fosse possível.

— E não acham muito tempo para esperar? — perguntou Amy, aflita pelo casamento.

— Tenho muito que aprender antes de considerar-me preparada; será breve o prazo para mim — respondeu Meg.

— Você só terá que esperar; e a mim cabe trabalhar — disse John.

Jo abanou a cabeça e disse a si própria com um ar de alívio, pois ouvira o ruído da porta: "Aí vem Laurie; agora terão de ouvir boas coisas!"

Jo, porém, estava enganada; Laurie entrou cheio de satisfação, entregando um enorme buquê de flores para o "sr. John Brooke".

— Sabia que Brooke conseguiria triunfar, quando ele tem em mente alguma coisa, há de fazê-la nem que o céu desabe — disse Laurie, após apresentar o seu mimo e as suas congratulações.

— Muito obrigado por esse elogio. Recebo-o como um bom presságio para o futuro e convido-o desde já para o casamento — respondeu o sr. Brooke

— Virei assistir a ele, nem que esteja no fim do mundo; somente para ver o rosto de Jo, em tal ocasião, isso irá compensar o cansaço da viagem. Não me parece satisfeita, senhorinha; que houve? — perguntou Laurie, acompanhando-a ao canto da sala, onde se reuniram todos para cumprimentar o sr. Laurence.

— Não aprovo o casamento, mas tenho feito o possível para tolerar tudo e não direi uma palavra contra ele — disse Jo. — Você deve compreender como é difícil para mim renunciar a Meg

— Mas não precisará renunciar. Você somente compartirá da sua afeição

— disse Laurie.

— Não será mais a mesma coisa. Perdi minha melhor amiga! — suspirou Jo.

— Mas, em compensação, você ganhou a mim. Não valho muito, Jo, reconheço; mas serei seu, todos os dias da minha vida; dou-lhe minha palavra! — e Laurie disse com sinceridade.

— Sei que será, e serei sempre grata: por isso você sempre foi meu conforto, Laurie.

— Não fique aborrecida, ele é um bom amigo e tudo correrá do melhor modo possível; Meg está feliz; Brooke irá trabalhar e conseguirá facilmente vencer na vida; vovô vai protegê-lo. Nós nos divertiremos bastante quando ele se casar e eu tiver concluído meu curso, e então viajaremos juntos pelo estrangeiro ou coisa semelhante. Isto não te consola?

— Queria sentir-me consolada; mas ninguém sabe o que irá acontecer em três anos — disse ela pensativa.

— É verdade. Eu desejaria poder lançar um olhar ao futuro e ver onde todos estaríamos.

— Pois eu não; poderia ver alguma coisa triste; e todos parecem tão satisfeitos agora que não acredito que então pudessem achar-se muito mais felizes... — e Jo olhava para todos, radiantes de prazer, porque a cena era realmente encantadora.

O pai e a mãe estavam sentados juntos, relembrando silenciosos o primeiro capítulo do romance que começara para eles havia vinte anos. Amy desenhava os noivos, que se encontravam num mundo à parte, iluminados pela felicidade que a pequena artista não poderia reproduzir. Beth conversava amistosamente com seu velho amigo, o qual segurava sua pequenina mão como se sentisse que esta o poderia guiar aos lugares tranquilos por onde vagueava seu pensamento de criança; Jo descansava na sua cadeira predileta, com os olhos serenos, realçando a suas feições simpáticas; e Laurie, recostado na cadeira dela, sorria e acenava para sua imagem no grande espelho da frente, que refletia os dois.

Então, a cortina cai sobre Meg, Jo, Beth e Amy. Talvez ela suba novamente, isso vai depender da recepção do primeiro ato do drama doméstico chamado: *Mulherzinhas*.

**CONFIRA NOSSOS
LANÇAMENTOS AQUI!**

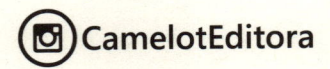

Camelot
EDITORA

CamelotEditora